#내신 대비서
#고득점 예약하기

수학전략

Chunjae Makes Chunjae

[수학전략] 중학 2-1

개발총괄 김덕유
편집개발 마영희, 원진희, 민경아
디자인총괄 김희정
표지디자인 윤순미, 한은비
내지디자인 박희춘, 이혜미
제작 황성진, 조규영

발행일 2022년 2월 15일 초판 2022년 2월 15일 1쇄
발행인 (주)천재교육
주소 서울시 금천구 가산로9길 54
신고번호 제2001-000018호
고객센터 1577-0902
교재 내용 문의 (02)3282-8852

※ 정답 분실 시에는 천재교육 교재 홈페이지에서 내려받으세요.

수학전략

중학 2-1

중간고사

이 책의 구성과 활용

주 도입

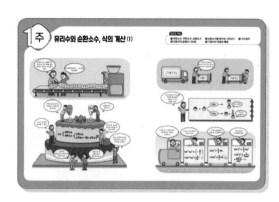

이번 주에 배울 내용이 무엇인지 보여 주는 부분입니다. 재미있는 만화를 통해 앞으로 배울 학습 요소를 미리 떠올려 봅니다.

1일 **개념 돌파 전략**

교과서 핵심 개념을 익힌 뒤 문제로 개념을 잘 이해했는지 확인합니다.

2일
3일 **필수 체크 전략**

꼭 알아야 할 내신 기출 유형을 뽑아 익혀 봅니다.

4일 **교과서 대표 전략**

내신 기출에 자주 등장하는 대표 유형의 문제를 풀어 볼 수 있습니다.

부록 시험에 잘 나오는 개념 BOOK
부록은 뜯으면 미니북으로 활용할 수 있습니다.
시험 전에 개념을 확실하게 짚어 주세요.

주 마무리와 권 마무리의 특별 코너들로
수학 실력이 더 탄탄해질 거야!

주 마무리 코너

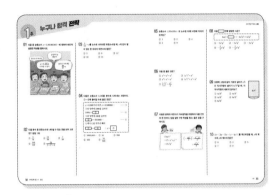

누구나 합격 전략

난이도 낮은 종합 문제로 학습 자신감을 고취할 수 있습니다.

창의·융합·코딩 전략

융복합적 사고력을 길러 주는 문제로 문제해결력을 기를 수 있습니다.

권 마무리 코너

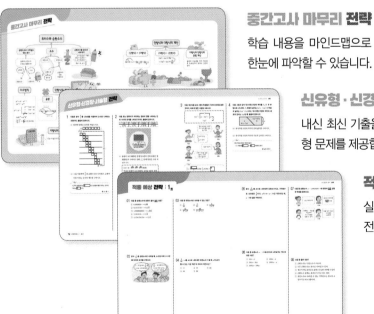

중간고사 마무리 전략

학습 내용을 마인드맵으로 정리해서 2주 동안 배운 내용을 한눈에 파악할 수 있습니다.

신유형·신경향·서술형 전략

내신 최신 기출을 바탕으로 신유형·신경향·서술형 문제를 제공합니다.

적중 예상 전략

실제 시험에 대비할 수 있는 모의 실전 문제를 2회로 구성하였습니다.

이 책의 차례

이 개념들을 알면 시험 대비는 문제없지!

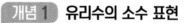

1주 1일 개념 돌파 전략 ①

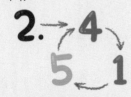

소수
유한소수 무한소수

개념 1 유리수의 소수 표현

(1) 유리수 : $\dfrac{(정수)}{(0이\ 아닌\ 정수)}$ 꼴의 분수로 나타낼 수 있는 수

(2) 유한소수 : 소수점 아래에 0이 아닌 숫자가 ❶⬜ 번 나타나는 소수

(3) 무한소수 : 소수점 아래에 0이 아닌 숫자가 무한 번 나타나는 소수

(4) 순환소수 : 소수점 아래의 어떤 자리에서부터 일정한 숫자의 배열이 한없이 되풀이되는 무한소수

　① 순환마디 : 순환소수의 소수점 아래에서 숫자의 배열이 ❷⬜되는 가장 짧은 한 부분

　② 순환소수의 표현 : 순환마디의 양 끝의 숫자 위에 점을 찍어서 나타낸다.

❶ 유한 ❷ 되풀이

개념 돌파 Quiz

① 2.415415…는 소수점 아래에서 415가 한없이 되풀이되므로 ❶⬜ 소수이다.

$$2.\overset{\curvearrowright}{4}\ \overset{\curvearrowleft}{5\ 1}$$

2.415/415/415 …

② 분수 $\dfrac{1}{3}$ 을 소수로 나타내면 0.333… 이고, 이때 순환마디는 ❷⬜ 이다.

❶ 순환 ❷ 3

개념 2 유한소수와 순환소수의 구분

정수가 아닌 유리수를 기약분수로 나타낼 때,

(1) 분모의 소인수가 2 또는 ❶⬜ 뿐인 유리수는 유한소수로 나타낼 수 있다.

(2) 분모가 ❷⬜ 또는 5 이외의 소인수를 가지는 유리수는 순환소수로 나타낼 수 있다.

❶ 5 ❷ 2

개념 돌파 Quiz

분수 $\dfrac{4}{24}$ 를 기약분수로 나타내면 ❶⬜ 이다.

이때 분모의 소인수가 2, ❷⬜ 이므로 $\dfrac{4}{24}$ 는 순환소수로 나타낼 수 있다.

❶ $\dfrac{1}{6}$ ❷ 3

개념 3 순환소수를 분수로 나타내기

(1) 순환소수를 분수로 나타내는 원리

　$1.\dot{2}$ 를 x 라 하면 $x=1.222\cdots$

$$\begin{array}{r} 10x=12.222\cdots \\ -)x=1.222\cdots \\ \hline ❶⬜\ x=11 \end{array}$$

　$\therefore x=\dfrac{11}{9}$

(2) 순환소수를 분수로 나타내는 공식

전체의 수　순환하지 않는 수

$$0.1\dot{6}\dot{2}=\dfrac{162-1}{990}=\dfrac{161}{990}$$

순환마디의 숫자 2개

소수점 아래에 순환하지 않는 숫자 1개

(3) 유리수와 순환소수

　① 정수가 아닌 ❷⬜ 는 유한소수 또는 순환소수로 나타낼 수 있다.

　② 유한소수와 순환소수는 분수로 나타낼 수 있으므로 모두 유리수이다.

참고 소수 $\begin{cases}$ 유한소수 ────── 유리수 $\\ $ 무한소수 $\begin{cases}$ 순환소수 ─┘ $\\ $ 순환하지 않는 무한소수 ── 유리수가 아니다. $\end{cases}\end{cases}$

❶ 9 ❷ 유리수

개념 돌파 Quiz

다음은 순환소수 $0.1\dot{5}$ 를 기약분수로 나타내는 과정이다. ⬜ 안에 알맞은 수를 써넣으시오.

$0.1\dot{5}$ 를 x 라 하면

$x=0.1555\cdots$

$$\begin{array}{r} 100x=15.555\cdots \\ -)\ ❶⬜\ x=1.555\cdots \\ \hline 90x=❷⬜ \end{array}$$

$\therefore x=\dfrac{14}{90}=\dfrac{7}{45}$

❶ 10 ❷ 14

1-1 다음 순환소수의 순환마디를 말하고, 순환마디에 점을 찍어 간단히 나타내시오.

(1) 0.2333⋯   (2) 1.363636⋯   (3) 5.198198⋯

풀이 |
　　　　　　　　　　　　[순환마디]　　[순환소수의 표현]

(1) 0.2333⋯ → _3_ → $0.2\dot{3}$

(2) 1.363636⋯ → **❶** → $1.\dot{3}\dot{6}$

(3) 5.198198⋯ → 198 → **❷**

❶ 36 ❷ $5.\dot{1}9\dot{8}$ / 📋 풀이 참조

1-2 다음 중 순환마디를 바르게 나타낸 것은?

① 0.310310310⋯ ➡ 31

② 1.010101⋯ ➡ 101

③ 5.315315⋯ ➡ 531

④ 23.535353⋯ ➡ 53

⑤ 14.70777077⋯ ➡ 707

2-1 다음 분수를 소수로 나타낼 때, 유한소수로 나타낼 수 있는 것에는 '유', 순환소수로만 나타낼 수 있는 것에는 '순'이라고 쓰시오.

(1) $\dfrac{12}{40}$ (2) $\dfrac{3}{90}$ (3) $\dfrac{27}{180}$

풀이 |
　　　　　　[기약분수]　　[분모의 소인수분해]

(1) $\dfrac{12}{40} = \dfrac{3}{10} = \dfrac{3}{2 \times 5}$ (**❶**)

(2) $\dfrac{3}{90} = \dfrac{1}{30} = \dfrac{1}{2 \times 3 \times 5}$ (순)

(3) $\dfrac{27}{180} = \dfrac{\boxed{❷}}{20} = \dfrac{3}{2^2 \times 5}$ (유)

❶ 유 ❷ 3 / 📋 (1) 유 (2) 순 (3) 유

2-2 다음 중 유한소수로 나타낼 수 있는 분수가 적힌 카드를 들고 있는 학생을 모두 말하시오.

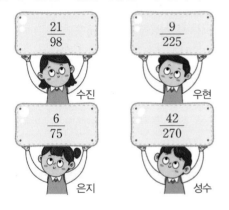

$\dfrac{21}{98}$ 수진　　$\dfrac{9}{225}$ 우현

$\dfrac{6}{75}$ 은지　　$\dfrac{42}{270}$ 성수

3-1 다음 순환소수를 분수로 나타내시오.

(1) $0.\dot{5}\dot{4}$ (2) $1.0\dot{7}$

풀이 | (1) $0.\dot{5}\dot{4} = \dfrac{54}{99} = \boxed{❶}$

(2) $1.0\dot{7} = \dfrac{107 - \boxed{❷}}{90} = \dfrac{97}{90}$

❶ $\dfrac{6}{11}$ ❷ 10 / 📋 (1) $\dfrac{6}{11}$ (2) $\dfrac{97}{90}$

3-2 다음 순환소수를 분수로 나타내시오.

(1) $1.\dot{5}$ (2) $0.1\dot{3}\dot{6}$

개념 4 지수법칙

m, n이 자연수일 때

(1) $a^m \times a^n = a^{m+n}$, $(a^m)^n = $ ❶

(2) $a^m \div a^n = \begin{cases} a^{m-n} & (m>n) \\ ❷ & (m=n) \quad (\text{단}, a \neq 0) \\ \dfrac{1}{a^{n-m}} & (m<n) \end{cases}$

(3) $(ab)^m = a^m b^m$, $\left(\dfrac{a}{b}\right)^m = \dfrac{a^m}{b^m}$ (단, $b \neq 0$)

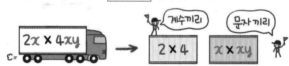

$\overset{\text{3개}}{\underbrace{a \times a \times a}} = a^{\overset{\text{지수}}{3}}_{\text{밑}}$

❶ a^{mn} ❷ 1

개념 돌파 Quiz

① $a^2 \times a^4 = a^{2+4} = $ ❶

② $(a^4)^3 = a^{4 \times 3} = a^{12}$

③ $a^4 \div a^2 = a^{4-2} = a^2$

④ $(ab)^3 = a^3$ ❷

❶ a^6 ❷ b^3

개념 5 단항식의 곱셈과 나눗셈

(1) 단항식의 곱셈

① 계수는 계수끼리, 문자는 ❶ 끼리 곱한다.

$2x \times 4xy$ → $\boxed{2 \times 4}$ 계수끼리 $\boxed{x \times xy}$ 문자끼리

② 같은 문자끼리의 곱셈은 지수법칙을 이용한다.

(2) 단항식의 나눗셈

방법 1 분수 꼴로 바꾸어 계산한다. ➡ $A \div B = \dfrac{A}{B}$

방법 2 나누는 식의 ❷ 를 곱하여 계산한다. ➡ $A \div B = A \times \dfrac{1}{B}$

❶ 문자 ❷ 역수

개념 돌파 Quiz

① $3a \times 4ab$
$= (3 \times 4) \times ($ ❶ $\times ab)$
$= 12a^2 b$

② $6a^2 b^4 \div 3ab = \dfrac{6a^2 b^4}{3ab}$
$= $ ❷

③ $\dfrac{2}{3}xy^2 \div \dfrac{x^2 y}{6} = \dfrac{2}{3}xy^2 \times \dfrac{6}{x^2 y}$
$= \dfrac{4y}{x}$

❶ a ❷ $2ab^3$

개념 6 다항식의 덧셈과 뺄셈

(1) 다항식의 덧셈 : 괄호를 풀고 ❶ 끼리 모아서 간단히 한다.

(2) 다항식의 뺄셈 : 빼는 식의 각 항의 부호를 바꾸어 더한다.

(3) 여러 가지 괄호가 있는 식의 계산 : (❷) ➡ {중괄호} ➡ [대괄호]의 순서로 괄호를 풀어 간단히 한다.

(4) 이차식 : x에 대한 다항식의 각 항의 차수 중 가장 큰 차수가 2인 다항식

(5) 이차식의 덧셈과 뺄셈 : 괄호를 풀고 이차항은 이차항끼리, 일차항은 일차항끼리, 상수항은 상수항끼리 모아서 간단히 한다.

❶ 동류항 ❷ 소괄호

개념 돌파 Quiz

① $(3a+5b) - (a-b)$
$= 3a + 5b - a + b$
$= 3a - a + 5b + b$
$= 2a + $ ❶ b

② $(2a^2 - 4a) + (5a^2 + 7a)$
$= 2a^2 + 5a^2 - 4a + 7a$
$= $ ❷ $a^2 + 3a$

❶ 6 ❷ 7

4-1 다음 식을 간단히 하시오.

(1) $x^2 \times x^2 \times x^5$ (2) $(x^{10})^2$

(3) $x^6 \div x^3$ (4) $\left(\dfrac{y}{x^2}\right)^4$

풀이 | (1) $x^2 \times x^2 \times x^5 = x^{2+2+5} = \boxed{❶}$

(2) $(x^{10})^2 = x^{10 \times 2} = x^{20}$

(3) $x^6 \div x^3 = x^{6-3} = x^3$

(4) $\left(\dfrac{y}{x^2}\right)^4 = \dfrac{\boxed{❷}}{x^{2 \times 4}} = \dfrac{y^4}{x^8}$

❶ x^9 ❷ y^4 / 답 (1) x^9 (2) x^{20} (3) x^3 (4) $\dfrac{y^4}{x^8}$

4-2 다음 중 옳은 것은?

① $a^2 \times a^3 = a^6$ ② $(a^3)^4 = a^7$

③ $a^8 \div a^2 = a^4$ ④ $(a^2b^3)^4 = a^8b^{12}$

⑤ $\left(\dfrac{a^5}{b^3}\right)^2 = \dfrac{a^{10}}{b^3}$

5-1 다음 식을 간단히 하시오.

(1) $(-2x)^3 \times 2xy$

(2) $8x^6y^3 \div (-xy)^2$

(3) $6a^3b^2 \div \left(-\dfrac{3}{5}a^2b\right)$

풀이 | (1) $(-2x)^3 \times 2xy = -8x^3 \times 2xy = \boxed{❶}\, x^4y$

(2) $8x^6y^3 \div (-xy)^2 = 8x^6y^3 \div x^2y^2 = \dfrac{8x^6y^3}{x^2y^2} = 8x^4y$

(3) $6a^3b^2 \div \left(-\dfrac{3}{5}a^2b\right) = 6a^3b^2 \times \left(-\dfrac{\boxed{❷}}{3a^2b}\right) = -10ab$

❶ -16 ❷ 5 / 답 (1) $-16x^4y$ (2) $8x^4y$ (3) $-10ab$

5-2 다음은 미연이가 $8x^4 \div \dfrac{1}{2}xy^2$을 계산한 것이다. 잘못 계산한 부분을 찾고, 바르게 계산하시오.

$8x^4 \div \dfrac{1}{2}xy^2 = 8x^4 \times 2xy^2$
$= 16x^5y^2$

어! 어디가 잘못된 거지?

6-1 다음 식을 간단히 하시오.

(1) $3(x+2y-3) - (2x-3y-5)$

(2) $(5x^2-2x+7) - 3(2x^2-2x-1)$

풀이 | (1) $3(x+2y-3) - (2x-3y-5)$
$= 3x+6y-9-2x+3y+\boxed{❶}$
$= x+9y-4$

(2) $(5x^2-2x+7) - 3(2x^2-2x-1)$
$= 5x^2-2x+7-6x^2+6x+3$
$= -x^2+\boxed{❷}\,x+10$

❶ 5 ❷ 4 / 답 (1) $x+9y-4$ (2) $-x^2+4x+10$

6-2 다음 식을 간단히 하시오.

(1) $(5x-3y-4) - (3x-7)$

(2) $(5x^2-4x+3) - (-2x^2-x+3)$

바탕 문제

다음 보기 중 유한소수와 무한소수를 각각 모두 고르시오.

┌ 보기 ┐
㉠ 1.555…　　　　㉡ 0.33333333
㉢ 2.171717…　　㉣ 3.16222

풀이 유한소수 : ❶ⓐ , ㉣
❷ⓑ 소수 : ㉠, ㉢

❶ ㉡　❷ 무한

---

1 다음 중 옳지 <u>않은</u> 것은?

① $-\dfrac{4}{9}$를 소수로 나타내면 무한소수이다.

② $\dfrac{5}{24}$를 소수로 나타내면 무한소수이다.

③ $\dfrac{7}{40}$을 소수로 나타내면 유한소수이다.

④ π는 유한소수이다.

⑤ 0.112123…은 무한소수이다.

바탕 문제

다음은 분수 $\dfrac{1}{8}$을 유한소수로 나타내는 과정이다.

□ 안에 알맞은 수를 써넣으시오.

풀이 $\dfrac{1}{8}=\dfrac{1}{\boxed{❶}}=\dfrac{1\times5^3}{2^3\times5^3}=\dfrac{125}{1000}$
$\qquad=\boxed{❷}$

❶ 2^3　❷ 0.125

---

2 다음은 분수 $\dfrac{6}{250}$을 유한소수로 나타내는 과정이다. ①~⑤에 들어갈 수로 알맞지 <u>않은</u> 것은?

$$\frac{6}{250}=\frac{3}{\boxed{①}}=\frac{3}{\boxed{②}}=\frac{3\times\boxed{③}}{\boxed{②}\times\boxed{③}}=\frac{\boxed{④}}{1000}=\boxed{⑤}$$

① 125　　　　② 5^3　　　　③ 2^3
④ 24　　　　⑤ 0.24

바탕 문제

순환소수 0.474747…을 분수로 나타내시오.

풀이 순환소수 0.474747…의 순환마디는 47이므로 이 순환소수를 순환마디에 점을 찍어 간단히 나타내면 ❶□이고 분수로 나타내면
❷□ 이다.

❶ $0.\dot{4}\dot{7}$　❷ $\dfrac{47}{99}$

---

3 다음 중 순환소수 0.2050505…에 대하여 잘못 설명한 학생을 말하시오.

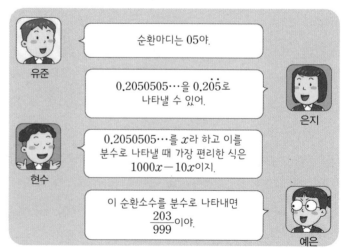

유준: 순환마디는 05야.

은지: 0.2050505…을 $0.2\dot{0}\dot{5}$로 나타낼 수 있어.

현수: 0.2050505…를 x라 하고 이를 분수로 나타낼 때 가장 편리한 식은 $1000x-10x$이지.

예은: 이 순환소수를 분수로 나타내면 $\dfrac{203}{999}$이야.

바탕 문제

$\left(\dfrac{y^3}{x}\right)^4$ 을 간단히 하시오.

[풀이] $\left(\dfrac{y^3}{x}\right)^4 = \dfrac{(y^3)^4}{❶} = \dfrac{❷}{x^4}$

❶ x^4 ❷ y^{12}

바탕 문제

$xy^2 \div \dfrac{2}{3}y$ 를 간단히 하시오.

[풀이] $xy^2 \div \dfrac{2}{3}y = xy^2 \times \dfrac{3}{❶} = ❷\,xy$

❶ $2y$ ❷ $\dfrac{3}{2}$

바탕 문제

$2(a-2b)-(3a-5b)$ 를 간단히 하시오.

[풀이] $2(a-2b)-(3a-5b)$
$=2a-4b-3a+❶$
$=-a+❷$

❶ $5b$ ❷ b

바탕 문제

$2(x-3x^2)-2x$ 를 간단히 하시오.

[풀이] $2(x-3x^2)-2x$
$=❶\quad-6x^2-2x$
$=❷$

❶ $2x$ ❷ $-6x^2$

---

4 다음 중 계산 결과가 나머지 넷과 <u>다른</u> 하나는?

① $(a^2)^3$　　　② $a^4 \times a$　　　③ $a^{12} \div a^7$

④ $(a^2b)^4 \div a^3b^4$　　　⑤ $\left(\dfrac{a}{b^2}\right)^5 \times (b^5)^2$

---

5 다음 중 옳은 것은?

① $3x^2 \times 6xy = 18x^3y^2$　　　② $2x \times (-3y)^3 = 54xy^3$

③ $9a^2b^5 \div \dfrac{3}{4}ab = 12a^3b^6$　　　④ $(-6x^3y)^2 \div 3xy = 12x^5y$

⑤ $(-2x^2y)^2 \times (-3xy^2) = 12x^5y^4$

---

6 다음은 영미가 $\dfrac{2x-3y}{4} - \dfrac{3x-2y}{5}$ 를 계산하는 과정이다. □ 안에 알맞은 수를 써넣으시오.

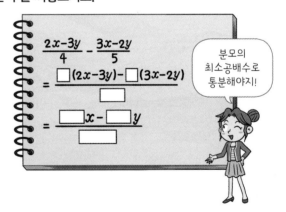

---

7 다음 중 x에 대한 이차식이 <u>아닌</u> 것을 모두 고르면? (정답 2개)

① x^2-x+3　　　② x^2-3x^2+7　　　③ $2x^2+5x-5x^2$

④ $3(x-x^2)+3x^2$　　　⑤ $\dfrac{3}{x^2}+2x-4$

전략 1 순환소수와 순환마디

순환소수의 소수점 아래 n번째 자리의 숫자를 구할 때에는 순환마디의 개수를 구하여 규칙을 파악한다.

⑩ $0.\dot{1}25\dot{4}$의 소수점 아래 45번째 자리의 숫자 구하기

→ $0.\dot{1}25\dot{4}$의 순환마디의 숫자의 개수 : ❶ ☐

→ $45 = 4 \times 11 + 1$
　　　　└→ 순환마디가 11번 반복된다.

→ 소수점 아래 45번째 자리의 숫자는 순환마디의 첫 번째 숫자인 ❷ ☐ 이다.

❶ 4 ❷ 1

필수 예제

1-1 분수 $\dfrac{23}{33}$ 을 소수로 나타내기 위하여 오른쪽 그림과 같이 계속 나누었을 때, 소수점 아래 80번째 자리의 숫자는?

① 2　　　　② 3　　　　③ 6

④ 8　　　　⑤ 9

$$
\begin{array}{r}
0.696\cdots \\
33\,)\overline{23} \\
\underline{198} \\
320 \\
\underline{297} \\
230 \\
\underline{198} \\
32 \\
\vdots
\end{array}
$$

1-2 분수 $\dfrac{5}{27}$ 를 소수로 나타낼 때, 소수점 아래 49번째 자리의 숫자를 구하시오.

풀이

1-1 $\dfrac{23}{33} = 0.\dot{6}\dot{9}$ 이므로 순환마디의 숫자의 개수는 2이다. 이때 $80 = 2 \times 40$ 이므로 소수점 아래 80번째 자리의 숫자는 순환마디의 2번째 숫자인 9이다.

답 ⑤

1-2 $\dfrac{5}{27} = 0.\dot{1}8\dot{5}$ 이므로 순환마디의 숫자의 개수는 3이다. 이때 $49 = 3 \times 16 + 1$ 이므로 소수점 아래 49번째 자리의 숫자는 순환마디의 첫 번째 숫자인 1이다.

답 1

확인 문제 1-1

분수 $\dfrac{3}{11}$ 을 소수로 나타낼 때, 소수점 아래 9번째 자리의 숫자를 구하시오.

확인 문제 1-2

분수 $\dfrac{4}{37}$ 를 소수로 나타낼 때, 소수점 아래 50번째 자리의 숫자를 a, 소수점 아래 100번째 자리의 숫자를 b라 하자. 이때 $a+b$의 값을 구하시오.

전략 2 유한소수와 순환소수의 구분

정수가 아닌 유리수를 기약분수로 나타낸 후 분모를 소인수분해하였을 때
(1) 분모의 소인수가 2 또는 ❶ [ ] 뿐인 유리수 ➡ 유한소수
(2) 분모가 2 또는 5 이외의 소인수를 가지는 유리수 ➡ ❷ [ ] 소수

❶ 5 ❷ 순환

필수 예제

2-1 다음 분수 중 유한소수로 나타낼 수 있는 것은?

① $\dfrac{2}{9}$ ② $\dfrac{3}{51}$ ③ $\dfrac{5}{3 \times 4}$ ④ $\dfrac{7}{120}$ ⑤ $\dfrac{49}{2^2 \times 5 \times 7}$

2-2 분수 $\dfrac{A}{28}$ 를 소수로 나타내면 유한소수가 될 때, A의 값이 될 수 있는 가장 작은 두 자리의 자연수를 구하시오.

풀이 |

2-1 ① $\dfrac{2}{9} = \dfrac{2}{3^2}$ ② $\dfrac{3}{51} = \dfrac{1}{17}$

③ $\dfrac{5}{3 \times 4} = \dfrac{5}{3 \times 2^2}$ ④ $\dfrac{7}{120} = \dfrac{7}{2^3 \times 3 \times 5}$

⑤ $\dfrac{49}{2^2 \times 5 \times 7} = \dfrac{7}{2^2 \times 5}$

따라서 유한소수로 나타낼 수 있는 것은 ⑤이다.

답 ⑤

2-2 $\dfrac{A}{28} = \dfrac{A}{2^2 \times 7}$ 이므로 $\dfrac{A}{2^2 \times 7}$ 가 유한소수가 되려면 A는 7의 배수이어야 한다.

따라서 A의 값이 될 수 있는 가장 작은 두 자리의 자연수는 14이다.

답 14

확인 문제 **2**-1

다음 분수를 소수로 나타낼 때, 순환소수로만 나타낼 수 있는 것은?

① $\dfrac{11}{20}$ ② $\dfrac{75}{150}$ ③ $\dfrac{121}{440}$

④ $\dfrac{27}{2^2 \times 3 \times 5}$ ⑤ $\dfrac{35}{2^3 \times 3 \times 5}$

확인 문제 **2**-2

분수 $\dfrac{A}{2^3 \times 3 \times 5}$ 를 소수로 나타내면 유한소수가 된다. 다음 중 A의 값이 될 수 있는 것을 모두 고르면? (정답 2개)

① 6 ② 7 ③ 21

④ 32 ⑤ 35

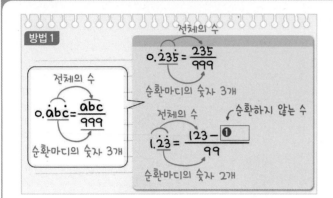

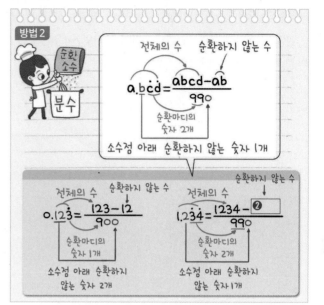

❶ 1 ❷ 12

필수 예제

3-1 다음 중 순환소수를 분수로 나타낸 것으로 옳지 <u>않은</u> 것은?

① $0.\dot{2}\dot{1}=\dfrac{7}{33}$　　　② $0.\dot{4}0\dot{7}=\dfrac{407}{909}$　　　③ $0.0\dot{3}=\dfrac{1}{30}$

④ $2.\dot{0}\dot{2}=\dfrac{200}{99}$　　　⑤ $2.1\dot{7}=\dfrac{98}{45}$

풀이 |

3-1　① $0.\dot{2}\dot{1}=\dfrac{21}{99}=\dfrac{7}{33}$　　② $0.\dot{4}0\dot{7}=\dfrac{407}{999}$　　③ $0.0\dot{3}=\dfrac{3}{90}=\dfrac{1}{30}$

④ $2.\dot{0}\dot{2}=\dfrac{202-2}{99}=\dfrac{200}{99}$　　⑤ $2.1\dot{7}=\dfrac{217-21}{90}=\dfrac{196}{90}=\dfrac{98}{45}$

따라서 옳지 않은 것은 ②이다.

답 ②

확인 문제 3-1

다음 중 순환소수를 분수로 나타낸 것으로 옳은 것은?

① $0.\dot{4}=\dfrac{40}{9}$　　　② $0.0\dot{1}=\dfrac{1}{9}$

③ $0.\dot{4}\dot{5}=\dfrac{5}{11}$　　　④ $3.\dot{6}\dot{9}=\dfrac{11}{3}$

⑤ $0.3\dot{5}\dot{7}=\dfrac{176}{405}$

확인 문제 3-2

분수 $\dfrac{x}{15}$ 를 소수로 나타내면 $1.1333\cdots$일 때, 자연수 x의 값을 구하시오.

전략 4 유리수와 소수의 관계

(1) 정수가 아닌 유리수는 유한소수 또는 순환소수로 나타낼 수 있다.

(2) 유한소수와 순환소수는 모두 유리수이다.

참고 소수 ┌ 유한소수 ──────────────── ─ ❷
❶ ___ 소수 ├ 순환소수 ─────────────
└ 순환하지 않는 무한소수 ─ 유리수가 아니다.

❶ 무한 ❷ 유리수

필수 예제

4-1 다음 중 옳은 것은?

① 0은 분수로 나타낼 수 없다.

② 모든 무한소수는 유리수이다.

③ 유한소수 중에는 유리수가 아닌 것도 있다.

④ 모든 유리수는 유한소수로 나타낼 수 있다.

⑤ 유한소수와 순환소수는 분수로 나타낼 수 있다.

모든 소수는 분수로 나타낼 수 있다.

순환하지 않는 무한소수는 분수로 나타낼 수 없어.

풀이

4-1 ① $0=\dfrac{0}{1}=\dfrac{0}{2}=\dfrac{0}{3}=\cdots$이므로 분수로 나타낼 수 있다.

② 순환하지 않는 무한소수는 유리수가 아니다.

③ 유한소수는 모두 유리수이다.

④ 순환소수는 유리수이지만 무한소수이다.

답 ⑤

$\dfrac{0}{1}, \dfrac{0}{2}, \dfrac{0}{3}$과 같이 분자에는 0이 올 수 있고, 분자가 0이면 그 수는 0이야.

확인 문제 4-1

다음 중 옳지 않은 것은?

① 모든 순환소수는 유리수이다.

② 유리수 중에는 무한소수도 있다.

③ 모든 무한소수는 분수로 나타낼 수 없다.

④ 무한소수 중에는 유리수가 아닌 것도 있다.

⑤ 정수가 아닌 유리수는 유한소수 또는 순환소수로 나타낼 수 있다.

확인 문제 4-2

다음 보기 중 옳은 것을 모두 고르시오.

보기
㉠ 0은 유리수가 아니다.
㉡ 유한소수는 모두 유리수이다.
㉢ 유한소수로 나타낼 수 없는 기약분수는 모두 순환소수로 나타낼 수 있다.
㉣ 순환소수가 아닌 무한소수는 $\dfrac{(정수)}{(0이\ 아닌\ 정수)}$ 꼴로 나타낼 수 없다.

1 다음 대화를 읽고 순환소수 $0.2\dot{5}\dot{6}$에서 소수점 아래 50번째 자리의 숫자를 구하시오.

> $0.2\dot{5}\dot{6}$에서 2는 순환하지 않는데 어떻게 풀지?

> 그럼 소수점 아래 50번째 자리의 숫자는 순환하는 부분의 49번째 숫자와 같겠네.

문제 해결 전략

$0.2\dot{5}\dot{6}$에서 순환마디를 이루는 숫자가 **①** 　 개이고 소수점 아래 첫 번째 자리의 숫자 **②** 　 는 순환하지 않음에 주의한다.

❶ 2 ❷ 2

2 분수 $\dfrac{7}{125}$을 $\dfrac{a}{10^n}$의 꼴로 바꾸어 유한소수로 나타내려고 할 때, $a+n$의 최솟값을 구하시오. (단, a, n은 자연수)

문제 해결 전략

분수 $\dfrac{7}{125}$의 분모가 **①** 　 의 거듭제곱 꼴이 되도록 분모, **②** 　 에 같은 수를 곱한다.

❶ 10 ❷ 분자

3 분수 $\dfrac{14}{2^4 \times 5 \times a}$를 소수로 나타내면 유한소수가 될 때, 다음 중 a의 값이 될 수 <u>없는</u> 것은?

① 7　　　　② 14　　　　③ 21
④ 25　　　　⑤ 28

문제 해결 전략

$\dfrac{14}{2^4 \times 5 \times a}$를 **①** 　 로 나타내고 그 기약분수의 분모의 소인수가 **②** 　 또는 5만 남도록 하는 a의 값을 구한다.

❶ 기약분수 ❷ 2

4 분수 $\dfrac{x}{90}$ 를 소수로 나타내면 유한소수이고, 기약분수로 나타내면 $\dfrac{1}{y}$ 이다. x 가 $10 < x < 20$ 인 자연수일 때, $x+y$ 의 값은?

① 5   ② 8   ③ 13
④ 18   ⑤ 23

문제 해결 전략

$\dfrac{x}{90}$ 를 ❶ [　　] 소수가 되도록 하는 x 의 값을 구하여 대입한 후 ❷ [　　] 하여 y 의 값을 구한다.

❶ 유한 ❷ 약분

5 다음은 어떤 기약분수 $\dfrac{a}{b}$ 를 순환소수로 나타내는 문제에 대한 두 학생의 대화이다. 이때 기약분수 $\dfrac{a}{b}$ 를 순환소수로 바르게 나타내시오.

문제 해결 전략

진희는 ❶ [　　] 를 바르게 보았고 정식이는 ❷ [　　] 를 바르게 보았다.

진희와 정식이가 바르게 본 분자와 분모를 조합하면 $\dfrac{a}{b}$ 를 구할 수 있어.

❶ 분자 ❷ 분모

6 다음 등식을 만족시키는 x 의 값을 순환소수로 나타내면?

$$\frac{8}{11} = x + 0.\dot{3}\dot{2}$$

① $0.\dot{4}\dot{0}$ ② $0.\dot{4}$ ③ $1.\dot{0}\dot{4}$
④ $1.\dot{0}\dot{5}$ ⑤ $1.0\dot{5}$

문제 해결 전략

먼저 순환소수 $0.\dot{3}\dot{2}$ 를 ❶ [　　] 로 나타낸 후 x 의 값을 구한다. 이때 x 의 값을 ❷ [　　] 로 나타낸다.

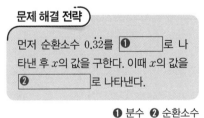

❶ 분수 ❷ 순환소수

전략 1 지수법칙

m, n이 자연수일 때

(1) $a^m \times a^n = a^{m+n}$

$(a^m)^n = $ ❶

(2) $a^m \div a^n = \begin{cases} \boxed{❷} & (m>n) \\ 1 & (m=n) \,(단,\, a \neq 0) \\ \dfrac{1}{a^{n-m}} & (m<n) \end{cases}$

(3) $(ab)^m = a^m b^m$

$\left(\dfrac{a}{b}\right)^m = \dfrac{a^m}{b^m}$ (단, $b \neq 0$)

❶ a^{mn} ❷ a^{m-n}

필수 예제

1-1 다음 중 옳은 것은?

① $x^3 \times x^5 = x^{15}$

② $x^9 \div x^3 = x^3$

③ $(-x^3)^5 = x^{15}$

④ $x^5 \div x^5 = 0$

⑤ $\left(\dfrac{x^3}{y^4}\right)^2 = \dfrac{x^6}{y^8}$

1-2 $\left(\dfrac{2y^a}{3x^4}\right)^b = \dfrac{8y^{12}}{27x^c}$ 일 때, $a+b+c$의 값을 구하시오. (단, a, b, c는 자연수)

풀이

1-1
① $x^3 \times x^5 = x^{3+5} = x^8$
② $x^9 \div x^3 = x^{9-3} = x^6$
③ $(-x^3)^5 = -x^{15}$
④ $x^5 \div x^5 = 1$

답 ⑤

1-2 $\left(\dfrac{2y^a}{3x^4}\right)^b = \dfrac{2^b y^{ab}}{3^b x^{4b}} = \dfrac{8y^{12}}{27x^c}$ 이므로

$2^b = 8$에서 $b=3$, $ab = 3a = 12$에서 $a=4$

$4b = c$에서 $c = 4 \times 3 = 12$

$\therefore a+b+c = 4+3+12 = 19$

답 19

확인 문제 1-1

다음 중 옳은 것은?

① $3^2 \times 3^2 \times 3^2 = 3^8$

② $(3^2)^5 \times (3^2)^5 = 2 \times 3^{10}$

③ $5^6 \div 5^2 \div 5^3 = 5$

④ $5^3 \div \dfrac{1}{5^3} = 1$

⑤ $\left(-\dfrac{3y}{x^3}\right)^3 = -\dfrac{27y^3}{x^6}$

확인 문제 1-2

다음 대화를 읽고 $a+b+c$의 값을 구하시오.

이 문제는 어떻게 풀어요?

좌변을 간단히 정리해 봐.

$\left(\dfrac{2x^a}{y^2}\right)^b = \dfrac{2^b x^{ab}}{y^{2b}}$ 이니까 b의 값부터 구하면 돼.

$\left(\dfrac{2x^a}{y^2}\right)^b = \dfrac{16x^{12}}{y^c}$ 일 때, $a+b+c$의 값을 구하시오. (단, a, b, c는 자연수)

전략 2 지수법칙의 응용

(1) 밑이 다를 때 지수법칙을 이용하여 **①** 이 같아지도록 한다.

(2) 같은 수의 덧셈식은 **②** 으로 나타낸 후 지수법칙을 이용한다.

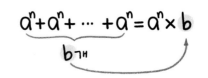

① 밑 **②** 곱셈식

필수 예제

2-1 $2^{2x-3}=128$, $81 \times 3^y \div 27^3 = 3^6$일 때, x, y의 값을 각각 구하시오. (단, x, y는 자연수)

2-2 $5^4 + 5^4 + 5^4 + 5^4 + 5^4 = 5^x$으로 나타낼 때, 자연수 x의 값을 구하시오.

풀이 |

2-1 $2^{2x-3}=128=2^7$이므로

$2x-3=7$, $2x=10$ ∴ $x=5$

$81 \times 3^y \div 27^3 = 3^4 \times 3^y \div (3^3)^3 = 3^4 \times 3^y \div 3^9 = 3^{y-5} = 3^6$

이므로 $y-5=6$ ∴ $y=11$

답 $x=5, y=11$

2-2 $5^4 + 5^4 + 5^4 + 5^4 + 5^4 = 5^4 \times 5 = 5^5$

∴ $x=5$

답 5

확인 문제 2-1

$2^x \times 32 = 2^{12}$, $3^y \div 3^2 = 3^{10}$일 때, $x+y$의 값은?

(단, x, y는 자연수)

① 18   ② 19   ③ 20

④ 21   ⑤ 22

확인 문제 2-2

$(2^5 + 2^5 + 2^5 + 2^5) \times 5^7 = x^7$일 때, 자연수 x의 값을 구하시오.

1 지수법칙을 이용하여 거듭제곱을 간단히 한다.

2 나눗셈은 분수 또는 역수의 곱셈으로 바꾼다.

3 계수는 계수끼리, 문자는 문자끼리 계산한다.

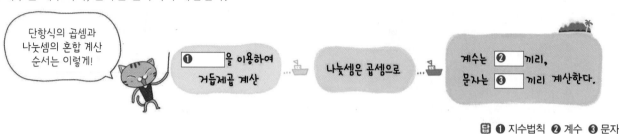

단항식의 곱셈과
나눗셈의 혼합 계산
순서는 이렇게!

❶ ☐ 을 이용하여
거듭제곱 계산 ... 나눗셈은 곱셈으로 ... 계수는 ❷ ☐ 끼리,
문자는 ❸ ☐ 끼리 계산한다.

답 ❶ 지수법칙 ❷ 계수 ❸ 문자

필수 예제

3-1 다음 중 옳지 <u>않은</u> 것은?

① $3x^2 \times (-2x^5) = -6x^7$

② $(x^4)^2 \times 3x^2 = 3x^{10}$

③ $12ab \div 3a = 4b$

④ $(2ax^2)^3 \div \dfrac{1}{2}ax^3 = 16a^2x^3$

⑤ $a^2b^3 \times (-4a^3b^2)^2 \div ab^3 = 16a^7b^7$

3-2 $(-3ab)^2 \times \boxed{} \div \left(-\dfrac{1}{3}ab^2\right) = -54a^4b$일 때, $\boxed{}$ 안에 알맞은 식을 구하시오.

풀이

3-1 ② $(x^4)^2 \times 3x^2 = x^8 \times 3x^2 = 3x^{10}$

③ $12ab \div 3a = 12ab \times \dfrac{1}{3a} = 4b$

④ $(2ax^2)^3 \div \dfrac{1}{2}ax^3 = 8a^3x^6 \times \dfrac{2}{ax^3} = 16a^2x^3$

⑤ $a^2b^3 \times (-4a^3b^2)^2 \div ab^3 = a^2b^3 \times 16a^6b^4 \times \dfrac{1}{ab^3}$
$\qquad\qquad\qquad = 16a^7b^4$

따라서 옳지 않은 것은 ⑤이다.

답 ⑤

3-2 $(-3ab)^2 \times \boxed{} \div \left(-\dfrac{1}{3}ab^2\right) = -54a^4b$에서

$9a^2b^2 \times \boxed{} \div \left(-\dfrac{1}{3}ab^2\right) = -54a^4b$

$\therefore \boxed{} = (-54a^4b) \div 9a^2b^2 \times \left(-\dfrac{1}{3}ab^2\right)$

$\qquad = (-54a^4b) \times \dfrac{1}{9a^2b^2} \times \left(-\dfrac{1}{3}ab^2\right)$

$\qquad = 2a^3b$

답 $2a^3b$

확인 문제 3-1

$(2ab^3)^2 \times \left(\dfrac{3b}{a^3}\right)^2 \div 2ab^4$을 간단히 하시오.

확인 문제 3-2

$5a^2b \div \boxed{} \times (-3ab^2)^2 = -15ab$일 때, $\boxed{}$ 안에 알맞은
식은?

① a^2b　　　② $3a^2b$　　　③ $\dfrac{1}{3}a^3b^4$

④ $-a^3b^4$　　　⑤ $-3a^3b^4$

전략 4 다항식의 덧셈과 뺄셈

(1) 이차식의 덧셈과 뺄셈

　1 괄호를 푼다. 이때 뺄셈은 빼는 식의 각 항의 부호를 바꾸어 더한다.

　2 이차항은 이차항끼리, 일차항은 **❶** [　　　　]끼리, 상수항은 상수항끼리 모아서 간단히 한다.

(2) 여러 가지 괄호가 있는 식의 계산

　(소괄호) ➡ {중괄호} ➡ [대괄호]의 순서로 괄호를 푼다.

이 순서로 괄호를
풀어 간단히 한다.

예 $x-\{2x-y-(x+y)\}=x-(2x-y-x-y)$

$\qquad\qquad\qquad\qquad\quad =x-(x-2y)$

$\qquad\qquad\qquad\qquad\quad =x-x+$ **❷** [　　] $=2y$

❶ 일차항　❷ $2y$

필수 예제

4-1　$\dfrac{2x^2+3x-1}{4}-\dfrac{x^2+x-8}{2}=ax^2+bx+c$일 때, $a+b+c$의 값을 구하시오. (단, a, b, c는 상수)

4-2　$2x-[7y+2x-\{2x-(x+3y)\}]$를 간단히 하시오.

풀이

4-1　$\dfrac{2x^2+3x-1}{4}-\dfrac{x^2+x-8}{2}$

$\quad=\dfrac{2x^2+3x-1-2(x^2+x-8)}{4}$

$\quad=\dfrac{2x^2+3x-1-2x^2-2x+16}{4}=\dfrac{x+15}{4}=\dfrac{1}{4}x+\dfrac{15}{4}$

　따라서 $a=0,\ b=\dfrac{1}{4},\ c=\dfrac{15}{4}$이므로

　$a+b+c=0+\dfrac{1}{4}+\dfrac{15}{4}=\dfrac{16}{4}=4$

답 4

4-2　(주어진 식)$=2x-\{7y+2x-(2x-x-3y)\}$

$\qquad\qquad\quad=2x-\{7y+2x-(x-3y)\}$

$\qquad\qquad\quad=2x-(7y+2x-x+3y)$

$\qquad\qquad\quad=2x-(x+10y)$

$\qquad\qquad\quad=2x-x-10y$

$\qquad\qquad\quad=x-10y$

답 $x-10y$

확인 문제 4-1

다음 식을 간단히 하시오.

$$\left(\dfrac{3}{4}a^2+\dfrac{2}{3}a-3\right)-\left(-\dfrac{1}{2}a^2+a-1\right)$$

확인 문제 4-2

$6x+y-\{2x-(x-4y)\}=ax+by$일 때, $a-b$의 값을 구하시오. (단, a, b는 상수)

1 다음 중 □ 안에 들어갈 수가 가장 큰 것은?

① $a^7 \div a = a^{\square}$ ② $a^{16} \div a^3 = a^{\square}$

③ $(a^4)^3 = a^{\square}$ ④ $(-a^5 b^{\square})^3 = -a^{15} b^{12}$

⑤ $a^4 \times b \times a^2 \times (b^2)^3 = a^6 b^{\square}$

문제 해결 전략

❶ _____ 을 이용하여 좌변을 간단히 한 후 ❷ _____ 과 비교한다.

❶ 지수법칙 ❷ 우변

2 $\dfrac{2^7 + 2^7}{9^3 + 9^3 + 9^3} \times \dfrac{3^4 + 3^4 + 3^4}{4^3 + 4^3 + 4^3 + 4^3}$ 을 간단히 하면?

① $\dfrac{1}{9}$ ② $\dfrac{2}{9}$ ③ $\dfrac{4}{9}$

④ $\dfrac{5}{9}$ ⑤ $\dfrac{2}{3}$

문제 해결 전략

먼저 덧셈식을 ❶ _____ 으로 나타낸 후 ❷ _____ 을 이용한다.

❶ 곱셈식 ❷ 지수법칙

3 다음 대화를 읽고 $3^4 = A$라 할 때, 9^{10}을 A를 사용하여 나타내면?

① $3A$ ② $A+3$ ③ A^5

④ $3A^5$ ⑤ A^6

문제 해결 전략

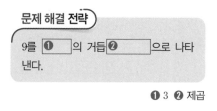

9를 ❶ _____ 의 거듭 ❷ _____ 으로 나타낸다.

❶ 3 ❷ 제곱

4 $2^6 \times 3 \times 5^7$이 n자리의 자연수일 때, n의 값을 구하시오.

문제 해결 전략

①   와 5의 지수를 **②**   으로 같게 묶어 $a \times 10^6$ 꼴로 나타낸다.

(단, a는 자연수)

① 2 **②** 6

5 오른쪽 그림과 같이 높이가 $20a^7b^4$인 삼각형의 넓이가 $80a^5b^7$일 때, 밑변의 길이는?

① $\dfrac{4b^2}{a^2}$ ② $\dfrac{8b^3}{a^2}$

③ $\dfrac{4b^3}{a}$ ④ $\dfrac{8b^3}{a}$

⑤ $\dfrac{4b}{a}$

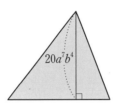

문제 해결 전략

(삼각형의 **①**   )
$= \dfrac{1}{2} \times$ (밑변의 길이) $\times$ (**②**   )
임을 이용한다.

① 넓이 **②** 높이

6 다음 대화를 읽고 바르게 계산하였을 때 답을 구하시오.

이번 시험은 잘 봤어?

그랬구나. 아쉽겠네.

어떤 식에 $-5x^2 - 7x + 4$를 더해야 하는데 잘못하여 빼었더니 $2x^2 - 4x - 3$이 되었어.

응. 그런데 바르게 계산하면 답이 뭐야?

문제 해결 전략

어떤 식을 A라 할 때,
① $- (-5x^2 - 7x + 4)$
$=$ **②**
이 성립한다. 이때 바르게 계산한 식은
$A + (-5x^2 - 7x + 4)$이다.

① A **②** $2x^2 - 4x - 3$

대표 예제 1

다음 중 순환소수의 표현으로 옳은 것은?

① $2.3515151\cdots=2.35\dot{1}\dot{5}$

② $0.599999\cdots=0.5\dot{9}$

③ $0.101010\cdots=0.1\dot{0}\dot{1}$

④ $2.10361036\cdots=2.\dot{1}036\dot{}$

⑤ $4.02757575\cdots=4.02\dot{7}5$

개념 가이드

순환소수는 순환마디의 ❶ ⬚ 의 숫자 위에 점을 찍어서 나타낸다. 이때 순환마디는 순환소수의 소수점 아래에서 숫자의 배열이 ❷ ⬚ 되는 가장 짧은 한 부분이다.

❶ 양 끝 ❷ 되풀이

대표 예제 3

$1.5\dot{7}\dot{4}$의 소수점 아래 101번째 자리의 숫자를 a, 분수 $\dfrac{7}{41}$을 소수로 나타낼 때, 소수점 아래 50번째 자리의 숫자를 b라 할 때, $a+b$의 값을 구하시오.

개념 가이드

$1.5\dot{7}\dot{4}$의 순환마디의 숫자 5, 7, ❶ ⬚ 가 반복되는 것과 마찬가지로 $\dfrac{7}{41}$을 ❷ ⬚ 로 나타내어 규칙성을 찾는다.

❶ 4 ❷ 순환소수

대표 예제 2

다음은 순환소수 $1.0\dot{4}$를 분수로 나타내는 과정이다. ⬚ 안에 알맞은 수로 옳지 <u>않은</u> 것은?

$x=1.0\dot{4}$라 하면 $x=1.0444\cdots$ ······ ㉠
㉠의 양변에 ① ⬚ 을 곱하면
$100x=104.444\cdots$ ······ ㉡
㉠의 양변에 10을 곱하면 $10x=$ ② ⬚ ······ ㉢
㉡에서 ㉢을 변끼리 빼면 ③ ⬚ $x=$ ④ ⬚
∴ $x=$ ⑤ ⬚

① 100 ② $10.444\cdots$ ③ 90

④ 100 ⑤ $\dfrac{47}{45}$

개념 가이드

순환소수 $1.0\dot{4}$를 x로 놓고 양변에 ❶ ⬚ 의 거듭제곱을 곱하여 ❷ ⬚ 아래의 부분이 같은 두 식을 만든다.

❶ 10 ❷ 소수점

대표 예제 4

다음 대화를 읽고 칠판에 적혀 있는 분수 중 순환소수로 만 나타낼 수 있는 것을 모두 고르시오.

순환소수로만 나타낼 수 있는 분수를 어떻게 찾지?

기약분수로 바꾼 후 분모를 소인수분해해 봐.

$$\dfrac{7}{4},\ \dfrac{15}{6},\ \dfrac{13}{15},\ \dfrac{22}{55},\ \dfrac{5}{60}$$

개념 가이드

❶ ⬚ 소수로만 나타낼 수 있는 분수는 기약분수의 분모의 소인수 중 ❷ ⬚ 와 5를 제외한 수가 있어야 한다.

❶ 순환 ❷ 2

대표 예제 **5**

$\dfrac{5}{56} \times x$를 소수로 나타내면 유한소수가 될 때, x의 값이 될 수 <u>없는</u> 것은?

① 7   ② 21   ③ 25

④ 28   ⑤ 35

개념 가이드

$\dfrac{5}{56}$의 분모를 ❶ □□□□□ 한다. 이때 분모의 소인수가 2 또는 ❷ □ 만 남아야 하므로 x는 분모의 소인수 중 2와 5를 제외한 소인수들의 곱의 배수이어야 한다.

❶ 소인수분해 ❷ 5

대표 예제 **6**

다음 중 순환소수를 분수로 <u>잘못</u> 나타낸 것은?

① $0.\dot{4} = \dfrac{4}{9}$ ② $2.\dot{1}\dot{9} = \dfrac{219}{99}$

③ $1.1\dot{7} = \dfrac{53}{45}$ ④ $0.0\dot{3}\dot{7} = \dfrac{37}{999}$

⑤ $1.0\dot{5}\dot{3} = \dfrac{1043}{990}$

개념 가이드

순환소수를 분수로 나타내려면
(1) 분모 : 순환마디의 숫자의 개수만큼 ❶ □ 를 쓰고, 그 뒤에 소수점 아래에 순환하지 않는 숫자의 개수만큼 0을 쓴다.
(2) 분자 : (❷ □ 의 수)−(순환하지 않는 부분의 수)

❶ 9 ❷ 전체

대표 예제 **7**

순환소수 $2.2777\cdots$을 기약분수로 나타내면 $\dfrac{A}{18}$일 때, 자연수 A의 값은?

① 35   ② 41   ③ 47

④ 53   ⑤ 59

개념 가이드

$2.2777\cdots =$ ❶ □□□ 이므로 이를 ❷ □□□□ 로 나타내어 본다.

❶ $2.2\dot{7}$ ❷ 기약분수

대표 예제 **8**

다음 중 바르게 설명한 학생을 말하시오.

모든 수는 분수로 나타낼 수 있어. — 수영

정수가 아닌 유리수는 유한소수 또는 순환소수로 나타낼 수 있어. — 우빈

유리수 중에는 분수로 나타낼 수 없는 것도 있어. — 재현

기약분수의 분모에 2 또는 5 이외의 소인수가 있으면 유한소수로 나타낼 수 있어. — 서희

개념 가이드

소수 ┌ 유한소수 ──────── ┐
       └ ❶ □ 소수 ┌ ❷ □ 소수 ┘ 유리수
                   └ 순환하지 않는 무한소수 ── 유리수가 아니다.

❶ 무한 ❷ 순환

대표 예제 9

다음 보기 중 옳은 것은 모두 몇 개인지 구하시오.

보기
$\bigodot$ $x^3 \times x^5 = x^8$ $\bigodot$ $a^6 \div a^3 = a^3$

$\bigodot$ $(y^3)^4 = y^7$ $\textcircled{e}$ $(ab)^4 = ab^4$

$\textcircled{p}$ $\left(\dfrac{1}{b^2}\right)^3 = \dfrac{1}{b^5}$ $\textcircled{b}$ $(-x^3)^4 = x^{12}$

개념 가이드

m, n이 자연수일 때,

$a^m \times a^n = a^{m+n}$, $(a^m)^n = $ ❶

$(ab)^m = a^m b^m$, $\left(\dfrac{a}{b}\right)^m = \dfrac{❷}{b^m}$ (단, $b \neq 0$)

❶ a^{mn} ❷ a^m

대표 예제 10

다음 □ 안에 들어갈 수가 나머지 넷과 다른 것은?

① $a^{\square} \times a^4 = a^7$

② $a^5 \div a^{\square} = a^2$

③ $(x^{\square}y^2)^2 = x^6y^4$

④ $\left(\dfrac{a^2}{b}\right)^3 = \dfrac{a^6}{b^{\square}}$

⑤ $(x^3y^{\square})^3 = x^9y^{18}$

개념 가이드

❶ 을 이용하여 좌변을 간단히 한 후 ❷ 과 비교한다.

❶ 지수법칙 ❷ 우변

대표 예제 11

다음 두 식을 만족시키는 자연수 a, b의 값을 각각 구하시오.

$$64^2 \div 4^4 \times 8 = 2^a, \quad 27^b \times 81 \div 243 = 3^{11}$$

개념 가이드

밑이 64, 4, 8인 수는 밑을 ❶ 로 같게 하고, 밑이 27, 81, 243 인 수는 밑을 ❷ 으로 같게 한다.

❶ 2 ❷ 3

대표 예제 12

다음 칠판에 적혀 있는 식을 간단히 하여 a^m 꼴로 나타내시오. (단, a, m은 자연수)

6을 4번 곱한 수를 언제 다 더하지?

$6^4 + 6^4 + 6^4 + 6^4 + 6^4 + 6^4$

개념 가이드

같은 수의 덧셈식은 ❶ 으로 바꾸어 나타낸 후 지수법칙을 이용한다.

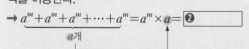

$\Rightarrow \underbrace{a^m + a^m + a^m + \cdots + a^m}_{a개} = a^m \times a = $ ❷

❶ 곱셈식 ❷ a^{m+1}

대표 예제 13

다음 중 옳은 것을 모두 고르면? (정답 2개)

① $(2x^2y)^2 \times (-xy)^3 = -4x^7y^5$

② $\left(-\dfrac{1}{2}xy^2\right)^2 \div (-2x^3y^2) = -\dfrac{y^6}{8x}$

③ $2xy \times (5x^2y)^2 \div 10xy^3 = \dfrac{5}{2}x^4$

④ $(-2xy^2)^2 \div (2x^2y)^3 = \dfrac{2y}{x^4}$

⑤ $-x^2y \div (-xy)^3 \div x^3y^2 = \dfrac{1}{x^4y^4}$

개념 가이드

(1) 단항식의 곱셈은 계수는 **❶**[   ]끼리, 문자는 문자끼리 곱하여 계산한다.

(2) 단항식의 나눗셈은 분수 또는 **❷**[   ]의 곱셈으로 바꾸어 계산한다.

→ $A \div B = \dfrac{A}{B}$, $A \div B = A \times \dfrac{1}{B} = \dfrac{A}{B}$

❶ 계수 **❷** 역수

대표 예제 14

$(-3a^2b)^3 \div \boxed{} \times (2ab^2)^4 = 16a^{10}$일 때, □ 안에 알맞은 식은?

① $-27b^{11}$ ② $-9b^{11}$ ③ $-\dfrac{1}{9b^3}$

④ $-\dfrac{1}{27b^{11}}$ ⑤ $9a^{11}$

개념 가이드

(1) $A \times \blacksquare = B$ ∴ $\blacksquare = $ **❶**[   ]

(2) $A \div \blacksquare = B$ ∴ $\blacksquare = A \div B = $ **❷**[   ]

❶ $\dfrac{B}{A}$ **❷** $\dfrac{A}{B}$

대표 예제 15

다음 칠판에 적혀 있는 식을 간단히 하였을 때, a의 계수와 b의 계수의 합을 구하시오.

칠판에 한번 풀어볼까?

네, 먼저 (   )부터 풀어야겠어요.

$3a - [5a - 2b - \{2a - (a - b)\}]$

개념 가이드

(소괄호) → {**❶**[   ]} → [**❷**[   ]]의 순서로 괄호를 푼다. 이때 부호를 틀리지 않도록 주의한다.

❶ 중괄호 **❷** 대괄호

대표 예제 16

$\dfrac{1}{3}(2x^2 - 6x - 3) - \dfrac{1}{2}(x^2 + 8x - 4)$를 계산하면 x^2의 계수는 a, x의 계수는 b일 때, ab의 값을 구하시오.

개념 가이드

이차식의 덧셈과 뺄셈은 이차항은 이차항끼리, 일차항은 **❶**[   ]끼리, 상수항은 **❷**[   ]끼리 모아서 계산한다.

❶ 일차항 **❷** 상수항

1 분수 $\dfrac{x}{30}$를 소수로 나타내면 유한소수이고, 기약분수로 나타내면 $\dfrac{7}{y}$이다. x가 $20 < x < 30$인 자연수일 때, $x+y$의 값은?

① 3　　　　　② 7　　　　　③ 10

④ 21　　　　⑤ 31

Tip

분모를 **❶**［　　　　　］하여 x가 어떤 수의 **❷**［　　　］인지 찾고, 문제의 조건에 맞는 x의 값을 구한다.

❶ 소인수분해 **❷** 배수

2 어떤 기약분수를 소수로 나타내는데 혜진이는 분모를 잘못 보아서 $0.8\dot{5}$로 나타내고, 승범이는 분자를 잘못 보아서 $2.2\dot{3}$으로 나타내었다. 이때 처음 기약분수를 순환소수로 나타내시오.

Tip

혜진이는 **❶**［　　　］를, 승범이는 **❷**［　　　］를 바르게 보았다.

❶ 분자 **❷** 분모

3 $5^3 = A$라 할 때, $\dfrac{1}{25^3}$을 A를 사용하여 나타내면?

① $\dfrac{1}{5A}$　　　　② $\dfrac{1}{2A}$　　　　③ $\dfrac{1}{A}$

④ $\dfrac{1}{A^2}$　　　　⑤ $\dfrac{1}{A^5}$

Tip

25를 **❶**［　　］의 거듭제곱으로 나타낸다. 이때 $(a^m)^n = (a^n)^m$임을 이용하여 $\dfrac{1}{25^3}$을 **❷**［　　］를 사용하여 나타낸다.

❶ 5 **❷** A

4 다음 대화를 읽고 n의 값을 구하시오.

Tip

❶［　　］와 5의 **❷**［　　］를 7로 같게 묶어 $a \times 10^7$ 꼴로 나타낸다. (단, a는 자연수)

❶ 2 **❷** 지수

5 $-3x^2y^A \div 6x^By \times 2x^5y^3 = Cx^2y^4$일 때, $A+B-C$의 값은? (단, A, B, C는 상수)

① 6 　　② 7 　　③ 8
④ 9 　　⑤ 10

> **Tip**
> 계수는 ❶ [　계수　]끼리, 문자는 문자끼리 계산한다. 이때 나눗셈을 역수의 ❷ [　곱셈　]으로 바꾼다.
>
> ❶ 계수 ❷ 곱셈

6 다음 그림에서 직사각형과 삼각형의 넓이가 서로 같을 때, 삼각형의 밑변의 길이는?

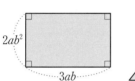 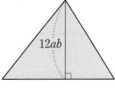

① a 　　② $2b$ 　　③ b^2
④ $2a^2$ 　　⑤ ab^2

> **Tip**
> (직사각형의 넓이)=(가로의 길이)×(❶ [　세로　]의 길이)이고
> (삼각형의 넓이)=$\frac{1}{2}$×(❷ [　밑변　]의 길이)×(높이)임을 이용한다.
>
> ❶ 세로 ❷ 밑변

7 $3x^2 - [x - 2\{x + 2x(3-x) - 1\}]$을 계산하였을 때, x^2의 계수와 상수항의 합은?

① -4 　　② -3 　　③ -2
④ 2 　　⑤ 3

> **Tip**
> (소괄호) → {중괄호} → [❶ [　대괄호　]]의 순서로 괄호를 풀고 ❷ [　동류항　]끼리 계산하여 정리한다.
>
> ❶ 대괄호 ❷ 동류항

8 어떤 식에서 $2x^2+x-1$을 빼어야 할 것을 잘못하여 더했더니 $3x^2+3x$가 되었다. 이때 바르게 계산한 식을 구하시오.

> **Tip**
> 어떤 식을 A로 놓고 A ❶ [　+　] $(2x^2+x-1) = 3x^2+3x$로 식을 세워 ❷ [　A　]를 먼저 구한 후 바르게 계산한 식을 구한다.
>
> ❶ + ❷ A

01 다음 중 순환소수 $x=2.405405405\cdots$에 대하여 바르게 설명한 학생을 말하시오.

유리수가 아니야. (은미)

$x=2.\dot{4}0\dot{5}$로 나타낼 수 있어. (재현)

순환마디는 054야. (연수)

분수로 나타내면 $\dfrac{89}{37}$야. (민우)

02 다음 분수 중 유한소수로 나타낼 수 있는 것을 모두 고르면? (정답 2개)

① $\dfrac{3}{14}$　　② $\dfrac{21}{28}$　　③ $\dfrac{7}{48}$

④ $\dfrac{105}{132}$　　⑤ $\dfrac{54}{2\times3^3\times5}$

03 $\dfrac{5}{24}\times x$를 소수로 나타내면 유한소수일 때, x의 값이 될 수 있는 한 자리의 자연수의 합은?

① 3　　　　② 9　　　　③ 12

④ 18　　　⑤ 21

04 다음은 순환소수 $0.50\dot{6}$을 분수로 나타내는 과정이다. ①~⑤에 들어갈 수로 옳은 것은?

$x=0.50\dot{6}$이라 하면 $x=0.506666\cdots$　　······ ㉠

㉠의 양변에 1000을 곱하면

$1000x=\boxed{①}$　　······ ㉡

㉠의 양변에 100을 곱하면

$\boxed{②}\,x=50.6666\cdots$　　······ ㉢

㉡에서 ㉢을 변끼리 빼면

$\boxed{③}\,x=\boxed{④}$　　 $\therefore\ x=\boxed{⑤}$

① $5066.666\cdots$　② 10　　　③ 990

④ 456　　　　　⑤ $\dfrac{76}{165}$

>> 정답과해설 **8쪽**

05 순환소수 $1.29542954\cdots$의 소수점 아래 50번째 자리의 숫자는?

① 1   ② 2   ③ 4

④ 5   ⑤ 9

06 다음 중 옳은 것은?

① $x^3 \times x^3 = x^2$ ② $(x^2)^3 = x^5$

③ $x^6 \div x^4 = x^2$ ④ $(x^2)^2 \times x^2 = x^5$

⑤ $\left(\dfrac{x}{y}\right)^3 = \dfrac{x^3}{y}$

07 다음은 윤희와 석민이가 지수법칙을 이용하여 식을 간단히 한 것이다. 답을 잘못 구한 학생을 찾고, 옳은 답을 구하시오.

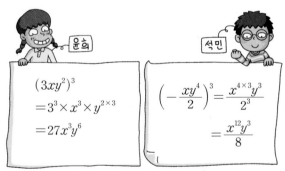

윤희
$$(3xy^2)^3$$
$$= 3^3 \times x^3 \times y^{2 \times 3}$$
$$= 27x^3y^6$$

석민
$$\left(-\frac{xy^4}{2}\right)^3 = \frac{x^{4 \times 3}y^3}{2^3}$$
$$= \frac{x^{12}y^3}{8}$$

08 다음 ☐ 안에 알맞은 식은?

$$6xy^2 \times \boxed{} \div (-3x^2y^3) = 4x^2y^3$$

① $-2x^4y^2$ ② $-2x^3y^3$ ③ $-2x^3y^4$

④ $-\dfrac{2}{3}x^4y^3$ ⑤ $-\dfrac{2}{3}x^4y^2$

09 오른쪽 그림과 같이 가로의 길이가 a^4b인 직사각형의 넓이가 $8a^8b^3$일 때, 이 직사각형의 세로의 길이는?

$8a^8b^3$
a^4b

① $4a^4b^2$ ② $4a^2b^4$

③ $4a^2b^2$ ④ $8a^4b^2$

⑤ $8a^6b^2$

10 $2x - [3y - \{5x - (x - 4y)\}]$를 계산하였을 때, x의 계수와 y의 계수의 합은?

① 0   ② 3   ③ 5

④ 7   ⑤ 9

1 보물 지도를 들고 탐험을 떠난 지훈이는 드디어 마지막 관문에 도착하였다. 미로 앞에 다음과 같은 안내문이 있었을 때 지훈이가 유한소수를 따라 무사히 지나갈 수 있는 경로를 표시하고, A~G 중 어느 지점에 보물이 있는지 구하시오.

> 이곳까지 온 용감한 탐험가여!
> 부디 너의 걸음을 조심하라.
> 유한소수를 따라가면 너를 보물로 인도할 것이나
> 순환소수를 따라가면 너를 어둠으로 초대할 것이다.

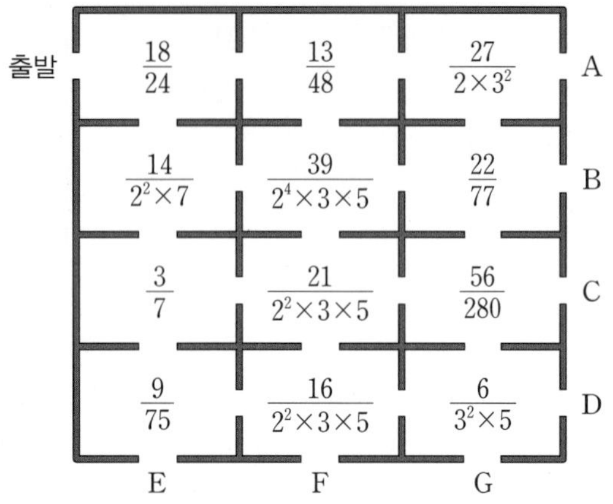

출발 —
$\dfrac{18}{24}$	$\dfrac{13}{48}$	$\dfrac{27}{2\times3^2}$	A
$\dfrac{14}{2^2\times7}$	$\dfrac{39}{2^4\times3\times5}$	$\dfrac{22}{77}$	B
$\dfrac{3}{7}$	$\dfrac{21}{2^2\times3\times5}$	$\dfrac{56}{280}$	C
$\dfrac{9}{75}$	$\dfrac{16}{2^2\times3\times5}$	$\dfrac{6}{3^2\times5}$	D
E	F	G	

Tip

주어진 분수를 기약분수로 나타낸 후 분모를 소인수분해하였을 때 분모의 소인수가 2 또는 5 뿐이면 **❶** [　　　] 소수로 나타낼 수 있고, 분모가 2 또는 5 이외의 소인수를 가지면 **❷** [　　　] 소수로 나타낼 수 있다.

❶ 유한 ❷ 순환

2 다음은 지희, 서한, 은별이가 수업 시간에 유리수와 소수의 관계에 대해 배운 후 나눈 대화이다. 세 학생의 대화를 읽고 각각의 설명이 옳은지 판단하시오. 또 그 판단의 이유를 예를 들어 설명하시오.

[무한소수는 모두 분수로 나타낼 수 없어.]
[정수가 아닌 유리수는 모두 유한소수로 나타낼 수 있어.]
[분수의 분모를 소인수분해했을 때 $2^2\times5$이면 이 분수는 유한소수로 나타낼 수 있어.]

지희 　 서한 　 은별

[지희]

판단 : _____

이유 : _____

_____

[서한]

판단 : _____

이유 : _____

_____

[은별]

판단 : _____

이유 : _____

_____

Tip

소수 ┌ **❶** [　　] 소수
　　 └ 무한소수 ┌ 순환소수 ─ **❷** [　　]
　　　　　　　 └ 순환하지 않는 무한소수 ─ 유리수가 아니다.

❶ 유한 ❷ 유리수

>> 정답과 풀이 9쪽

3 준혁이는 0과 1 사이에 있는 분수를 입력하면 그 입력된 값에 따라 음을 연주하고 악보를 출력해 주는 기계를 개발하였다. 입력된 분수를 소수로 나타내었을 때, 소수점 아래 첫째 자리에서부터 나타나는 숫자의 순서대로 아래 그림의 각 숫자에 대응된 음이 연주된다.

예를 들어 $\frac{1}{4}$을 입력하면 $\frac{1}{4}=0.25$이므로 미(2)와 라(5) 음이 한 번 연주되고 끝나며, 악보는 ![악보]가 출력된다. 또 $\frac{16}{33}$을 입력하면 $\frac{16}{33}=0.4848\cdots=0.\dot{4}\dot{8}$이므로 솔(4)과 레(8) 음이 계속 반복하여 연주되며 악보 ![악보]가 출력된다. 다음 그림과 같은 악보가 출력되려면 어떤 기약분수를 입력해야 하는지 구하시오.

Tip

악보가 ![악보]이면 ❶ ⬜ 소수를 나타내고

악보가 ![악보]이면 ❷ ⬜ 소수를 나타낸다.

❶ 유한 ❷ 순환

---

4 다음 대화를 읽고 물음에 답하시오.

(1) 민수와 연주의 자유투 성공률을 각각 소수로 나타내시오.

(성공률)$=\dfrac{(성공\ 횟수)}{(총\ 횟수)}$로 구해.

(2) 민수와 연주 중 자유투 성공률이 더 높은 사람은 누구인지 말하시오.

Tip

민수의 자유투 성공률은 25÷❶ ⬜ 로 구하고 연주의 자유투 성공률은 ❷ ⬜ ÷36으로 구한다.

❶ 37 ❷ 23

---

5 다음은 태양의 흑점에 대한 글의 일부분이다.

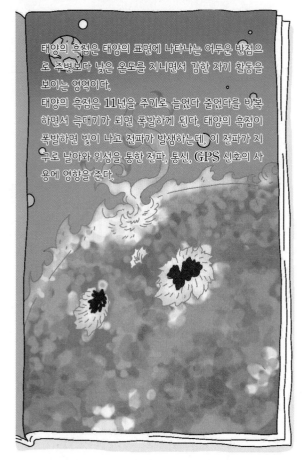

태양의 흑점은 태양의 표면에 나타나는 어두운 반점으로 주변보다 낮은 온도를 지니면서 강한 자기 활동을 보이는 영역이다.

태양의 흑점은 11년을 주기로 늘었다 줄었다를 반복하면서 극대기가 되면 폭발하게 된다. 태양의 흑점이 폭발하면 빛이 나고 전파가 발생하는데, 이 전파가 지구로 날아와 위성을 통한 전파, 통신, GPS 신호의 사용에 영향을 준다.

태양의 흑점이 폭발하면서 발생되는 전파는 초속 3×10^8 m로 지구를 향해 날아오고, 태양과 지구 사이의 거리는 15×10^{10} m일 때, 전파가 지구까지 도달하는데 몇 초가 걸리는지 구하시오.

> **Tip**
>
> (시간)$=\dfrac{(\boxed{❶})}{(속력)}$ 임을 이용하면 전파가 지구까지 도달하는 데 걸리는 $\boxed{❷}$ 을 구할 수 있다.
>
> ❶ 거리 ❷ 시간

6 상현이는 점심시간에 친구들과 사다리타기를 하여 매점에 다녀오기로 하였다. 사다리를 타는 규칙은 다음과 같다.

> ┌ 규칙 ┐
> 세로선을 만나면 아래로 이동한다.
> 가로선을 만나면 옆으로 이동한다.
> $\boxed{}$ 를 만나면 주어진 연산 후 아래로 이동한다.

사다리타기를 한 결과가 a인 사람이 매점에 다녀오기로 할 때, 누가 매점에 가게 되는지 구하시오.

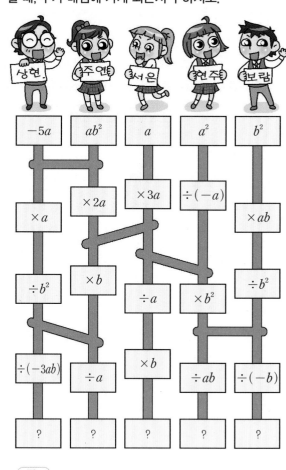

> **Tip**
>
> 예를 들어 상현이가 사다리타기를 하여 계산해야 하는 식은 $-5a \times \boxed{❶} \times b^2 \div (\boxed{❷})$ 이다.
>
> ❶ $2a$ ❷ $-b$

7 진주와 친구들은 체험학습으로 역사박물관에 가서 대동여지도에 대해 배웠다.

다음은 22첩의 대동여지도를 직육면체 모양으로 쌓아놓은 모습이다. 22첩의 대동여지도의 부피가 $48a^9b^7$일 때, 높이를 구하시오.

> **Tip**
>
> (직육면체의 **❶**[   ])=(밑넓이)×(**❷**[   ])임을 이용한다.
>
> ❶ 부피 ❷ 높이

8 아래 그림과 같이 빈우가 들고 있는 두 식 중에서 하나의 식을 ㉠, 라희가 들고 있는 두 식 중에서 하나의 식을 ㉡이라 하자. 다음 중 ㉠+㉡을 계산하였을 때, 그 결과로 나올 수 <u>없는</u> 식을 고르시오.

$3x+2y-1$ $5x-y+3$

빈우

$-2x-6y+10$ $8x-2y-5$

라희

$3x+5y+7$ $x-4y+9$

$13x-3y-2$ $11x-6$

$3x-7y+13$

> **Tip**
>
> ㉠+㉡을 계산하였을 때, 그 결과로 나올 수 있는 식은 총 **❶**[   ] 가지이다.
>
> ❶ 4

2주 식의 계산 (2), 일차부등식

$(3xy-2y) \div \left(-\dfrac{y}{2}\right)$

$=(3xy-2y) \times \left(-\dfrac{2}{y}\right)$

$=3xy \times \left(-\dfrac{2}{y}\right) - 2y \times \left(-\dfrac{2}{y}\right)$

$=-6x+4$

$(4x^2-6x) \div 2x$

$=\dfrac{4x^2-6x}{2x}$

$=\dfrac{4x^2}{2x} -6x - \dfrac{6x}{2x}$

$=2x-6x \; -3$

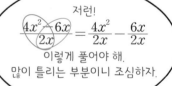

저런!

$\dfrac{4x^2-6x}{2x} = \dfrac{4x^2}{2x} - \dfrac{6x}{2x}$

이렇게 풀어야 해.
많이 틀리는 부분이니 조심하자.

개념 1 단항식과 다항식의 곱셈과 나눗셈

(1) (단항식)×(다항식)의 계산 : ❶[   ]을 이용하여 단항식을 다항식의 각 항에 곱하여 계산한다.

　　참고 전개 : 단항식과 다항식의 곱셈을 분배법칙을 이용하여 하나의 다항식으로 나타내는 것

(2) (다항식)÷(단항식)의 계산 : 역수를 이용하여 나눗셈을 ❷[   ]으로 고쳐서 계산한다.

(3) 다항식과 단항식의 혼합 계산 : 다항식과 단항식의 덧셈, 뺄셈, 곱셈, 나눗셈이 섞여 있는 식은 곱셈과 나눗셈을 먼저 계산한 후 동류항끼리 모아서 계산한다.

❶ 분배법칙 ❷ 곱셈

개념 돌파 Quiz

다음 □ 안에 알맞은 식을 써넣으시오.

(1) $-2a(a-4b)$
$= -2a \times a + (-2a) \times (-4b)$
$= -2a^2 + $ ❶[   ]

(2) $(8x^2 + 4xy) \div 2x$
$= (8x^2 + 4xy) \times \dfrac{1}{2x}$
$= 8x^2 \times \dfrac{1}{2x} + 4xy \times \dfrac{1}{2x}$
$= $ ❷[   ] $+ 2y$

❶ $8ab$ ❷ $4x$

개념 2 부등식과 그 해

(1) 부등식 : 부등호 $<$, $>$, $\le$, $\ge$를 사용하여 수 또는 식의 대소 관계를 나타낸 식

(2) 부등식의 해 : 부등식을 ❶[   ]이 되게 하는 미지수의 값

(3) 부등식을 푼다 : 부등식의 ❷[   ]를 모두 구하는 것

❶ 참 ❷ 해

개념 돌파 Quiz

다음 중 부등식인 것에는 ○표, 아닌 것에는 ×표를 하시오.

(1) $3x+1 \le 4$　　　(○)
(2) $x > 5x^2 - 1$　　(❶[   ])
(3) $2x+3$　　　　　(❷[   ])
(4) $x-1 = 9$　　　　(×)

❶ ○ ❷ ×

개념 3 부등식의 성질

(1) 부등식의 양변에 같은 수를 더하거나 양변에서 같은 수를 빼어도 부등호의 방향은 바뀌지 않는다.
　➡ $a < b$이면 $a+c < b+c$, $a-c < b-c$

(2) 부등식의 양변에 같은 양수를 ❶[   ]하거나 양변을 같은 양수로 나누어도 부등호의 방향은 바뀌지 않는다.
　➡ $a < b$, $c > 0$이면 $ac < bc$, $\dfrac{a}{c} < \dfrac{b}{c}$

(3) 부등식의 양변에 같은 음수를 곱하거나 양변을 같은 음수로 나누면 부등호의 방향은 ❷[   ].
　➡ $a < b$, $c < 0$이면 $ac > bc$, $\dfrac{a}{c} > \dfrac{b}{c}$

❶ 곱 ❷ 바뀐다

개념 돌파 Quiz

$a < b$일 때, 다음 □ 안에 알맞은 부등호를 써넣으시오.

(1) $a+3 < b+3$
(2) $a-1$ ❶[   ] $b-1$
(3) $-a > -b$
(4) $\dfrac{a}{2}$ ❷[   ] $\dfrac{b}{2}$

❶ $<$ ❷ $<$

1-1 다음을 계산하시오.

(1) $\dfrac{2}{3}x(15x-9y)$

(2) $(18x^4y^2-9x^2y)\div 3xy$

풀이 | (1) $\dfrac{2}{3}x(15x-9y)=\dfrac{2}{3}x\times 15x+\dfrac{2}{3}x\times(-9y)$

$\qquad\qquad\qquad\qquad\quad =10x^2-\boxed{❶}$

(2) $(18x^4y^2-9x^2y)\div 3xy=(18x^4y^2-9x^2y)\times\dfrac{1}{3xy}$

$\qquad\qquad\qquad\qquad\qquad =18x^4y^2\times\dfrac{1}{3xy}-9x^2y\times\dfrac{1}{3xy}$

$\qquad\qquad\qquad\qquad\qquad =\boxed{❷}-3x$

❶ $6xy$ ❷ $6x^3y$ / 답 (1) $10x^2-6xy$ (2) $6x^3y-3x$

1-2 다음 중 옳지 <u>않은</u> 것은?

① $2x(-2x+y)=-4x^2+2xy$

② $-a(-a^2+2a-1)=a^3-2a^2+a$

③ $(-x-4y+1)\times(-2y)=2xy+8y-2$

④ $(a^2-4a)\div\dfrac{a}{2}=2a-8$

⑤ $(6a^3-4a^4+2a^5)\div(-2a^3)$
$\quad =-3+2a-a^2$

2-1 다음 중 부등식이 적힌 카드를 들고 있는 학생을 모두 말하시오.

풀이 | $\boxed{❶}$를 사용하여 수 또는 식의 대소 관계를 나타낸 식을 부등식이라 하므로 $\boxed{❷}$이 적힌 카드를 들고 있는 학생은 연지, 성연이다.

❶ 부등호 ❷ 부등식 / 답 연지, 성연

2-2 다음 중 부등식인 것을 모두 고르면? (정답 2개)

① $7-3>1$ ② $2x+1=0$

③ $3(y+2)-4$ ④ $\dfrac{x}{3}\leq 1$

⑤ $-1\neq 2$

3-1 $a>b$일 때, 다음 □ 안에 알맞은 부등호를 써넣으시오.

(1) $2a+1\ \square\ 2b+1$ (2) $\dfrac{a}{2}-3\ \square\ \dfrac{b}{2}-3$

(3) $-3a-2\ \square\ -3b-2$ (4) $-\dfrac{a}{5}+1\ \square\ -\dfrac{b}{5}+1$

풀이 | $a>b$이므로

(1) $2a>2b$ $\therefore 2a+1>2b+1$

(2) $\dfrac{a}{2}>\dfrac{b}{2}$ $\therefore \dfrac{a}{2}-3>\dfrac{b}{2}-\boxed{❶}$

(3) $-3a\ \boxed{❷}\ -3b$ $\therefore -3a-2<-3b-2$

(4) $-\dfrac{a}{5}<-\dfrac{b}{5}$ $\therefore -\dfrac{a}{5}+1<-\dfrac{b}{5}+1$

❶ 3 ❷ $<$ / 답 (1) $>$ (2) $>$ (3) $<$ (4) $<$

3-2 $a\leq b$일 때, 다음 중 □ 안에 들어갈 부등호의 방향이 나머지 넷과 <u>다른</u> 하나는?

① $a+2\ \square\ b+2$

② $a-3\ \square\ b-3$

③ $2a-1\ \square\ 2b-1$

④ $-5a\ \square\ -5b$

⑤ $\dfrac{2}{3}a+7\ \square\ \dfrac{2}{3}b+7$

개념 **4** 일차부등식의 풀이

(1) 일차부등식 : 부등식의 모든 항을 좌변으로 이항하여 정리한 식이

(일차식)<0, (일차식)>0, (일차식)≤0, (일차식)≥0

중의 어느 한 가지 꼴로 나타낼 수 있는 부등식

뭐야! x랑 부등호만 있다고 다 일차부등식인 게 아니었어!!

(2) 일차부등식의 풀이

1 미지수 x를 포함한 항은 **❶** 으로, 상수항은 우변으로 이항한다.

2 양변을 동류항끼리 정리하여 $ax<b$, $ax>b$, $ax≤b$, $ax≥b(a≠0)$ 중 어느 한 가지 꼴로 고친다.

3 양변을 x의 계수 a로 나눈다. 이때 a가 **❷** 이면 부등호의 방향이 바뀐다.

❶ 좌변 **❷** 음수

개념 돌파 Quiz

다음 중 일차부등식인 것에는 ○표, 아닌 것에는 ×표를 하시오.

(1) $4x+x=2x-8$ (×)

(2) $\dfrac{x}{6}≤5$ (**❶**)

(3) $x-2<x+6$ (×)

(4) $3x^2-x+4≤2+3x^2$ (**❷**)

❶○ **❷**○

개념 **5** 복잡한 일차부등식의 풀이

(1) 괄호가 있는 경우 : 분배법칙을 이용하여 괄호를 풀어 정리한 후 푼다.

(2) 계수가 소수인 경우 : 양변에 **❶** 의 거듭제곱을 곱하여 계수를 모두 정수로 고친 후 푼다.

(3) 계수가 분수인 경우 : 양변에 분모의 **❷** 를 곱하여 계수를 모두 정수로 고친 후 푼다.

❶ 10 **❷** 최소공배수

개념 돌파 Quiz

일차부등식 $3(x-1)+x<5$에서

괄호를 풀면

❶ $-3+x<5$

양변을 정리하면 $4x<$ **❷**

양변을 4로 나누면 $x<2$

❶ $3x$ **❷** 8

개념 **6** 일차부등식의 활용

일차부등식의 활용 문제를 푸는 순서야.

① 문제의 뜻을 파악하고 구하려는 것을 미지수 x로 놓는다.

② 수량 사이의 대소 관계를 찾아 부등식을 세운다.

③ 일차부등식을 푼다.

④ 구한 해가 문제의 뜻에 맞는지 확인한다.

주의 구하는 것이 물건의 개수, 사람 수, 횟수 등인 경우 구한 **❶** 중에서 **❷** 만을 답으로 한다.

❶ 해 **❷** 자연수

개념 돌파 Quiz

다음 문장을 일차부등식으로 나타내시오.

한 개에 600원 하는 귤을 3000원짜리 바구니에 담아 15000원 미만의 과일 바구니를 만들었다.

→ **❶** $x+3000$ **❷** 15000

❶ 600 **❷** <

4-1 부등식 $9-4x>3-x$를 풀고 부등식의 해를 수직선 위에 나타내시오.

풀이 |

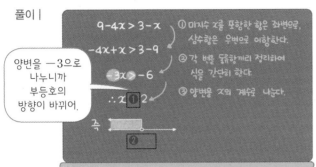

양변을 -3으로 나누니까 부등호의 방향이 바뀌어.

① $<$ ② 2 / 탑 $x<2$, 풀이 참조

4-2 부등식 $5x-31<x+5$를 풀면?

① $x<4$ ② $x>4$

③ $x<9$ ④ $x>9$

⑤ $x>14$

5-1 다음 부등식을 푸시오.

(1) $0.2x+1.8>0.5x$ (2) $\dfrac{3}{2}x-5>\dfrac{x}{4}$

풀이 | (1) $0.2x+1.8>0.5x$의 양변에 10을 곱하면

$2x+18>5x$

$-3x>$ ① ⬛ $\therefore x<6$

(2) $\dfrac{3}{2}x-5>\dfrac{x}{4}$의 양변에 분모의 최소공배수 4를 곱하면

$6x-20>x$

$5x>20$ $\therefore x>$ ② ⬛

① -18 ② 4 / 탑 (1) $x<6$ (2) $x>4$

5-2 다음 부등식을 푸시오.

(1) $0.7x<1.1x+1.2$

(2) $\dfrac{1}{2}x-1\geq\dfrac{1}{3}x$

6-1 어떤 정수의 2배에서 4를 뺀 수는 12보다 작거나 같다고 한다. 이와 같은 정수 중에서 가장 큰 수를 구하시오.

풀이 | 어떤 정수를 x라 하면

어떤 정수의 2배에서 4를 뺀 수는 12보다 작거나 같다.

$2x-4$ $\leq$ ① ⬛

$2x-4\leq12$, $2x\leq16$ $\therefore x\leq8$

따라서 조건을 만족하는 가장 큰 정수는 ② ⬛ 이다.

① 12 ② 8 / 탑 8

6-2 연속하는 두 자연수의 합이 30보다 작다고 할 때, 이와 같은 수 중에서 연속하는 가장 큰 두 자연수를 구하시오.

우리는 연속하는 두 자연수!

+1

2주 **43**

바탕 문제

$(4x^3 - 2x^2) \div 2x$를 간단히 하시오.

풀이 $(4x^3 - 2x^2) \div 2x = (4x^3 - 2x^2) \times \dfrac{1}{\boxed{①}}$

$\qquad\qquad\qquad = 2x^2 - \boxed{②}$

① $2x$ ② x

1 $(9ab - 6b^2) \div 3b + 2(3a - b)$를 간단히 하시오.

바탕 문제

다음 문장을 부등식으로 나타내시오.

어떤 수 x의 3배에서 1을 뺀 값은 7보다 크거나 같다.

풀이 $\boxed{①}\ x - 1 \geq \boxed{②}$

① 3 ② 7

2 다음 문장을 부등식으로 나타낸 것으로 옳은 것은?

① 하루에 20쪽씩 324쪽의 책을 다 읽으려면 x일 이상 걸린다.
→ $20x \leq 324$

② 2000원짜리 공책 한 권의 가격은 200원짜리 연필 x자루의 가격보다 비싸다. → $2000 > 200x$

③ 내 몸무게 x kg의 3배는 100 kg보다 작다. → $3x > 100$

④ 어떤 수 x를 2배 하여 3을 더하여도 x에 8을 더한 수보다 작지 않다. → $2x + 3 \leq x + 8$

⑤ 한 변의 길이가 x cm인 정사각형의 둘레의 길이는 40 cm를 넘는다. → $4x < 40$

바탕 문제

다음 중 $x = 1$이 주어진 부등식의 해인지 아닌지 말하시오.

(1) $2x \geq -1$
(2) $x + 1 > 3$

풀이 (1) $2x \geq -1$에 $x = 1$을 대입하면
$2 \times 1 \geq -1 (\boxed{①}\ ) \to$ 해이다.

(2) $x + 1 > 3$에 $x = 1$을 대입하면
$1 + 1 > 3$(거짓) → $\boxed{②}$ 가 아니다.

① 참 ② 해

3 다음 대화를 읽고 x의 값이 2, 3, 4, 5일 때, 부등식 $6 - x > 2$의 해를 모두 구하시오.

휴~ 다 계산했어.

$x = 2$를 대입하면 $6 - 2 > 2$
$x = 3$을 대입하면 $6 - 3 > 2$
$x = 4$를 대입하면 $6 - 4 > 2$
$x = 5$를 대입하면 $6 - 5 > 2$

그럼 부등식 $6 - x > 2$의 해를 구할 수 있겠다!

바탕 문제

부등식 $-1+3x<5$를 푸시오.

[풀이] $-1+3x<5$에서

$3x<$ ❶ $\therefore x$ ❷ 2

❶ 6 ❷ $<$

---

4 부등식 $2x-1\geq2-x$의 해를 수직선 위에 바르게 나타낸 것은?

① 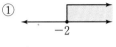 ②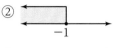

③

④

⑤

바탕 문제

준수는 두 번의 과학 수행 평가에서 9점과 7점을 받았다. 평균이 8점 이상이 되려면 세 번째 과학 수행 평가에서 몇 점 이상을 받아야 하는지 구하시오.

[풀이] 세 번째 과학 수행 평가에서 x점을 받는다고 하면

$\dfrac{9+7+x}{❶}\geq8$ $\therefore x\geq8$

따라서 세 번째 과학 수행 평가에서 ❷ 점 이상을 받아야 한다.

❶ 3 ❷ 8

---

5 준서와 엄마의 대화를 읽고, 준서가 선물을 받으려면 수학 시험에서 최소 몇 점 이상을 받아야 하는지 구하시오.

바탕 문제

현재 예금액은 10000원이다. 다음 달부터 매달 3000원씩 예금할 때, 예금액이 25000원보다 많아지는 것은 몇 개월 후부터인지 구하시오.

[풀이] x개월 후에 예금액이 25000원보다 많아진다고 하면

$10000+3000x>25000$ $\therefore x>$ ❶

따라서 예금액이 25000원보다 많아지는 것은 ❷ 개월 후부터이다.

❶ 5 ❷ 6

---

6 현재 혜련이와 유림이의 예금액은 각각 6000원, 12000원이다. 다음 달부터 혜련이는 매달 5000원씩, 유림이는 매달 3000원씩 예금한다고 할 때, 혜련이의 예금액이 유림이의 예금액보다 많아지는 것은 몇 개월 후부터인지 구하시오.

전략 1 단항식과 다항식의 곱셈과 나눗셈

(1) 단항식과 다항식의 혼합 계산 : 단항식과 다항식의 덧셈, 뺄셈, 곱셈, 나눗셈이 섞여 있는 식은 곱셈, 나눗셈을 먼저 계산한 후 동류항끼리 모아서 계산한다.

괄호 풀기	X, ÷ 계산	+, − 계산
( ) → { } → [ ]의 순서	분배법칙을 이용	동류항끼리의 계산

(2) 식의 값 : 식의 값을 구할 때에는 먼저 주어진 식을 간단히 하고 계산한 식의 문자에 주어진 수를 ❶ [   ]하여 식의 값을 구한다. 이때 대입하는 수가 음수인 경우에는 ❷ [   ]로 묶어서 대입한다.

❶ 대입 ❷ 괄호

필수 예제

1-1 $2x(3x-5y)-(x^3y-3x^2y^2)\div xy$ 를 계산하시오.

1-2 $x=1, y=3$일 때, $xy(x+y)-(x^2y^2-x^3y)\div x$의 값을 구하시오.

풀이 |

1-1 $2x(3x-5y)-(x^3y-3x^2y^2)\div xy$
$=6x^2-10xy-(x^3y-3x^2y^2)\times \dfrac{1}{xy}$
$=6x^2-10xy-(x^2-3xy)$
$=6x^2-10xy-x^2+3xy$
$=5x^2-7xy$

답 $5x^2-7xy$

1-2 $xy(x+y)-(x^2y^2-x^3y)\div x$
$=x^2y+xy^2-(x^2y^2-x^3y)\times \dfrac{1}{x}$
$=x^2y+xy^2-(xy^2-x^2y)$
$=x^2y+xy^2-xy^2+x^2y$
$=2x^2y=2\times 1^2\times 3=6$

답 6

확인 문제 1-1

다음을 계산하시오.

$$(xy+5x^2y)\div xy-10\left(\dfrac{1}{2}x-\dfrac{2}{5}\right)$$

확인 문제 1-2

$x=2, y=-1$일 때, 현석이와 보람이 중 식의 값이 큰 식을 들고 있는 사람은 누구인지 말하시오.

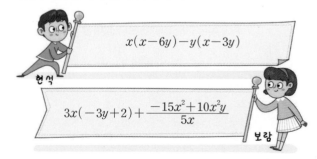

현석: $x(x-6y)-y(x-3y)$

보람: $3x(-3y+2)+\dfrac{-15x^2+10x^2y}{5x}$

전략 2 부등식의 성질

(1) 부등식의 성질

① $a<b$이면 $a+c<b+c$, $a-c<b-c$

② $a<b$, $c>0$이면 $ac<bc$, $\dfrac{a}{c}<\dfrac{b}{c}$

③ $a<b$, $c<0$이면 ac ❶ bc, $\dfrac{a}{c}>\dfrac{b}{c}$

(2) 식의 값의 범위 구하기

$a<x≤b$일 때,

① $p>0$이면 $pa<px≤pb$

② $p<0$이면 $pb≤px<$ ❷

양변에 같은 음수를 곱하거나

양변을 같은 음수로 나누면

나의 방향이 바뀌지!

❶ > ❷ pa

필수 예제

2-1 $a<b$일 때, 다음 중 옳은 것은?

① $a-4>b-4$ ② $-4a<-4b$ ③ $-\dfrac{a}{6}<-\dfrac{b}{6}$

④ $3a-2<3b-2$ ⑤ $-\dfrac{2}{3}a+1<-\dfrac{2}{3}b+1$

2-2 $-3≤x<\dfrac{1}{2}$일 때, $-4x+1$의 값의 범위를 구하시오.

풀이 |

2-1 ① $a<b$의 양변에서 4를 빼면 $a-4<b-4$

② $a<b$의 양변에 -4를 곱하면 $-4a>-4b$

③ $a<b$의 양변을 -6으로 나누면 $-\dfrac{a}{6}>-\dfrac{b}{6}$

④ $a<b$의 양변에 3을 곱하고 2를 빼면 $3a-2<3b-2$

⑤ $a<b$의 양변에 $-\dfrac{2}{3}$를 곱하고 1을 더하면

$-\dfrac{2}{3}a+1>-\dfrac{2}{3}b+1$

따라서 옳은 것은 ④이다.

답 ④

2-2 $-3≤x<\dfrac{1}{2}$의 각 변에 -4를 곱하면

$-2<-4x≤12$

$-2<-4x≤12$의 각 변에 1을 더하면

$-1<-4x+1≤13$

답 $-1<-4x+1≤13$

확인 문제 2-1

$a>b$일 때, 다음 중 옳지 <u>않은</u> 것은?

① $2a+1>2b+1$ ② $-a-1<-b-1$

③ $\dfrac{a}{3}-2>\dfrac{b}{3}-2$ ④ $a-\dfrac{5}{2}>b-\dfrac{5}{2}$

⑤ $-\dfrac{2}{5}a+2>-\dfrac{2}{5}b+2$

확인 문제 2-2

$-1<x<2$일 때, $-3x+5$의 값의 범위를 구하시오.

(1) 괄호가 있는 경우 : 분배법칙을 이용하여 **❶**   를 풀어 정리한 후 푼다.

> 참고 $\overset{\frown}{a(b+c)}=ab+ac,\ \overset{\frown}{a(b-c)}=ab-ac$

(2) 계수가 소수인 경우 : 양변에 10의 거듭제곱을 곱하여 계수를 모두 정수로 고친 후 푼다.

(3) 계수가 분수인 경우 : 양변에 분모의 **❷**   를 곱하여 계수를 모두 정수로 고친 후 푼다.

답 ❶ 괄호 ❷ 최소공배수

필수 예제

3-1 부등식 $2(x-3)>7x+4$를 풀면?

① $x<-2$ ② $x>-2$ ③ $x<2$

④ $x>2$ ⑤ $x>3$

3-2 부등식 $\dfrac{x}{2}-\dfrac{x-4}{3}<2$를 만족시키는 자연수 x의 값의 합을 구하시오.

풀이

3-1 $2(x-3)>7x+4$에서

$2x-6>7x+4$

$-5x>10$ $\therefore x<-2$

답 ①

3-2 $\dfrac{x}{2}-\dfrac{x-4}{3}<2$의 양변에 6을 곱하면

$3x-2(x-4)<12$

$3x-2x+8<12$ $\therefore x<4$

따라서 부등식을 만족시키는 자연수 x의 값은 1, 2, 3이므로 그 합은 $1+2+3=6$

답 6

확인 문제 3-1

부등식 $5-(3-x)<2x$를 만족시키는 x의 값 중 가장 작은 정수를 구하시오.

확인 문제 3-2

부등식 $0.5x+0.8\geq0.9x-2$를 만족시키는 자연수 x의 개수를 구하시오.

전략 4 일차부등식의 해가 주어질 때, 미지수의 값 구하기

(1) 일차부등식의 해가 주어질 때, 미지수의 값 구하기
→ 부등식을 $x<$(수), $x>$(수), $x\leq$(수), $x\geq$(수) 중 어느 하나의 꼴로 고친 후 주어진 부등식의 **❶** 와 비교한다.

(2) 해가 같은 두 일차부등식에서 미지수의 값 구하기
1 계수와 상수항이 모두 주어진 **❷** 의 해를 먼저 구한다.
2 나머지 부등식의 해가 **1**의 해와 같음을 이용하여 미지수의 값을 구한다.

❶ 해 ❷ 부등식

필수 예제

4-1 부등식 $3x+2\leq 2a+x$의 해가 $x\leq 5$일 때, 상수 a의 값을 구하시오.

4-2 오른쪽 그림과 같이 두 학생이 들고 있는 팻말에 적힌 두 부등식의
해가 서로 같을 때, 상수 a의 값을 구하시오.

$x\geq a-3$

$x-1\leq 4(x+2)$

풀이

4-1 $3x+2\leq 2a+x$에서
$2x\leq 2a-2$ ∴ $x\leq a-1$
이때 부등식의 해가 $x\leq 5$이므로
$a-1=5$ ∴ $a=6$

답 6

4-2 $x-1\leq 4(x+2)$에서
$x-1\leq 4x+8$
$-3x\leq 9$ ∴ $x\geq -3$ ······ ㉠
이때 $x\geq a-3$과 ㉠이 서로 같으므로
$a-3=-3$ ∴ $a=0$

답 0

확인 문제 4-1

x에 대한 일차부등식 $2x+a>x-2$의
해를 수직선 위에 나타내면 오른쪽 그
림과 같다. 다음 대화를 읽고 상수 a의
값을 구하시오.

1

일차부등식의 해가
주어질 때, 상수 a의
값을 구하는 건 쉬운데,
이 문제는 해가 수직선
으로 주어져 있어.

수직선 위에 나타낸 해를
부등호를 사용하여 표현하면 앞에서
푸는 방법과 같아!

확인 문제 4-2

다음 두 부등식의 해가 서로 같을 때, 상수 a의 값을 구하시오.

$$2x-3(x+1)>-7,\ \frac{1}{2}x-1<a$$

1 $\dfrac{6x^2-3xy}{3x}-\dfrac{10y^2+5xy}{5y}=ax+by$일 때, $3a+b$의 값을 구하시오.

(단, a, b는 상수)

2 다음 대화를 읽고 가로의 길이가 $4a$, 세로의 길이가 $3b$인 직사각형 ABCD 에서 $\triangle$EFC의 넓이를 구하시오.

3 $7-2a<7-2b$일 때, 다음 중 옳은 것은?

① $a<b$

② $-3a>-3b$

③ $4a-1>4b-1$

④ $\dfrac{a}{3}<\dfrac{b}{3}$

⑤ $\dfrac{3}{2}a+5<\dfrac{3}{2}b+5$

4 다음 중 부등식 $-2x-3>7$과 해가 같은 것은?

① $2x+10>0$ ② $x-1<2x+4$ ③ $4x>3x-5$

④ $3x+6<1$ ⑤ $-\dfrac{x}{5}>1$

문제 해결 전략

부등식 $-2x-3>7$의 **❶** 를 구하고 보기의 부등식을 각각 풀어 해를 **❷** 한다.

❶ 해 **❷** 비교

5 다음 대화를 읽고 부등식 $\dfrac{1}{2}x+1.2<0.2(x+5)$를 푸시오.

문제 해결 전략

일차부등식의 양변에 **❶** 을 곱하고 **❷** 를 푼다.

❶ 10 **❷** 괄호

6 $a>0$일 때, x에 대한 일차부등식 $2-ax\geq1$을 풀면?

① $x\leq-a$ ② $x\leq-\dfrac{1}{a}$ ③ $x\geq-\dfrac{1}{a}$

④ $x\leq\dfrac{1}{a}$ ⑤ $x\geq\dfrac{1}{a}$

문제 해결 전략

부등식의 양변을 x의 계수로 나눌 때, x의 계수가 **❶** 이면 부등호의 방향이 바뀌지 않고, x의 계수가 음수이면 부등호의 **❷** 이 바뀐다.

❶ 양수 **❷** 방향

7 부등식 $3x-a<x-1$을 만족시키는 자연수 x가 3개일 때, 상수 a의 값의 범위를 구하시오.

문제 해결 전략

$3x-a<x-1$에서 $x<$ **❶**

이 부등식을 만족시키는 자연수 x가 3개이려면 다음과 같아야 한다.

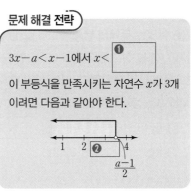

❶ $\dfrac{a-1}{2}$ **❷** 3

전략 1 최대 개수에 대한 일차부등식의 활용

(1) 한 개에 a원 하는 물건 x개의 포장비가 b원일 때 필요한 금액 ➡ $ax+$ ❶ (원)

(2) 한 개에 a원 하는 A 물건과 b원 하는 B 물건을 합하여 n개를 살 때 필요한 금액

➡ A 물건을 x개 산다고 하면 B 물건은 (❷)개를 살 수 있으므로 $ax+b(n-x)$(원)

❶ b ❷ $n-x$

필수 예제

1-1 동현이는 3000원인 필통 한 개와 한 자루에 700원 하는 볼펜을 합하여 전체 가격이 9000원 이하가 되게 하려고 한다. 볼펜을 x자루 산다고 할 때, □ 안에 알맞은 부등호를 차례대로 써넣고 볼펜은 최대 몇 자루까지 살 수 있는지 구하시오.

➡ (필통 한 개의 가격)+(볼펜 x자루의 가격) □ 9000

1-2 한 개에 500원 하는 풍선껌과 한 개에 300원 하는 사탕을 합하여 20개를 사려고 한다. 총 금액을 8000원 이하로 지불하려고 할 때, 풍선껌은 최대 몇 개까지 살 수 있는지 구하시오.

풀이 |

1-1 볼펜을 x자루 산다고 하면

$3000+700x \leq 9000$ ∴ $x \leq \dfrac{60}{7}$

따라서 볼펜은 최대 8자루까지 살 수 있다.

답 $\leq$, $\leq$, 8자루

1-2 풍선껌을 x개 산다고 하면 사탕은 $(20-x)$개 살 수 있으므로

$500x+300(20-x) \leq 8000$ ∴ $x \leq 10$

따라서 풍선껌은 최대 10개까지 살 수 있다.

답 10개

확인 문제 1-1

실을 수 있는 무게의 한도가 450 kg인 엘리베이터를 이용하여 상자 11개를 싣고 몸무게가 65 kg인 사람이 탔더니 중량 초과 경고음이 울리지 않았다. 이때 상자 한 개의 무게는 최대 몇 kg인가? (단, 상자의 무게는 모두 같다.)

① 31 kg ② 32 kg ③ 33 kg
④ 34 kg ⑤ 35 kg

확인 문제 1-2

한 개에 1200원 하는 빵과 한 개에 1500원 하는 아이스크림을 합하여 15개를 사려고 한다. 전체 가격이 20000원 이하가 되게 하려면 아이스크림은 최대 몇 개까지 살 수 있는가?

① 3개 ② 4개 ③ 5개
④ 6개 ⑤ 7개

전략 2 유리한 방법을 선택하는 일차부등식의 활용

(1) 집 앞 상점에서 사는 것보다 도매점에서 사는 것이 더 유리한 경우

→ (집 앞 상점에서의 가격) × (개수) **❶** (도매점에서의 가격) × (개수) + (왕복 교통비)

(2) x명이 입장한다고 할 때, a명의 단체 입장료를 사는 것이 유리한 경우

→ (x명의 입장료) **❷** (a명의 단체 입장료) (단, $x < a$)

참고 한 사람당 4000원인 입장료를 20명 이상 입장할 때 30 % 할인해 줄 경우

→ (20명의 단체 입장료) $= 4000 \times \left(1 - \dfrac{30}{100}\right) \times 20$(원)

❶ > ❷ >

필수 예제

2-1 집 앞 꽃집에서 한 송이에 2000원 하는 장미가 왕복 2400원의 버스비를 내고 도매 시장에 가면 한 송이에 1200원이라 한다. 장미를 몇 송이 이상 사는 경우 도매 시장에서 사는 것이 유리한지 구하시오.

2-2 한 명의 입장료가 1000원인 어느 체험전에서 40명 이상의 단체 관람객에게는 30 %를 할인해 준다고 한다. 40명 미만의 단체가 입장하려고 할 때, 몇 명 이상이면 40명의 단체 입장권을 사는 것이 유리한지 구하시오.

풀이 |

2-1 장미를 x송이 산다고 하면

$2000x > 1200x + 2400$ ∴ $x > 3$

따라서 장미를 4송이 이상 사는 경우 도매 시장에서 사는 것이 유리하다.

답 4송이

2-2 x명이 입장한다고 하면

$1000x > 1000 \times \dfrac{70}{100} \times 40$ ∴ $x > 28$

따라서 29명 이상이면 40명의 단체 입장권을 사는 것이 유리하다.

답 29명

확인 문제 2-1

동네 문구점에서 한 권에 1000원 하는 공책을 대형 할인점에 가면 한 권에 600원에 살 수 있다고 한다. 대형 할인점에 다녀오는 왕복 교통비가 3200원일 때, 공책을 몇 권 이상 살 경우 대형 할인점에 가는 것이 유리한지 구하시오.

확인 문제 2-2

어느 놀이공원의 청소년 이용권은 1인당 40000원이고, 30명 이상 단체 입장을 하는 경우에는 25 %를 할인해 준다고 한다. 30명 미만인 단체가 입장하려고 할 때, 몇 명 이상이면 30명의 단체 입장권을 사는 것이 유리한지 구하시오.

전략 3 원가, 정가에 대한 일차부등식의 활용

(1) 원가가 x원인 물건에 $a\ \%$의 이익을 붙인 정가

    → $x\left(1+\dfrac{\boxed{❶}}{100}\right)$원

(2) 정가가 y원인 물건을 $b\ \%$ 할인한 판매 가격

    → $y\left(1-\dfrac{\boxed{❷}}{100}\right)$원

(3) (이익)=(판매 가격)−(원가)

원가, 정가에 대한 문제에서는 이것을 꼭 기억하자.

❶ a ❷ b

필수 예제

3-1 원가가 8000원인 모자를 정가의 20 %를 할인하여 팔아서 원가의 10 % 이상의 이익을 얻으려고 할 때, 정가는 최소 얼마 이상으로 정해야 하는지 구하시오.

풀이

3-1 정가를 x원이라 하면

$$\frac{80}{100}x-8000\geq 8000\times\frac{10}{100} \qquad \therefore\ x\geq 11000$$

따라서 정가는 최소 11000원 이상으로 정해야 한다.

目 11000원

확인 문제 **3-1**

원가가 12000원인 청바지를 정가의 10 %를 할인하여 팔아서 원가의 20 % 이상의 이익을 얻으려고 할 때, 정가는 최소 얼마 이상으로 정해야 하는지 구하시오.

확인 문제 **3-2**

원가가 10000원인 티셔츠를 정가의 50 %를 할인하여 팔아서 원가의 10 % 이상의 이익을 얻으려고 할 때, 정가는 최소 얼마 이상으로 정해야 하는지 구하시오.

전략 4 **거리, 속력, 시간에 대한 일차부등식의 활용**

(1) 도중에 속력이 바뀌는 경우

(시속 a km로 갈 때 걸린 시간)+(시속 b km로 갈 때 걸린 ❶ [　　　　])≤(제한 시간)

(2) 중간에 물건을 사서 돌아오는 경우

(물건을 사러 가는 데 걸린 시간)+(물건을 ❷ [　　　　] 걸린 시간)+(물건을 사서 돌아오는 데 걸린 시간)≤(제한 시간)

❶ 시간 ❷ 사는 데

필수 예제

4-1   희정이가 20 km 거리의 등산로를 걷는데 처음에는 시속 3 km로 걷다가 도중에 시속 4 km로 뛰어서 6시간 이내에 도착하였다. 이때 걸어간 거리는 최대 몇 km인지 구하시오.

4-2   승우가 학원 버스 탑승 시각까지 20분의 여유가 있어서 이 시간 동안 두부를 사오려고 한다. 두부를 사는 데 10분이 걸린다고 할 때, 집에서 최대 몇 m 이내에 있는 마트까지 다녀올 수 있는지 구하시오.

풀이

4-1   걸어간 거리를 x km라 하면 뛰어간 거리는 $(20-x)$ km 이므로

$\dfrac{x}{3}+\dfrac{20-x}{4}\leq 6$ ∴ $x\leq 12$

따라서 걸어간 거리는 최대 12 km이다.

🔲 12 km

4-2   집에서 마트까지의 거리를 x m라 하면

$\dfrac{x}{40}+10+\dfrac{x}{60}\leq 20$ ∴ $x\leq 240$

따라서 집에서 최대 240 m 이내에 있는 마트까지 다녀올 수 있다.

🔲 240 m

확인 문제 4-1

선희가 집에서 5 km 떨어진 서점에 가는데 처음에는 시속 4 km로 뛰다가 도중에 시속 2 km로 걸어서 2시간 이내에 도착하였다. 이때 뛰어간 거리는 최소 몇 km인지 구하시오.

확인 문제 4-2

기차가 출발하기 전까지 1시간의 여유가 있어서 이 시간 동안 상점에 가서 물건을 사오려고 한다. 물건을 사는 데 40분이 걸리고 왕복 시속 2 km로 걸을 때, 역에서 최대 몇 km 이내에 있는 상점까지 다녀올 수 있는지 구하시오.

1 어떤 자연수의 3배에 8을 더한 수는 어떤 자연수의 7배에서 8을 뺀 수보다 크지 않다고 한다. 이와 같은 자연수 중 가장 작은 수를 구하시오.

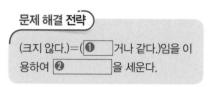

문제 해결 **전략**

(크지 않다.)=(❶ [   ]거나 같다.)임을 이용하여 ❷ [   ]을 세운다.

❶ 작 ❷ 부등식

2 다음 대화를 읽고 윤아는 이번 수학 시험에서 몇 점 이상을 받아야 하는지 구하시오.

윤아야, 시험공부 잘 돼 가?

내가 올해 세 번의 수학 시험에서 각각 83점, 92점, 94점을 받았거든!

이번 시험까지 총 네 번의 수학 시험 성적의 평균이 90점 이상이 되게 할 거야.

그... 그래. 열심히 해.

문제 해결 **전략**

네 수 a, b, c, d에 대하여

$$(평균)=\dfrac{a+b+c+❶}{❷}$$

임을 이용하여 부등식을 세운다.

❶ d ❷ 4

3 영훈이가 최대 중량이 950 kg인 엘리베이터를 이용하여 1개에 40 kg인 물건을 나르려고 한다. 영훈이의 몸무게가 50 kg일 때, 엘리베이터에 물건을 한 번에 최대 몇 개까지 실을 수 있는지 구하시오.

문제 해결 **전략**

물건의 무게와 영훈이의 ❶ [   ]의 합이 최대 중량인 ❷ [   ] kg을 넘지 않아야 한다.

❶ 몸무게 ❷ 950

>> 정답과 풀이 **14**쪽

4 아랫변의 길이가 16 cm, 높이가 9 cm인 사다리꼴의 넓이를 90 cm² 이상이 되게 하려고 할 때, 윗변의 길이는 몇 cm 이상이어야 하는지 구하시오.

문제 해결 전략

(사다리꼴의 넓이)
$=\dfrac{1}{2}\times\{(윗변의 길이)+(아랫변의 길이)\}$
$\times(\boxed{❶})$
임을 이용하여 부등식을 세운다.

❶ 높이

5 지민이가 휴대 전화 요금제를 고르기 위해 A, B 두 요금제를 비교해 보고 있다. 지민이가 한 달에 휴대 전화 통화를 몇 분 이상할 때, B 요금제를 선택하는 것이 유리한지 구하시오.

A 요금제
기본 요금 : 17000원
분당 통화 요금 : 180원

B 요금제
기본 요금 : 30000원
분당 통화 요금 : 60원

뭘 고를까?

문제 해결 전략

한 달에 휴대 전화 통화를 x분한다고 할 때,
(A 요금제를 선택하여 x분 통화한 요금)
$=17000+\boxed{❶}\,x$
(B 요금제를 선택하여 x분 통화한 요금)
$=\boxed{❷}+60x$
임을 이용하여 부등식을 세운다.

❶ 180 ❷ 30000

6 하안이네는 정수기를 장만하려고 한다. 정수기를 구입하는 경우에는 정수기 가격 45만 원의 구입 비용과 매달 13000원의 유지비를 내고, 정수기를 대여하는 경우에는 매달 27000원의 대여료만 낸다고 한다. 정수기를 최소 몇 개월 이상 사용하면 구입하는 것이 유리한가?

① 30개월   ② 31개월   ③ 32개월
④ 33개월   ⑤ 34개월

문제 해결 전략

(정수기를 구입하여 x개월 사용하는 비용)
$\boxed{❶}$ (정수기를 $\boxed{❷}$하여 x개월 사용하는 비용)으로 부등식을 세운다.

❶ < ❷ 대여

대표 예제 1

다음 식을 간단히 하였을 때, x^2의 계수를 a, 상수항을 b라 하자. 이때 $a+b$의 값을 구하시오.

$$-2x(3x+y)+(12xy^2-6y)\div 3y$$

개념 가이드

곱셈, ❶[   ]을 먼저 계산한 후 ❷[   ], 뺄셈을 계산하여 x^2의 계수와 상수항을 구한다.

❶ 나눗셈 ❷ 덧셈

대표 예제 3

$-4a+3>-4b+3$일 때, 다음 중 옳은 것은?

① $a>b$　　　　　② $\dfrac{a}{2}<\dfrac{b}{2}$

③ $a-7>b-7$　　④ $4-3a<4-3b$

⑤ $5a+3>5b+3$

개념 가이드

부등식의 양변에 같은 음수를 곱하거나 양변을 같은 ❶[   ]로 나누면 부등호의 방향이 ❷[   ].

❶ 음수 ❷ 바뀐다

대표 예제 2

다음 문장을 부등식으로 나타낸 것으로 옳은 것을 모두 고르면? (정답 2개)

① x의 2배는 5에 x를 더한 값보다 크다.
　→ $2x<5+x$

② 한 개에 a원인 사과 7개의 가격은 5000원 이하이다.
　→ $7a<5000$

③ 시속 9 km로 x시간 동안 뛰어간 거리는 5 km 보다 짧다. → $9x<5$

④ 현재 x살인 지우의 15년 후 나이는 현재 나이의 2배보다 많다. → $x+15\geq 2x$

⑤ x cm에서 8 cm 더 자라면 48 cm가 넘는다.
　→ $x+8>48$

개념 가이드

③에서 (거리)=(속력)×(❶[   ])임을 이용하고 ④에서 (현재 x살인 지수의 15년 후 나이)=(❷[   ])살임을 이용한다.

❶ 시간 ❷ $x+15$

대표 예제 4

다음 중 일차부등식이 적힌 카드를 고른 학생을 모두 말하시오.

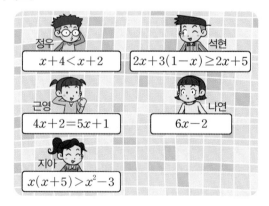

개념 가이드

부등식의 모든 항을 좌변으로 ❶[   ]하여 정리한 식이
(일차식)<0, (일차식)>0, (일차식)≤0, (일차식)≥0
중 어느 하나의 꼴로 나타나면 ❷[   ]이다.

❶ 이항 ❷ 일차부등식

>> 정답과 풀이 **14쪽**

대표 예제 **5**

다음 중 부등식 $3x+2<x-4$의 해를 수직선 위에 바르게 나타낸 것은?

①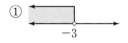

②

③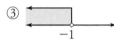

④

⑤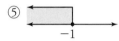

개념 가이드

미지수 x를 포함한 항은 ❶ [　　] 으로, 상수항은 ❷ [　　] 으로 이항하여 정리한 후 x의 계수로 양변을 나누어 해를 구한다.

❶ 좌변 ❷ 우변

대표 예제 **6**

다음은 일차부등식 $0.2(3x-4)\leq1.5x+1$을 푸는 과정이다. ①~⑤ 중 처음으로 틀린 곳을 찾으시오.

개념 가이드

좌변, 우변을 각각 정리한 후 ❶ [　　] 을 x의 계수로 나눌 때, x의 계수가 ❷ [　　] 이면 부등호의 방향이 바뀐다.

❶ 양변 ❷ 음수

대표 예제 **7**

부등식 $-4x+a>5$의 해가 $x<-4$일 때, 상수 a의 값을 구하시오.

개념 가이드

부등식 $-4x+a>5$의 해를 $x<-\dfrac{5-a}{\boxed{❶}}$로 나타낸 후

$-\dfrac{5-a}{4}=\boxed{❷}$ 임을 이용한다.

❶ 4 ❷ −4

대표 예제 **8**

다음 두 부등식의 해가 서로 같을 때, 상수 a의 값을 구하시오.

$$\frac{x+2}{4}>x-1,\ 2x-1<x+a$$

개념 가이드

부등식 $\dfrac{x+2}{4}>x-1$의 ❶ [　　] 를 먼저 구하고 $2x-1<x+a$의 해가 앞서 구한 해와 ❷ [　　] 을 이용하여 상수 a의 값을 구한다.

❶ 해 ❷ 같음

대표 예제 9

한 번에 3000 kg까지 운반할 수 있는 트럭에 몸무게가 72 kg인 사람 5명과 한 개에 180 kg인 짐을 여러 개 실어 운반하려고 한다. 한 번에 운반할 수 있는 짐은 최대 몇 개인지 구하시오.

개념 가이드

한 번에 짐을 x개 운반한다고 하면 몸무게가 72 kg인 사람 ❶ ▢ 명과 한 개에 180 kg인 짐 x개의 무게는 ❷ ▢ kg 이하이어야 한다.

❶ 5 ❷ 3000

대표 예제 11

현재 누나의 통장에는 16000원, 동생의 통장에는 8000원이 들어 있다. 다음 달부터 매달 누나는 1000원씩, 동생은 2000원씩 예금한다고 할 때, 동생의 예금액이 누나의 예금액보다 많아지는 것은 몇 개월 후부터인지 구하시오.

개념 가이드

x개월 후부터 동생의 예금액이 누나의 예금액보다 많아진다고 할 때, x개월 후 동생의 예금액과 ❶ ▢ 의 예금액을 ❷ ▢ 에 대한 식으로 나타낸 후 일차부등식을 세운다.

❶ 누나 ❷ x

대표 예제 10

한 개에 1000원 하는 키위와 한 개에 1500원 하는 참외를 합하여 20개를 사려고 한다. 전체 금액이 25000원 이하가 되게 하려면 참외를 최대 몇 개까지 살 수 있는지 구하시오.

키위와 참외를 합해서 20개 사야 하는데.

개념 가이드

❶ ▢ 를 x개 산다고 하면 키위는 (❷ ▢)개 살 수 있다.

❶ 참외 ❷ $20-x$

대표 예제 12

동네 가게에서 한 병에 1500원 하는 음료수가 대형 마트에서는 한 병에 1200원이라 한다. 대형 마트에 다녀오는 왕복 교통비가 1300원일 때, 음료수를 몇 병 이상 사는 경우 대형 마트에서 사는 것이 유리한지 구하시오.

개념 가이드

(동네 가게에서 사는 가격)
> (❶ ▢ 에서 사는 가격)+(왕복 ❷ ▢)

❶ 대형 마트 ❷ 교통비

대표 예제 13

어느 미술관의 입장료는 1인당 2000원이고, 30명 이상의 단체인 경우에는 입장료의 20 %를 할인해 준다고 한다. 30명 미만의 단체가 입장하려고 할 때, 몇 명 이상이면 30명의 단체 입장권을 사는 것이 유리한지 구하시오.

개념 가이드

x명이 입장한다고 할 때, **❶** 명의 단체 입장권의 가격이 **❷** 명의 입장권의 가격보다 저렴해야 30명의 단체 입장권을 사는 것이 유리하다.

❶ 30 **❷** x

대표 예제 14

원가가 1200원인 물건을 정가의 10 %를 할인하여 팔아서 원가의 20 % 이상의 이익을 얻으려고 할 때, 다음 중 정가가 될 수 없는 것은?

① 1550원 ② 1600원 ③ 1650원
④ 1700원 ⑤ 1750원

개념 가이드

정가가 x원인 물건을 10 % 할인한 판매 가격은

$\left(1-\dfrac{\boxed{❶}}{100}\right)x$(원)이다.

또 원가가 1200원이므로 원가의 20 %는 $1200 \times \dfrac{\boxed{❷}}{100}$(원)이다.

❶ 10 **❷** 20

대표 예제 15

수호는 제주도 올레길을 걸으려고 하는데 처음에는 시속 3 km로 걷다가 도중에 시속 5 km로 뛰어서 2시간 40분 이내에 도착하려고 한다. 최대 몇 km 지점까지 걸을 수 있는지 구하시오.

개념 가이드

$\left(\boxed{❶}\right) = \dfrac{(거리)}{(속력)}$임을 이용한다.

이때 2시간 40분은 $2\dfrac{40}{60} = \dfrac{\boxed{❷}}{3}$(시간)이다.

❶ 시간 **❷** 8

대표 예제 16

수찬이는 집에서 4 km 떨어진 학교까지 가는데 처음에는 시속 2 km로 걷다가 도중에 시속 3 km로 뛰어서 1시간 30분 이내에 도착하려고 한다. 이때 집에서 몇 km 지점까지는 걸어가도 되는지 구하시오.

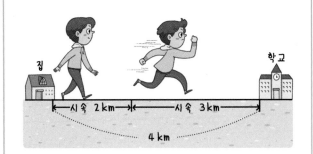

개념 가이드

걸어간 거리를 x km라 하면 **❶** 거리는
$\left(\boxed{❷}\right)$ km이다.

❶ 뛰어간 **❷** $4-x$

1 오른쪽 그림과 같이 가로의 길이가 $4a$, 세로의 길이가 $5b$인 직사각형 ABCD에서 $\triangle$AEF의 넓이는?

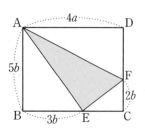

① $9b^2$

② $\dfrac{21}{2}b^2$

③ $10ab-\dfrac{9}{2}b^2$

④ $10ab+\dfrac{21}{2}b^2$

⑤ $10ab-9b^2$

> **Tip**
>
> $\overline{CE}=4a-3b$, $\overline{DF}=5b-$ ❶ ⬚ $=3b$이다. 이때
> $\triangle$AEF=(직사각형 ABCD의 넓이)
> $\quad$ − ❷ ⬚ $-\triangle$ECF$-\triangle$AFD
> 이다.
>
> ❶ $2b$ ❷ $\triangle$ABE

2 부등식 $2(x+3)\geq 5x-18$을 만족시키는 x의 값 중 가장 큰 정수를 구하시오.

> **Tip**
>
> ❶ ⬚ 을 이용하여 괄호를 풀어 정리한 후 $ax\geq$ ❷ ⬚ 꼴로 고친다.
>
> ❶ 분배법칙 ❷ b

3 부등식 $\dfrac{x-3}{4}-\dfrac{3x-1}{5}<\dfrac{1}{2}$ 을 푸시오.

> **Tip**
>
> 양변에 4, 5, 2의 ❶ ⬚ 인 ❷ ⬚ 을 곱하여 계수를 정수로 고친 후 일차부등식을 푼다.
>
> ❶ 최소공배수 ❷ 20

4 다음 대화를 읽고 서준이가 풀고 있는 문제의 답을 구하시오.

> **Tip**
>
> 부등식 $4a-x>3x+12$를 만족시키는 자연수인 ❶ ⬚ 가 없도록 일차부등식의 해를 ❷ ⬚ 위에 그려 본다.
>
> ❶ 해 ❷ 수직선

5 A 통신사의 한 휴대폰 요금제는 매달 데이터 350 MB 가 무료이고, 350 MB를 넘으면 1 MB당 20원의 요금이 부과된다. 이 요금제를 한 달 동안 사용할 때, 데이터 요 금이 9000원 이하가 되려면 데이터를 최대 몇 MB까지 이용할 수 있는지 구하시오.

> **Tip**
>
> 데이터 350 MB가 무료이므로 350 MB를 ❶ ___ 하는 데 이터에 대해서만 1 MB당 ❷ ___ 원의 요금을 지불하면 된 다.
>
> ❶ 초과 ❷ 20

6 A, B 두 쇼핑몰에서 동일한 문제집을 판매하고 있다. 이 문제집 한 권을 A 쇼핑몰은 9000원에 판매하는데 배송 비는 2000원이고, B 쇼핑몰은 8000원에 판매하는데 배 송비는 4000원이다. 이 문제집을 최소 몇 권 이상 구매할 때, B 쇼핑몰에서 구매하는 것이 유리한지 구하시오.

> **Tip**
>
> 문제집을 (❶ ___ 쇼핑몰에서 구매하는 가격)>(❷ ___ 쇼핑 몰에서 구매하는 가격)으로 부등식을 세운다.
>
> ❶ A ❷ B

7 세로의 길이가 가로의 길이보다 4 cm 더 긴 직사각형이 있다. 이 직사각형의 둘레의 길이를 100 cm 이하가 되게 하려고 할 때, 세로의 길이는 몇 cm 이하이어야 하는지 구하시오.

> **Tip**
>
> 세로의 길이를 x cm라 하면 가로의 길이는 $(x-$❶___$)$ cm 이므로 (직사각형의 둘레의 길이)≤❷___ 임을 이용하 여 부등식을 세운다.
>
> ❶ 4 ❷ 100

8 함께 여행을 떠나는 윤희와 연수는 오후 4시에 출발하는 기차를 타기 위해 오후 3시에 기차역에 도착하였고, 기차 가 출발하는 시각까지 남은 시간 동안 상점에 가서 간식 을 사오려고 한다. 간식을 고르는 데 15분이 걸리고, 상 점에 갈 때는 시속 3 km로, 올 때는 시속 4 km로 걷는 다면 역에서 최대 몇 km 이내에 있는 상점까지 다녀올 수 있는지 구하시오.

> **Tip**
>
> 15분은 $\dfrac{15}{60}=$ ❶___ (시간)이므로
>
> (역에서 상점까지 가는 데 걸리는 시간)$+\dfrac{1}{4}$
>
> $+$(상점에서 역으로 돌아오는 데 걸리는 시간)≤❷___
> 로 부등식을 세운다.
>
> ❶ $\dfrac{1}{4}$ ❷ 1

01 $(12x^2-6xy) \div 3x - 15xy \times \dfrac{1}{5y}$ 을 계산하면?

① $x-y$ ② $x-2y$ ③ $x+y$

④ $x+3y$ ⑤ $3x+2y$

02 $x=-1$, $y=2$일 때, $3x(x-2xy) - \dfrac{x^2y-5x^2y^2}{y}$의 값을 구하시오.

03 다음 중 x에 대한 일차부등식인 것은?

① $x^2+1<7$ ② $2x+1>2x$

③ $3x+2 \geq 5$ ④ $3x+1 \geq x^3-1$

⑤ $2x^2-1 \leq x^2-2x+1$

04 다음 중 고대 문서에 쓰여진 문장을 부등식으로 바르게 나타낸 것은?

오! 드디어 고대 문서를 발견했다.

무엇이 쓰여 있을까.

x에서 5를 뺀 값은 x의 2배보다 크지 않다.

① $x-5>2x$ ② $x-5<2x$

③ $x-5 \geq 2x$ ④ $x-5 \leq 2x$

⑤ $2(x-5)>x$

05 $a>b$일 때, 다음 중 옳지 <u>않은</u> 것은?

① $a-5>b-5$ ② $-3a<-3b$

③ $3-2a<3-2b$ ④ $\dfrac{5}{3}a-2>\dfrac{5}{3}b-2$

⑤ $2-\dfrac{a}{3}>2-\dfrac{b}{3}$

>> 정답과 풀이 17쪽

06 다음 중 부등식 $3(x+2) \leq 5x$의 해를 수직선 위에 바르게 나타낸 것은?

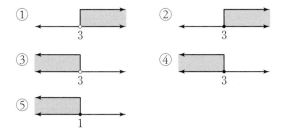

07 부등식 $0.5x+1 \leq 0.2(2x+1)$을 풀면?

① $x \leq -8$ ② $x \geq -8$ ③ $x \leq 8$

④ $x \geq 8$ ⑤ $x \geq 10$

08 한 송이에 2000원 하는 수국과 한 송이에 1000원 하는 카네이션을 합하여 10송이를 사려고 한다. 전체 금액이 16000원 이하가 되게 하려면 수국은 최대 몇 송이까지 살 수 있는지 구하시오.

09 집 앞 편의점에서는 한 통에 1000원 하는 생수가 할인 매장에서는 700원이다. 할인 매장을 다녀오는 왕복 교통비가 1900원일 때, 생수를 몇 통 이상 사는 경우에 할인 매장에서 사는 것이 유리한지 구하시오.

10 등산을 하는데 올라갈 때는 시속 3 km로 걷고, 내려올 때는 같은 길을 시속 4 km로 걸어서 전체 걸리는 시간을 7시간 이내로 하려고 한다. 최대 몇 km 지점까지 올라갈 수 있는가?

① 11 km   ② 12 km   ③ 13 km

④ 14 km   ⑤ 15 km

2주 **65**

1 다음 그림을 보고 물음에 답하시오.

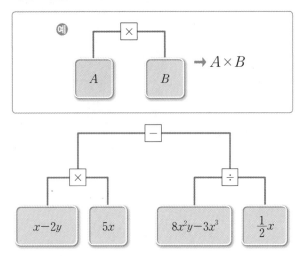

(1) 위 그림을 식으로 나타내시오.

(2) (1)에서 나타낸 식을 간단히 하시오.

> **Tip**
> 예를 이용하여 위 그림을 ❶ ☐ 으로 먼저 나타내고
> ❷ ☐ 은 역수의 곱셈으로 바꾸어 식을 간단히 한다.
>
> ❶ 식 ❷ 나눗셈

2 다음 대화를 읽고 물음에 답하시오.

(1) 직육면체 모양의 수족관의 높이를 구하시오.
   (단, 수족관의 두께는 생각하지 않는다.)

(2) 수족관의 겉넓이를 구하시오. (단, 수족관의 윗부분은 열려있으므로 겉넓이에 포함하지 않는다.)

> **Tip**
> (수족관의 부피)=(가로의 길이)×(❶ ☐ 의 길이)×(높이)
> 이고 수족관의 윗부분이 열려있으므로
> (수족관의 겉넓이)=(밑넓이)+(❷ ☐ 넓이)이다.
>
> ❶ 세로 ❷ 옆

3 오른쪽 그림은 교통안전 표지판 중 차간거리 확보 표지판으로 앞 차와의 거리를 50 m 이상 유지 하라는 뜻이고, 차간거리 x m의 범위를 부등식으로 나타내면 $x \geq 50$이다. 다음과 같은 교통안 전 표지판이 있을 때, 허용되는 x의 값의 범위를 부등식 으로 나타내시오.

[차간거리 확보]

(1) 차의 높이 x m

[차높이 제한]

(2) 차의 속력 시속 x km

[최저속력 제한]

Tip

⑴의 차 높이 제한 표지판은 차의 높이가 3.5 m ❶⬜⬜⬜ 여야 한다는 뜻이고, ⑵의 최저속력 제한 표지판은 차의 속력이 시속 50 km ❷⬜⬜⬜ 여야 한다는 뜻이다.

❶ 이하 ❷ 이하

---

4 현준이는 다음 그림의 각 카드에 적혀 있는 부등식의 성 질이 옳으면 '예', 옳지 않으면 '아니오'를 따라 내려갈 때, 마지막에 도착한 곳에 적혀 있는 도시로 여행을 가려고 한다. 현준이가 여행할 도시는 어디인지 구하시오.

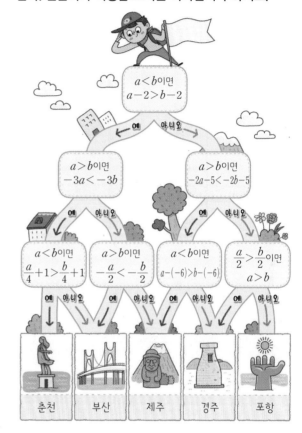

Tip

부등식의 양변에 같은 음수를 ❶⬜⬜⬜ 하거나 양변을 같은 음수로 나누면 부등호의 ❷⬜⬜⬜ 이 바뀌는 것을 주의한다.

❶ 곱 ❷ 방향

5 다음 그림에서 부등식 $0.2x+0.9 \le 0.1x+1.4$의 해가 될 수 있는 자연수가 적힌 칸을 모두 색칠할 때 나타나는 알파벳을 구하시오.

2	5	3	4	2
0	7	6	1	9
9	8	3	6	7
0	4	7	8	6
5	3	1	1	4

> **Tip**
>
> 주어진 부등식의 **❶** 를 구하고 부등식을 만족시키는
> **❷** 인 해를 구한다.
>
> ❶ 해 ❷ 자연수

6 다음은 지난 해 여름 A 중학교에서 있었던 일이다.

에어컨은 2학년 각 반에서 1대씩 사용하고, 선풍기는 5개의 반을 통틀어 x대를 사용한다고 할 때, 물음에 답하시오. (단, 2학년은 5개의 반이 있다.)

(1) 에어컨과 선풍기의 전력 사용량의 합을 x의 식으로 나타내시오.

(2) 에어컨과 선풍기의 전력 사용량의 합이 $2400 \, \text{kWh}$ 미만이 되게 하려면 선풍기는 최대 몇 대까지 사용할 수 있는지 구하시오.

> **Tip**
>
> 5개의 반이 있는 2학년 각 반에서 에어컨은 1대씩 사용하므로
> (**❶** 의 전력 사용량)$=400 \times$ **❷** (kWh)이다.
>
> ❶ 에어컨 ❷ 5

7 송아네 반은 체험학습으로 민속촌에 다녀오기 위해 민속촌 입장권을 알아보려고 한다. 다음 물음에 답하시오.

(1) x명이 입장한다고 할 때, 30명의 단체 입장권을 내는 것이 유리한 경우를 알아보기 위한 부등식을 세우시오.

(2) (1)에서 세운 부등식을 풀어 ☐ ㉠ 에 알맞은 수를 구하시오.

> **Tip**
>
> 1000원의 50 %는 $1000 \times \left(1 - \dfrac{\boxed{\textbf{①}}}{100}\right)$(원)이므로 이를 이용하여 (1인당 1000원을 내고 입장하는 가격)>(30명의 ☐**②** 입장권으로 입장하는 가격)으로 부등식을 세운다.
>
> **①** 50 **②** 단체

8 다음 그림을 보고 집에서 마트까지의 거리를 x m라 할 때, 물음에 답하시오.

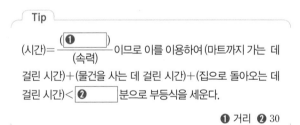

(1) 두 학생이 집에서 마트까지 분속 50 m로 걸어갔을 때, 걸린 시간을 x의 식으로 나타내시오.

(2) 간식을 사는 데 10분이 걸린다고 할 때, 30분 이내에 마트에 다녀오려면 집에서 최대 몇 m 이내에 있는 마트까지 다녀올 수 있는지 구하시오. (단, 갈 때 속력과 올 때 속력은 분속 50 m로 같다.)

> **Tip**
>
> (시간)$= \dfrac{\boxed{\textbf{①}}}{(속력)}$ 이므로 이를 이용하여 (마트까지 가는 데 걸린 시간)+(물건을 사는 데 걸린 시간)+(집으로 돌아오는 데 걸린 시간)$< \boxed{\textbf{②}}$ 분으로 부등식을 세운다.
>
> **①** 거리 **②** 30

유리수와 순환소수

순환소수로 나타낼 수 있는 분수

분모의 소인수가 2 또는 5뿐인가?

yes → 유한소수

no → 순환소수

소수

유한소수

무한소수

순환소수

유리수

순환하지 않는 무한소수

순환소수를 분수로 나타내기

$x = 0.444\cdots$ 에서

$10x = 4.444\cdots$

$-) \quad x = 0.444\cdots$

$9x = 4, \; x = \dfrac{4}{9}$

지수법칙

$a^m \times a^n = a^{m+n}$

$(a^m)^n = a^{mn}$

$a^m \div a^n = \begin{cases} a^{m-n} & (m>n) \\ 1 & (m=n) \\ \dfrac{1}{a^{n-m}} & (m<n) \end{cases}$

$(ab)^m = a^m b^m$

$\left(\dfrac{a}{b}\right)^m = \dfrac{a^m}{b^m}$ (단, $b \neq 0$)

단항식의 계산

곱셈

계수의 곱

$-4a \times 3ab = -12a^2 b$

문자의 곱

나눗셈

방법 1

$6a^2 b \div 3a = \dfrac{6a^2 b}{3a}$

방법 2

역수

$6a^2 b \div 3a = 6a^2 b \times \dfrac{1}{3a}$

다항식의 덧셈과 뺄셈

$(3x + 4y) - (5x - 2y) = 3x + 4y - 5x + 2y$

단항식과 다항식의 계산

(단항식) × (다항식)

$$3a(2b+c) = \underset{①}{3a \times 2b} + \underset{②}{3a \times c}$$

(다항식) ÷ (단항식)

$$(6a^2 + 4a) \div 2a$$
$$= (6a^2 + 4a) \times \frac{1}{2a} \overset{\text{역수}}{}$$

다항식과 단항식의 **혼합 계산**

곱셈과 나눗셈을 먼저 계산한 후 동류항끼리 모아서 간단히 한다.

부등식

부등식

부등호 <, >, ≤, ≥를 사용하여 수 또는 식의 대소 관계를 나타낸 식

부등식의 성질

$a < b$일 때
(1) $a+c < b+c$, $a-c < b-c$
(2) $c > 0$이면 $ac < bc$, $\dfrac{a}{c} < \dfrac{b}{c}$
(3) $c < 0$이면 $ac > bc$, $\dfrac{a}{c} > \dfrac{b}{c}$

일차부등식의 풀이

- 괄호가 있는 일차부등식
- 계수가 소수인 일차부등식
- 계수가 분수인 일차부등식

신유형·신경향·서술형 전략

1 다음은 분수 $\dfrac{2}{7}$ 를 나눗셈을 이용하여 소수로 나타내는 과정이다. 물음에 답하시오.

(1) 빈칸에 알맞은 숫자를 써넣으시오.

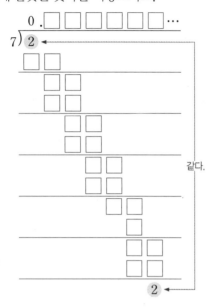

(2) (1)을 이용하여 $\dfrac{2}{7}$ 를 순환소수로 나타내고, 순환마디를 이루는 숫자의 개수를 구하시오.

> **Tip**
> $0.\dot{a}\dot{b}$ 의 순환마디는 **❶**　　　이고 순환마디를 이루는 숫자의 개수는 **❷**　　이다.
>
> ❶ ab　❷ 2

2 다음 표는 컴퓨터가 처리하는 정보의 양을 나타내는 단위 사이의 관계를 나타낸 것이다. 물음에 답하시오.

1 B	1 KiB	1 MiB	1 GiB
2^3 Bit	2^{10} B	2^{10} KiB	2^{10} MiB

(1) 용량이 512 MiB인 동영상 8편의 전체 용량은 몇 MiB인지 구하려고 한다. □ 안에 알맞은 수를 써넣으시오.

> $512 \times 8 = 2^\square \times 2^\square = 2^\square$ (MiB)
> 따라서 용량이 512 MiB인 동영상 8편의 전체 용량은 $2^\square$ MiB이다.

(2) 용량이 512 MiB인 동영상 8편의 전체 용량은 몇 GiB인지 구하려고 한다. □ 안에 알맞은 수를 써넣으시오.

> 2^{10} MiB는 1 GiB이므로
> $2^\square$ (MiB) $= 2^\square \times 2^{10}$ (MiB)
> $\qquad\qquad = \square \times 2^{10}$ (MiB)
> $\qquad\qquad = \square$ (GiB)
> 따라서 용량이 512 MiB인 동영상 8편의 전체 용량은 □ GiB이다.

> **Tip**
> 용량이 512 MiB인 동영상 8편의 전체 용량은 512×8 (MiB)이다. 이때 $512 = 2^9$, $8 = $ **❶**　　 이므로 512×8 을 **❷**　　의 거듭제곱으로 나타낸다.
>
> ❶ 2^3　❷ 2

3 다음 계산식을 보고 4명의 학생들이 각자의 생각을 말한 것이다. 바르게 말한 사람을 고르시오.

$$12x^2 \div \frac{3}{2}x = 12x^2 \times \frac{2}{3}x$$

$$= 8x^3$$

지민: 틀린 부분을 고쳐서 다시 맞게 풀면 답은 $8x^2$이야.

주원: $\frac{3}{2}x$의 역수는 $\frac{2}{3}x$가 맞아.

영호: ㉠에서 역수를 잘못 구했어. 그래서 ㉠부터 틀렸어.

진원: 답은 맞았어.

Tip

$\frac{3}{2}x = \dfrac{\boxed{❶}}{2}$ 이므로 $\frac{3}{2}x$의 역수 ➡ $\boxed{❷}$

❶ $3x$ ❷ $\frac{2}{3x}$

4 다음 그림과 같이 직사각형 모양의 색지를 A, B 두 부분으로 나누었다. A 부분의 넓이는 $6x^2y - 7xy^2$, B 부분의 넓이는 $5xy^2 + 2x^2y$이고, 직사각형 모양의 색지의 세로의 길이는 $2xy$일 때, 물음에 답하시오.

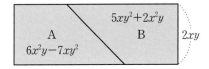
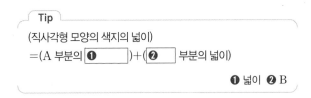

(1) 직사각형 모양의 색지의 전체 넓이를 구하시오.

(2) 직사각형 모양의 색지의 가로의 길이를 구하시오.

Tip

(직사각형 모양의 색지의 넓이)

$=$(A 부분의 $\boxed{❶}$)$+($ $\boxed{❷}$ 부분의 넓이)

❶ 넓이 ❷ B

신유형·신경향·서술형 전략

5 오른쪽 그림과 같은 원뿔 모양의 컵의 높이를 h, 컵 윗면의 반지름의 길이를 r라 하자. 이 컵에 물의 높이가 컵 높이의 $\frac{1}{3}$이 되도록 물을 담았더니 수면의 반지름의 길이는 컵 윗면의 반지름의 길이의 $\frac{1}{3}$이 되었다. 다음 물음에 답하시오.
(단, 컵의 두께는 생각하지 않는다.)

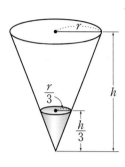

(1) 원뿔 모양의 컵의 부피를 구하시오.

(2) 현재 담겨져 있는 물의 부피를 구하시오.

(3) 이 컵에 물을 완전히 채우려고 할 때 더 넣어야 할 물의 양을 구하시오.

> **Tip**
> 밑면인 원의 반지름의 길이를 r, 높이를 h라 할 때
> (원뿔의 부피)$= \boxed{\text{❶}} \times$(밑넓이)$\times$(높이)
> $= \boxed{\text{❷}}$
> 임을 이용한다.
>
> ❶ $\frac{1}{3}$ ❷ $\frac{1}{3}\pi r^2 h$

6 다음은 부등식의 성질을 수직선으로 나타낸 것이다. 부등식의 성질과 수직선의 설명이 <u>잘못</u> 연결된 것은?

① 부등식의 양변에서 같은 수를 빼어도 부등호의 방향은 바뀌지 않는다.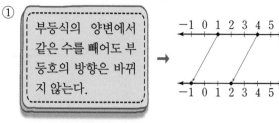

② 부등식의 양변에 같은 음수를 곱하면 부등호의 방향은 바뀐다.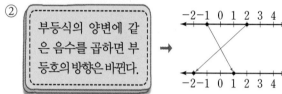

③ 부등식의 양변에 같은 음수를 곱하면 부등호의 방향은 바뀐다.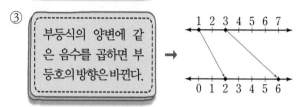

④ 부등식의 양변에 같은 수를 더하여도 부등호의 방향은 바뀌지 않는다.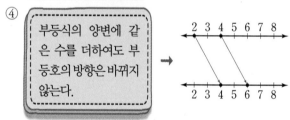

⑤ 부등식의 양변을 같은 양수로 나누어도 부등호의 방향은 바뀌지 않는다.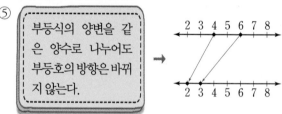

> **Tip**
> $a>b$일 때
> ㉠ $a+c>b+c$, $a-c>b-c$
> ㉡ $c>0$이면 $ac>bc$, $\frac{a}{c} \boxed{\text{❶}} \frac{b}{c}$
> ㉢ $c<0$이면 $ac<bc$, $\frac{a}{c} \boxed{\text{❷}} \frac{b}{c}$
>
> ❶ $>$ ❷ $<$

7 다음은 A, B 두 종류의 치즈의 20 g당 칼슘 함유량을 각각 나타낸 것이다. 물음에 답하시오.

치즈	칼슘 함유량 (g)
A	0.16
B	0.1

(1) A, B 두 치즈의 1 g당 칼슘 함유량을 구하시오.

(2) A 치즈 x g과 B 치즈 200 g을 사용하여 칼슘 함유량이 3.4 g 이상인 요리를 하려고 한다. A 치즈는 최소한 몇 g 필요한지 구하시오.

> **Tip**
>
> A 치즈의 20 g당 칼슘 함유량이 0.16 g이므로
>
> 1 g당 칼슘 함유량은 $\dfrac{\boxed{❶}}{20}$ g
>
> B 치즈의 20 g당 칼슘 함유량이 0.1 g이므로
>
> 1 g당 칼슘 함유량은 $\dfrac{\boxed{❷}}{20}$ g
>
> ❶ 0.16 ❷ 0.1

8 다음 대화를 읽고 주차요금이 8000원 이하가 되게 하려고 할 때, 최대 몇 분 동안 주차할 수 있는지 구하시오.

> **Tip**
>
> x분 동안 주차한다고 하면 3시간 30분, 즉 $\boxed{❶}$ 분을 초과하여 주차한 시간은 ($\boxed{❷}$)분이다.
>
> ❶ 210 ❷ $x-210$

01 다음 중 순환소수의 표현이 옳지 <u>않은</u> 것은?

① $0.080808\cdots = 0.\dot{0}\dot{8}$

② $0.1272727\cdots = 0.1\dot{2}\dot{7}$

③ $1.003003003\cdots = 1.\dot{0}0\dot{3}$

④ $2.151515\cdots = 2.\dot{1}\dot{5}$

⑤ $4.124124124\cdots = \dot{4}.1\dot{2}$

02 분수 $\dfrac{7}{37}$ 을 순환소수로 나타낼 때, 소수점 아래 2020번째 자리의 숫자를 구하시오.

$7 \div 37$ 을 해서 $\dfrac{7}{37}$ 을 소수로 나타내야겠어.

$\dfrac{7}{37} = 0.\dot{1}8\dot{9}$ 이니까 소수점 아래 숫자는 1, 8, 9가 반복돼.

03 다음 중 유한소수로 나타낼 수 있는 것은?

① $\dfrac{3}{36}$ ② $\dfrac{4}{63}$ ③ $\dfrac{5}{2 \times 3^2}$

④ $\dfrac{21}{2^3 \times 3^2}$ ⑤ $\dfrac{49}{2 \times 5^3 \times 7}$

04 $\dfrac{9}{66} \times a$ 를 소수로 나타내면 유한소수가 될 때, a의 값이 될 수 있는 가장 작은 두 자리의 자연수는?

① 11   ② 22   ③ 33

④ 44   ⑤ 55

05 분수 $\dfrac{a}{560}$를 소수로 나타내면 유한소수이고, 기약분수로 나타내면 $\dfrac{1}{b}$이다. a가 $40<a<70$인 자연수일 때, $a-b$의 값을 구하시오.

06 다음 중 순환소수 $x=1.3\dot{6}$을 분수로 나타낼 때, 가장 편리한 식은?

① $10x-x$
② $100x-x$
③ $100x-10x$
④ $1000x-x$
⑤ $1000x-100x$

07 다음 중 순환소수 $x=1.4858585\cdots$에 대하여 잘못 설명한 학생을 말하시오.

현아: x는 유리수야.

지아: 분수로 나타내면 $\dfrac{1481}{990}$이야.

지우: $1000x-10x$를 이용하여 소수 부분을 없앨 수 있어.

지호: 점을 찍어 간단히 나타내면 $1.4\dot{8}\dot{5}$야.

08 다음 중 옳은 것은?

① 순환소수는 무한소수가 아니다.
② 모든 순환소수는 분수로 나타낼 수 있다.
③ 정수가 아닌 유리수는 유한소수로만 나타낼 수 있다.
④ 순환소수 중에는 유리수가 아닌 것도 있다.
⑤ 유한소수로 나타낼 수 있는 기약분수는 분모의 소인수가 3 또는 5뿐이다.

09 다음 보기 중 옳은 것을 모두 고른 것은?

> 보기
>
> ㉠ $a \times a^3 = a^3$
>
> ㉡ $\left(\dfrac{x^3}{y^2}\right)^3 = \dfrac{x^6}{y^6}$
>
> ㉢ $2^{10} \div (2^2)^5 = 1$
>
> ㉣ $(-2a^2b)^4 = 8a^8b^4$
>
> ㉤ $2^3 + 2^3 + 2^3 + 2^3 = 2^5$

① ㉠, ㉢　　　② ㉡, ㉣　　　③ ㉢, ㉤

④ ㉠, ㉢, ㉣　　⑤ ㉢, ㉣, ㉤

10 $32^3 \div 2^5 = 2^x$, $125^4 \div 5^{2y} = 5^2$을 만족시키는 두 자연수 x, y에 대하여 $x+y$의 값은?

밑이 다른데!!

밑이 다르지 않아. 32는 2의 거듭제곱으로 나타낼 수 있어.

당황하지 말고~

$32^3 \div 2^5 = ?$

$32^3 = (2^5)^3 = 2^{15}$

① 8　　　　② 10　　　　③ 15

④ 17　　　⑤ 20

11 $4^2 \times 5^5$이 n자리의 자연수일 때, n의 값은?

① 5　　　　② 6　　　　③ 7

④ 8　　　　⑤ 9

12 $\dfrac{3^6}{2^3+2^3+2^3} \times \dfrac{8^3+8^3}{3^5+3^5+3^5+3^5}$ 을 간단히 하면?

① 2^4　　　　② 2^5　　　　③ 2^6

④ 3^4　　　　⑤ 3^5

13 $(-ab^2)^3 \times \left(\dfrac{a^3}{b}\right)^4 \div (a^3b)^5$을 계산하면?

① $-\dfrac{a^2}{b^3}$ ② $-\dfrac{a}{b^3}$ ③ $-\dfrac{1}{b^3}$

④ $\dfrac{1}{b^3}$ ⑤ $\dfrac{a}{b^3}$

14 다음 중 옳은 것을 모두 고르면? (정답 2개)
① $3a(3b+4)=9ab+12a$
② $(8x^2-6x)\div\dfrac{1}{2}x=4x-6$
③ $-2x(3x+2y)=-6x^2+4xy$
④ $(14xy^2+21x)\div(-7x)=2y^2-3$
⑤ $(12x^4y^3-9x^3y^2)\div 3x^2y^2=4x^2y-3x$

15 다음 그림에서 ㈎는 한 변의 길이가 $4a^3b^2$인 정사각형이고, ㈏는 밑변의 길이가 $8ab^2$인 삼각형이다. ㈎와 ㈏의 넓이가 같을 때, ㈏의 높이는?

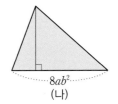

$4a^3b^2$
(가)

$8ab^2$
(나)

① $4a^2b^5$ ② $4a^5b^2$ ③ $4a^8b^2$
④ $16a^4b^2$ ⑤ $16a^5b^2$

16 경호는 어떤 식 A에서 x^2-3x+2를 빼야 할 것을 잘못하여 더했더니 $5x^2+7x-2$가 되었다. 이때 바르게 계산한 식을 구하시오.

01 $-2x(x-y)-\dfrac{3x^2y-2x^2y^2}{xy}$ 을 계산하시오.

02 오른쪽 그림과 같은 사다리꼴의 넓이는?

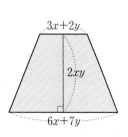

① $9x^2y+9xy^2$
② $9x^2y+18xy^2$
③ $18x^2y+9xy^2$
④ $18x^2y+18xy^2$
⑤ $9x^2y^2+9xy^2$

03 다음 문장을 일차부등식으로 바르게 나타낸 것은?

4000원이 들어 있는 저금통에 800원씩 x일을 저금하면 10000원 이하가 된다.

① $4000x+800\leq10000$
② $4000x+800\geq10000$
③ $4000+800x<10000$
④ $4000+800x\geq10000$
⑤ $4000+800x\leq10000$

04 다음 중 [ ] 안의 수가 부등식의 해가 <u>아닌</u> 것은?

① $x-3<-1$ $[-5]$
② $-4x-2\geq7$ $[-3]$
③ $5x\geq3x+4$ $[0]$
④ $3x-2\leq6$ $[2]$
⑤ $2x-3>-9$ $[8]$

05 다음 중 옳은 것은?

① $a < b$일 때, $-7+a > -7+b$

② $3a-4 \geq 3b-4$일 때, $a \leq b$

③ $a > b$일 때, $-\dfrac{a}{3} < -\dfrac{b}{3}$

④ $1+\dfrac{2}{3}a < 1+\dfrac{2}{3}b$일 때, $a > b$

⑤ $a-3 \geq b-3$일 때, $-2a < -2b$

06 $-2 \leq x < 1$일 때, $1-2x$의 값의 범위는?

① $-5 \leq 1-2x < 1$ ② $-5 < 1-2x \leq 1$

③ $-2 \leq 1-2x < 3$ ④ $-1 \leq 1-2x < 5$

⑤ $-1 < 1-2x \leq 5$

07 다음 중 일차부등식이 적힌 팻말을 들고 있는 학생을 말하시오.

08 다음 중 부등식 $3x-2 < 4x-7$의 해를 수직선 위에 바르게 나타낸 것은?

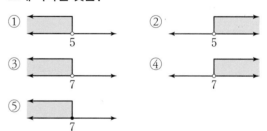

09 일차부등식 $ax+6 \geq 0$의 해가 $x \leq 3$일 때, 정수 a의 값을 구하시오.

10 일차부등식 $\dfrac{3x-2}{2} - \dfrac{x}{5} \leq 1.6$을 풀면?

① $x \leq -2$ ② $x \geq -2$ ③ $x \leq \dfrac{1}{2}$

④ $x \geq \dfrac{1}{2}$ ⑤ $x \leq 2$

11 두 부등식 $-3(x-2) < 2x-4$, $4(x+a)-1 > -9$의 해가 서로 같을 때, 상수 a의 값은?

① -16 ② -9 ③ -5

④ -4 ⑤ 0

12 부등식 $3x+2a > 7x$를 만족시키는 자연수 x가 2개일 때, 상수 a의 값의 범위를 구하시오.

주어진 부등식의 해를 a의 식으로 나타내.

부등식을 만족시키는 자연수가 2개가 되도록 부등식의 해를 수직선 위에 그려봐.

13 몸무게가 50 kg인 민수가 한 번에 최대 500 kg까지 실을 수 있는 엘리베이터에 한 개에 15 kg인 상자를 운반하려고 한다. 한 번에 최대 몇 개의 상자를 운반할 수 있는지 구하시오.

14 집 근처 가게에서 한 개에 1000원 하는 음료수가 할인 매장에서는 한 개에 500원이라 한다. 할인 매장에 다녀오는 데 드는 왕복 교통비가 3000원일 때, 음료수를 몇 개 이상 살 경우 할인 매장에서 사는 것이 유리한지 구하시오.

15 어느 박물관의 입장료는 한 사람당 5000원이고, 30명 이상의 단체인 경우에는 입장료의 25 %를 할인받을 수 있다. 이 박물관에 30명 미만의 학생들이 입장할 때, 몇 명 이상이면 30명의 단체 입장권을 사는 것이 유리한가? (단, 30명 미만이어도 30명의 단체 입장권을 살 수 있다.)

① 22명　　　② 23명　　　③ 24명
④ 25명　　　⑤ 26명

16 민아는 집에서 5 km 떨어진 학교까지 가는데 처음에는 시속 3 km로 걷다가 도중에 시속 6 km로 달려서 1시간 30분 이내에 도착하려고 한다. 이때 걸어간 거리는 최대 몇 km인지 구하시오.

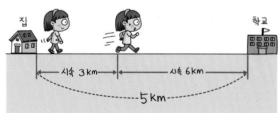

내신을 대비하고 실력을 쌓는 쉽고 빠른 교재

중학 내신 전략 시리즈

국어/영어/수학

초단기 내신 대비

중학교 과정에서 꼭 익혀야 할
주요 개념을 중심으로 정리한
내신 대비 공통서!

1·6·4·4 프로젝트

하루 6쪽, 주 4일, 4주 완성으로
체계적인 학습 계획에 따라
매일매일 공부 습관 형성!

빠르고 효율적으로

꼭 알아야 할 필수 개념을
간단한 문제들을 통해
빠르고 효율적으로 완성!

하루 6쪽, 주 4일, 4주간 완성하는 내신 대비!

국어: 예비중~중3(국어전략 1~3)
영어: 예비중~중3(영어전략 1~3)
수학: 중1~3(학기용)

수학전략

중학 2-1

기말고사

이 책의 구성과 활용

주 도입

이번 주에 배울 내용이 무엇인지 보여 주는 부분입니다. 재미있는 만화를 통해 앞으로 배울 학습 요소를 미리 떠올려 봅니다.

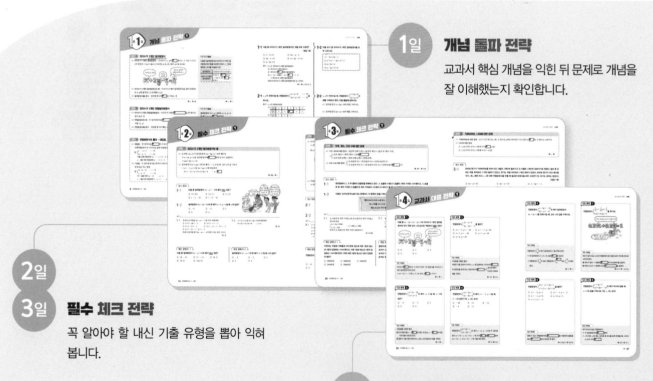

1일 개념 돌파 전략

교과서 핵심 개념을 익힌 뒤 문제로 개념을 잘 이해했는지 확인합니다.

2일 3일 필수 체크 전략

꼭 알아야 할 내신 기출 유형을 뽑아 익혀 봅니다.

4일 교과서 대표 전략

내신 기출에 자주 등장하는 대표 유형의 문제를 풀어 볼 수 있습니다.

시험에 잘 나오는 개념 BOOK

부록은 뜯으면 미니북으로 활용할 수 있습니다. 시험 전에 개념을 확실하게 짚어 주세요.

주 마무리와 권 마무리의 특별 코너들로
수학 실력이 더 탄탄해질 거야!

주 마무리 코너

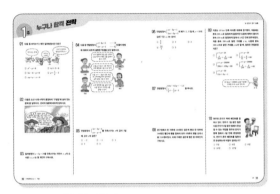

누구나 합격 전략

난이도 낮은 종합 문제로 학습 자신감을 고취할 수 있습니다.

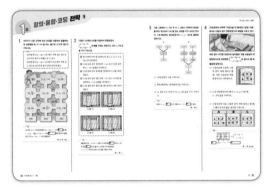

창의·융합·코딩 전략

융복합적 사고력을 길러 주는 문제로 문제해결력을 기를 수 있습니다.

권 마무리 코너

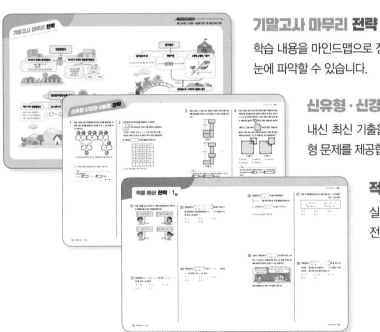

기말고사 마무리 전략

학습 내용을 마인드맵으로 정리해서 2주 동안 배운 내용을 한눈에 파악할 수 있습니다.

신유형·신경향·서술형 전략

내신 최신 기출을 바탕으로 신유형·신경향·서술형 문제를 제공합니다.

적중 예상 전략

실제 시험에 대비할 수 있는 모의 실전 문제를 2회로 구성하였습니다.

이 책의 **차례**

이 개념들을 알면
시험 대비는
문제없지!

연립방정식

개념 1 미지수가 2개인 일차방정식

(1) 미지수 2개인 일차방정식 : 미지수가 x, y의 ❶ 개이고 그 차수가 모두
1인 방정식 ➡ $ax+by+c=0$ (단, a, b, c는 상수, $a \neq 0$, $b \neq 0$)
↳ 간단히 일차방정식이라 한다.

미지수는 2개!

차수는 1이야.

우리가 있어야 방정식이라고~!

(2) 미지수가 2개인 일차방정식의 해 : 미지수가 2개인 일차방정식을 참이 되게 하
는 x, y의 값 또는 그 순서쌍 (x, y)

(3) 일차방정식을 푼다 : 일차방정식의 ❷ 를 구하는 것

❶ 2 ❷ 해

개념 돌파 Quiz

다음은 일차방정식과 미지수가 2개인 일
차방정식의 뜻을 비교한 것이다. □ 안에
알맞은 숫자를 써넣으시오.

일차방정식	미지수의 차수가 1인 방정식
미지수가 2개인 일차방정식	미지수가 ❶ 개이고, 그 차수가 모두 ❷ 인 방정식

❶ 2 ❷ 1

개념 2 미지수가 2개인 연립일차방정식

(1) 미지수가 2개인 연립일차방정식 : 미지수가 2개인 ❶ 을 한 쌍으로
묶어 놓은 것

(2) 연립방정식의 해 : 두 일차방정식을 ❷ 만족시키는 x, y의 값 또는 순
서쌍 (x, y)

(3) 연립방정식을 푼다 : 연립방정식의 해를 구하는 것

❶ 일차방정식 ❷ 동시에

개념 돌파 Quiz

일차방정식 $2x+y=6$에서 $x=1$, $y=4$
일 때, $2 \times 1 + 4$ ❶ 6이므로
$x=1$, $y=4$는 일차방정식의 ❷ 이다.

❶ $=$ ❷ 해

개념 3 연립방정식의 풀이 – 대입법, 가감법

(1) 대입법 : 한 방정식을 ❶ 의 미지수에 대하여 정리하고, 이를 다른 방정
식에 대입하여 한 미지수를 없애 연립방정식을 푸는 방법

예 $\begin{cases} y=-x+4 & \cdots\cdots ㉠ \\ 2x-y=2 & \cdots\cdots ㉡ \end{cases}$

㉠을 ㉡에 대입하면 $2x-(-x+4)=2$, $3x=6$ $\therefore x=2$

$x=2$를 ㉠에 대입하면 $y=-2+4=2$

(2) 가감법 : 두 일차방정식을 변끼리 더하거나 빼어서 한 미지수를 ❷ 연립
방정식을 푸는 방법

예 $\begin{cases} 3x+y=10 & \cdots\cdots ㉠ \\ x-y=2 & \cdots\cdots ㉡ \end{cases}$

㉠+㉡을 하면 $4x=12$ $\therefore x=3$

$x=3$을 ㉡에 대입하면 $3-y=2$ $\therefore y=1$

❶ 하나 ❷ 없애

개념 돌파 Quiz

① 연립방정식 $\begin{cases} y=x+3 & \cdots\cdots ㉠ \\ 3x-y=1 & \cdots\cdots ㉡ \end{cases}$
은 식 ㉠이 한 문자에 대한 식으로 나
타내어져 있으므로 ❶ 으로
푸는 것이 더 편리하다.

② 연립방정식 $\begin{cases} 3x+2y=4 & \cdots\cdots ㉠ \\ x-y=3 & \cdots\cdots ㉡ \end{cases}$
에서 y를 없애기 위해 두 식 ㉠과
㉡ × ❷ 를 변끼리 더한다.

❶ 대입법 ❷ 2

1-1 다음 중 미지수가 2개인 일차방정식인 것을 모두 고르면?

(정답 2개)

① $x-2=0$ 　　　② $3x-y-2$

③ $2y-1=0$ 　　　④ $x+2y-4=0$

⑤ $y=2x+5$

풀이 | ①, ③ 미지수가 1개인 일차방정식

② 미지수가 2개인 일차식

④ 미지수가 ❶ 개인 일차방정식

⑤ $y=2x+5$에서 $-2x+$ ❷ $-5=0$

➡ 미지수가 2개인 일차방정식

따라서 미지수가 2개인 일차방정식은 ④, ⑤이다.

❶ 2 ❷ y / 답 ④, ⑤

1-2 다음 보기 중 미지수가 2개인 일차방정식을 모두 고르시오.

┌ 보기 ┐

㉠ $-2x+3y-1$

㉡ $x^2+y=-2y+x^2+7$

㉢ $y=3x+4$

㉣ $x-4y+2=0$

2-1 x, y가 자연수일 때, 연립방정식 $\begin{cases} x+y=6 & \cdots\cdots ㉠ \\ 3x+y=12 & \cdots\cdots ㉡ \end{cases}$ 을 푸시오.

풀이 | x, y가 자연수이므로

㉠

x	1	2	3	4	5
y	5	4	❶	2	1

㉡

x	1	2	3
y	9	6	3

따라서 연립방정식의 해는 두 일차방정식 ㉠, ㉡을 동시에 만족시키는 x, y의 값인 $x=3, y=$ ❷ 이다.

❶ 3 ❷ 3 / 답 $x=3, y=3$

2-2 x, y가 자연수일 때, 연립방정식 $\begin{cases} x+2y=9 \\ 2x+y=6 \end{cases}$ 의 해를 구하려고 한다. 다음 물음에 답하시오.

(1) 일차방정식 $x+2y=9$의 해를 구하시오.

(2) 일차방정식 $2x+y=6$의 해를 구하시오.

(3) 연립방정식 $\begin{cases} x+2y=9 \\ 2x+y=6 \end{cases}$ 의 해를 구하시오.

3-1 다음 연립방정식을 푸시오.

(1) $\begin{cases} x=4y-1 & \cdots\cdots ㉠ \\ x-2y=1 & \cdots\cdots ㉡ \end{cases}$ 　(2) $\begin{cases} 2x-y=4 & \cdots\cdots ㉠ \\ 3x+2y=6 & \cdots\cdots ㉡ \end{cases}$

(대입법)　　　　　　　　(가감법)

풀이 | (1) ㉠을 ㉡에 대입하면

(❶)$-2y=1$, $2y=2$　∴ $y=1$

$y=1$을 ㉠에 대입하면

$x=4\times1-1=3$

(2) y를 없애기 위하여 ㉠×2를 하면

❷ 　　　　 $\cdots\cdots$ ㉢

㉡+㉢을 하면 $7x=14$　∴ $x=2$

$x=2$를 ㉠에 대입하면 $4-y=4$　∴ $y=0$

❶ $4y-1$ ❷ $4x-2y=8$ / 답 (1) $x=3, y=1$ (2) $x=2, y=0$

3-2 다음 연립방정식을 푸시오.

(1) $\begin{cases} 2x+y=6 \\ x=3y-4 \end{cases}$ (대입법)

x 대신 $3y-4$가 들어갑니다~

(2) $\begin{cases} x-y=4 \\ 2x-3y=5 \end{cases}$ (가감법)

개념 4 여러 가지 연립방정식의 풀이

(1) 괄호가 있는 연립방정식 : ❶ [   ]을 이용하여 괄호를 풀고 동류항끼리 정리한 후 푼다.

(2) 계수가 소수인 연립방정식 : 각 일차방정식의 양변에 $10, 100, 1000, \cdots$을 곱하여 계수를 정수로 고친 후 푼다.

(3) 계수가 분수인 연립방정식 : 각 일차방정식의 양변에 분모의 ❷ [   ]를 곱하여 계수를 정수로 고친 후 푼다.

(4) $A=B=C$ 꼴의 방정식 : $\begin{cases} A=B \\ A=C \end{cases}$ 또는 $\begin{cases} A=B \\ B=C \end{cases}$ 또는 $\begin{cases} A=C \\ B=C \end{cases}$ 중 가장 간단한 것을 선택하여 푼다.

❶ 분배법칙 ❷ 최소공배수

개념 돌파 Quiz

연립방정식 $\begin{cases} \frac{1}{2}x + \frac{2}{3}y = 4 & \cdots\cdots ㉠ \\ 0.5x + 0.1y = 1.2 & \cdots\cdots ㉡ \end{cases}$

에서 ㉠의 양변에 분모의 최소공배수 ❶ [   ]을 곱하고, ㉡의 양변에 ❷ [   ]을 곱하여 ㉠, ㉡의 계수를 각각 정수로 고친다.

❶ 6 ❷ 10

개념 5 해가 특수한 연립방정식의 풀이

(1) 해가 무수히 많은 연립방정식 : 두 일차방정식을 변형하였을 때, 미지수의 ❶ [   ]와 상수항이 각각 같다.

(2) 해가 없는 연립방정식 : 두 일차방정식을 변형하였을 때, 미지수의 계수는 각각 같고 ❷ [   ]은 다르다.

❶ 계수 ❷ 상수항

개념 돌파 Quiz

연립방정식 $\begin{cases} 3x + 6y = 3 & \cdots\cdots ㉠ \\ x + 2y = 1 & \cdots\cdots ㉡ \end{cases}$ 에서

㉡ $\times$ ❶ [   ]을 하면 $\begin{cases} 3x+6y=3 \\ 3x+6y=3 \end{cases}$ 이므로

연립방정식의 해가 ❷ [   ].

❶ 3 ❷ 무수히 많다

개념 6 연립방정식의 활용

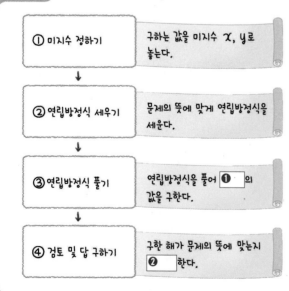

① 미지수 정하기 — 구하는 값을 미지수 x, y로 놓는다.

② 연립방정식 세우기 — 문제의 뜻에 맞게 연립방정식을 세운다.

③ 연립방정식 풀기 — 연립방정식을 풀어 ❶ 의 값을 구한다.

④ 검토 및 답 구하기 — 구한 해가 문제의 뜻에 맞는지 ❷ 한다.

연립방정식의 활용 문제의 풀이 순서야.

❶ x, y ❷ 확인

개념 돌파 Quiz

연필 2자루와 공책 한 권의 가격은 1900원이고 연필 4자루와 공책 3권의 가격은 5000원일 때, 연필 한 자루와 공책 한 권의 가격을 각각 구해보자.

1 연필 한 자루의 가격을 x원, 공책 한 권의 가격을 ❶ [   ]원이라 하자.

2 $\begin{cases} 2x + y = 1900 \\ 4x + 3y = 5000 \end{cases}$

3 연립방정식을 풀면 $x=350, y=1200$

4 연필 2자루와 공책 한 권의 가격은 $350 \times 2 + 1200 =$ ❷ [   ] (원), 연필 4자루와 공책 3권의 가격은 $350 \times 4 + 1200 \times 3 = 5000$(원)이므로 구한 해는 문제의 뜻에 맞다.

❶ y ❷ 1900

4-1 연립방정식 $\begin{cases} 2(x-3)=y-5 & \cdots\cdots \text{㉠} \\ x-1=y-3 & \cdots\cdots \text{㉡} \end{cases}$ 을 푸시오.

풀이 | ㉠을 정리하면

❶ ☐ ······ ㉢

㉡을 정리하면

❷ ☐ ······ ㉣

㉢－㉣을 하면 $x=3$

$x=3$을 ㉣에 대입하면

$3-y=-2$ ∴ $y=5$

❶ $2x-y=1$ ❷ $x-y=-2$ / 답 $x=3,\ y=5$

4-2 연립방정식 $\begin{cases} 2x+y=6 \\ 2(2x+y)+y=10 \end{cases}$ 을 푸시오.

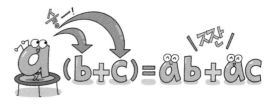

5-1 연립방정식 $\begin{cases} 3x+12y=4 \\ x+4y=1 \end{cases}$ 을 푸시오.

풀이 | $\begin{cases} 3x+12y=4 \\ x+4y=1 \end{cases} \rightarrow \begin{cases} 3x+12y=4 \\ 3x+12y=3 \end{cases}$

$x,\ y$의 계수가 각각 같고, ❶ ☐ 이 다르므로 연립방정식

의 해가 ❷ ☐.

❶ 상수항 ❷ 없다 / 답 해가 없다.

5-2 다음 연립방정식을 푸시오.

(1) $\begin{cases} x+3y=5 \\ 2x+6y=10 \end{cases}$

(2) $\begin{cases} 2x-y=3 \\ 8x-4y=9 \end{cases}$

6-1 준호는 집에서 $4\ \text{km}$ 떨어진 학교를 가는데 시속 $3\ \text{km}$로 걷다가 지각을 할 것 같아서 시속 $8\ \text{km}$로 뛰어 40분만에 학교에 도착하였다. 이때 준호가 뛰어간 거리를 구하시오.

풀이 | 준호가 시속 $3\ \text{km}$로 걸어간 거리를 $x\ \text{km}$, 시속 $8\ \text{km}$로 뛰어간 거리를 $y\ \text{km}$라 하면

$x+y=$ ❶ ☐ ······ ㉠

총 40분만에 학교에 도착하였으므로

$\dfrac{x}{3}+\dfrac{x}{8}=$ ❷ ☐ ······ ㉡

㉠, ㉡을 연립하여 풀면

$x=\dfrac{4}{5},\ y=\dfrac{16}{5}$

따라서 준호가 뛰어간 거리는 $\dfrac{16}{5}\ \text{km}$이다.

❶ 4 ❷ $\dfrac{2}{3}$ / 답 $\dfrac{16}{5}\ \text{km}$

6-2 지호는 총거리가 $7\ \text{km}$인 산책로를 걷는데 처음에는 시속 $4\ \text{km}$로 걷다가 도중에 힘이 들어 남은 거리는 시속 $2\ \text{km}$로 걸어서 2시간만에 산책을 마쳤다. 다음 물음에 답하시오.

(1) 시속 $4\ \text{km}$로 걸은 거리를 $x\ \text{km}$, 시속 $2\ \text{km}$로 걸은 거리를 $y\ \text{km}$라 할 때, $x,\ y$에 대한 연립방정식을 세우시오.

(2) 시속 $4\ \text{km}$로 걸은 거리와 시속 $2\ \text{km}$로 걸은 거리를 차례대로 구하시오.

바탕 문제

다음 문장을 미지수가 2개인 일차방정식으로 나타내시오.

> 500원짜리 사탕 x개와 1500원짜리 쿠키 y개의 가격의 합은 5000원이다.

풀이 500원짜리 사탕 x개의 가격 : ❶ ☐ 원

1500원짜리 쿠키 y개의 가격 : ❷ ☐ 원

가격의 합이 5000원이므로

$500x + 1500y = 5000$

❶ $500x$ ❷ $1500y$

1 다음 중 주어진 문장을 미지수가 2개인 일차방정식으로 나타내었을 때, 옳지 <u>않은</u> 것은?

① 한 개에 800원 하는 빵 x개와 한 개에 1000원 하는 우유 y개를 사고, 5200원을 지불하였다. ➡ $800x + 1000y = 5200$

② 자동차 x대와 오토바이 y대의 바퀴 수의 합은 20개이다.
➡ $4x + 2y = 20$

③ 어떤 야구 선수가 대회 기간 동안 3점 홈런을 x번, 4점 홈런을 y번 쳐서 32점을 얻었다. ➡ $3x + 4y = 32$

④ 용돈 x원에서 1000원짜리 아이스크림을 y개 사먹었더니 2000원이 남았다. ➡ $x + 1000y = 2000$

⑤ 1.5 L들이 병 x개와 0.5 L들이 병 y개에 모두 물이 가득 들어 있을 때 전체 물의 양은 10 L이다. ➡ $1.5x + 0.5y = 10$

바탕 문제

다음은 연립방정식을 가감법으로 푼 것이다. ☐ 안에 알맞은 수를 써넣으시오.

풀이

$$\begin{cases} x+y=4 \\ x-y=2 \end{cases} \xrightarrow[\text{더하기}]{\text{변끼리}} ❶\ \boxed{} \begin{array}{r} x+y=\ \ 4 \\ x-y=\ \ 2 \\ \hline 2x\ \ \ =❷\ \boxed{} \end{array}$$

$$\therefore x = 3$$

❶ $+$ ❷ 6

2 연립방정식 $\begin{cases} x+2y=11 & \cdots\cdots ㉠ \\ 2x-y=2 & \cdots\cdots ㉡ \end{cases}$ 에서 y를 없애기 위하여 다음 중 필요한 식은?

① $㉠+㉡$ ② $㉠+㉡\times 2$ ③ $㉠-㉡\times 2$

④ $㉠\times 2+㉡$ ⑤ $㉠\times 2-㉡$

y를 지워주지! 그럼 먼저 y의 계수를 같게 만들어 볼까?

나? 지우개

바탕 문제

다음은 계수가 소수인 연립방정식을 간단히 한 것이다. ☐ 안에 알맞은 식을 써넣으시오.

풀이 $\begin{cases} 0.2x+0.1y=0.5 & \cdots\cdots ㉠ \\ 0.3x-0.2y=-0.3 & \cdots\cdots ㉡ \end{cases}$

$㉠\times 10,\ ㉡\times 10 \begin{cases} ❶\ \boxed{}=5 \\ ❷\ \boxed{}=-3 \end{cases}$

❶ $2x+y$ ❷ $3x-2y$

3 연립방정식 $\begin{cases} 0.2x+0.5y=-1 \\ 0.4x+0.25y=1 \end{cases}$ 을 푸시오.

바탕 문제

다음은 계수가 분수인 연립방정식을 간단히 한 것이다. □ 안에 알맞은 식을 써넣으시오.

[풀이]
$$\begin{cases} \dfrac{x}{2} + \dfrac{y}{3} = 1 & \cdots\cdots ㉠ \\ \dfrac{x}{8} - \dfrac{y}{2} = 2 & \cdots\cdots ㉡ \end{cases}$$

$㉠ \times 6, ㉡ \times 8$ $\begin{cases} \boxed{❶} = 6 \\ \boxed{❷} = 16 \end{cases}$

❶ $3x+2y$ ❷ $x-4y$

4 연립방정식 $\begin{cases} \dfrac{3}{10}x + \dfrac{4}{5}y = 2 \\ \dfrac{1}{4}x - \dfrac{1}{12}y = -\dfrac{4}{3} \end{cases}$ 를 푸시오.

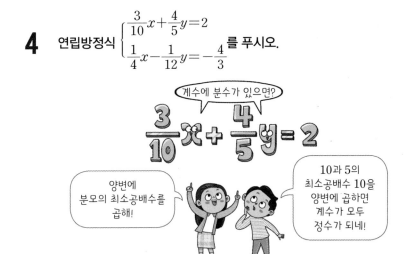

바탕 문제

십의 자리의 숫자는 x, 일의 자리의 숫자는 y인 두 자리의 자연수가 있다. 십의 자리의 숫자와 일의 자리의 숫자를 바꾼 수에 대하여 다음 표를 완성하시오.

[풀이]

	십의 자리의 숫자	일의 자리의 숫자	자연수
처음 수	x	y	$10x+y$
바꾼 수	❶	x	❷

❶ y ❷ $10y+x$

5 두 자리의 자연수가 있다. 이 수는 각 자리의 숫자의 합의 4배이고, 십의 자리의 숫자와 일의 자리의 숫자를 바꾼 수는 처음 수보다 27만큼 크다고 할 때, 처음 수는?

① 33   ② 36   ③ 39

④ 42   ⑤ 45

바탕 문제

올해 오빠의 나이는 동생의 나이의 4배이고, 6년 전에는 오빠의 나이가 동생의 나이의 10배였다. 올해 오빠의 나이를 x살이라 할 때, 다음 표를 완성하시오.

[풀이]

	오빠의 나이	동생의 나이
올해	x살	$4y$살
6년 전	(❶)살	(❷)살

❶ $x-6$ ❷ $y-6$

6 이모의 나이는 지우의 나이보다 14살이 더 많다. 2년 전에 이모의 나이는 지우의 나이의 2배였다고 할 때, 현재 이모의 나이와 지우의 나이를 각각 구하시오.

전략 1 미지수가 2개인 일차방정식의 해

(1) 순서쌍 (m, n)이 일차방정식 $ax+by+c=0$의 해이다.

→ $x=m, y=n$을 일차방정식에 ❶ [　　] 하면 등식이 성립한다.

→ $am+bn+c=0$

(2) 일차방정식 $3x+ay=2$의 한 해가 $(-1, 5)$일 때, 상수 a의 값 구하기

→ $x=-1, y=5$를 $3x+ay=2$에 대입하면

$3\times(-1)+a\times5=2, 5a=5$ ∴ $a=$ ❷ [　　]

❶ 대입 ❷ 1

필수 예제

1-1 다음 중 일차방정식 $3x-y=-1$의 해가 <u>아닌</u> 것은?

① $(3, 10)$ ② $(2, 7)$ ③ $(1, 2)$

④ $(-1, -2)$ ⑤ $(-2, -5)$

1-2 일차방정식 $2x+3y=15$의 한 해가 $x=3, y=a$일 때, a의 값은?

① -3 ② -2 ③ 1

④ 3 ⑤ 4

풀이

1-1 주어진 순서쌍을 $3x-y=-1$에 각각 대입하면

① $3\times3-10=-1$ ② $3\times2-7=-1$

③ $3\times1-2\neq-1$ ④ $3\times(-1)-(-2)=-1$

⑤ $3\times(-2)-(-5)=-1$

따라서 일차방정식 $3x-y=-1$의 해가 아닌 것은 ③이다.

답 ③

1-2 $x=3, y=a$를 $2x+3y=15$에 대입하면

$6+3a=15, 3a=9$ ∴ $a=3$

답 ④

확인 문제 1-1

다음 중 일차방정식 $2x-y=15$의 해가 <u>아닌</u> 것은?

① $(6, -3)$ ② $(7, -1)$ ③ $(8, 1)$

④ $(9, 2)$ ⑤ $(10, 5)$

확인 문제 1-2

일차방정식 $2x-y=7$의 한 해가 $(4, k)$일 때, k의 값은?

① -2 ② -1 ③ 1

④ 2 ⑤ 3

전략 2 연립방정식의 해

(1) 미지수가 2개인 일차방정식을 한 쌍으로 묶어 놓은 것을 미지수 2개인 **❶** [　　　　] 이라 한다.

→ 연립방정식의 해를 두 **❷** [　　　　] 에 각각 대입하면 등식이 성립한다. └→ 간단히 연립방정식이라 한다.

例 $x=2, y=3$은 연립방정식 $\begin{cases} x+y=5 \\ 2x+y=8 \end{cases}$ 의 해일까?

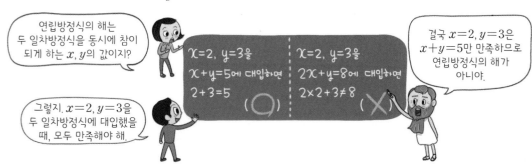

연립방정식의 해는 두 일차방정식을 동시에 참이 되게 하는 x, y의 값이지?

$x=2, y=3$을 $x+y=5$에 대입하면 $2+3=5$ (◯)

$x=2, y=3$을 $2x+y=8$에 대입하면 $2\times2+3\neq8$ (✕)

결국 $x=2, y=3$은 $x+y=5$만 만족하므로 연립방정식의 해가 아니야.

그렇지. $x=2, y=3$을 두 일차방정식에 대입했을 때, 모두 만족해야 해.

(2) 연립방정식의 해를 한 해로 갖는 일차방정식이 주어질 때

→ 연립방정식의 해를 구하고, 주어진 일차방정식에 대입하여 미지수의 값을 구한다.

❶ 연립일차방정식 **❷** 일차방정식

필수 예제

2-1 연립방정식 $\begin{cases} 2x+3y=a \\ 6x+by=20 \end{cases}$ 의 해가 $x=1, y=2$일 때, $a+b$의 값을 구하시오. (단, a, b는 상수)

2-2 연립방정식 $\begin{cases} x+4y=6 \\ x=-3y+1 \end{cases}$ 의 해가 일차방정식 $x+ay=-4$를 만족시킬 때, 상수 a의 값을 구하시오.

풀이 |

2-1 $x=1, y=2$를 $2x+3y=a$에 대입하면
$2+6=a$ ∴ $a=8$
$x=1, y=2$를 $6x+by=20$에 대입하면
$6+2b=20, 2b=14$ ∴ $b=7$
∴ $a+b=8+7=15$

답 15

2-2 $x=-3y+1$을 $x+4y=6$에 대입하면
$-3y+1+4y=6$ ∴ $y=5$
$y=5$를 $x=-3y+1$에 대입하면
$x=-15+1=-14$
$x=-14, y=5$를 $x+ay=-4$에 대입하면
$-14+5a=-4, 5a=10$ ∴ $a=2$

답 2

확인 문제 2-1

연립방정식 $\begin{cases} ax-y=6 \\ x+2y=-3 \end{cases}$ 의 해가 $(3, b)$일 때, ab의 값은?

(단, a는 상수)

① -6　　② -3　　③ -2

④ 3　　⑤ 6

확인 문제 2-2

연립방정식 $\begin{cases} 3x-2y=4 \\ 5x+2y=12 \end{cases}$ 의 해가 일차방정식 $x+3ay=5$ 를 만족시킬 때, 상수 a의 값은?

① -2　　② -1　　③ 1

④ 2　　⑤ 3

(1) 계수가 소수인 연립방정식 : 각 일차방정식의 양변에 10, 100, 1000, …을 곱하여 계수를 정수로 고친 후 푼다.

(2) 계수가 분수인 연립방정식 : 각 일차방정식의 양변에 분모의 **❶ [   ]** 를 곱하여 계수를 정수로 고친 후 푼다.

(3) $A=B=C$ 꼴의 방정식 : $\begin{cases} A=B \\ A=C \end{cases}$, $\begin{cases} A=B \\ \boxed{❷} \end{cases}$, $\begin{cases} A=C \\ B=C \end{cases}$ 중 가장 간단한 것을 선택하여 푼다.

> **참고** 특히 C가 상수일 때에는 $\begin{cases} A=C \\ B=C \end{cases}$ 를 이용하여 풀면 편리하다.

❶ 최소공배수 ❷ $B=C$

필수 예제

3-1 연립방정식 $\begin{cases} 0.3x-0.5y=0.1 \\ \dfrac{x}{3}-\dfrac{y}{2}=-1 \end{cases}$ 을 푸시오.

3-2 방정식 $2x+y=5x+2y+1=4x+y+2$를 풀면?

① $x=-1, y=-2$ ② $x=-1, y=2$

③ $x=1, y=-2$ ④ $x=1, y=2$

⑤ $x=2, y=1$

어떻게 두 개씩 묶는 것이 더 간단한지 생각해 보자!

풀이

3-1 $\begin{cases} 0.3x-0.5y=0.1 & \cdots\cdots ㉠ \\ \dfrac{x}{3}-\dfrac{y}{2}=-1 & \cdots\cdots ㉡ \end{cases}$

㉠×10을 하면 $3x-5y=1$ $\cdots\cdots ㉢$

㉡×6을 하면 $2x-3y=-6$ $\cdots\cdots ㉣$

㉢×2$-$㉣×3을 하면

$-y=20$ $\quad \therefore y=-20$

$y=-20$을 ㉢에 대입하면

$3x+100=1, 3x=-99$ $\quad \therefore x=-33$

답 $x=-33, y=-20$

3-2 $\begin{cases} 2x+y=5x+2y+1 \\ 2x+y=4x+y+2 \end{cases} \rightarrow \begin{cases} 3x+y=-1 & \cdots\cdots ㉠ \\ 2x=-2 & \cdots\cdots ㉡ \end{cases}$

㉡에서 $x=-1$

$x=-1$을 ㉠에 대입하면

$-3+y=-1$ $\quad \therefore y=2$

답 ②

확인 문제 3-1

연립방정식 $\begin{cases} \dfrac{x}{2}+\dfrac{y}{3}=4 \\ 0.5x+0.2y=3.2 \end{cases}$ 를 푸시오.

확인 문제 3-2

방정식 $4x-7y-8=5x+3y=7$의 해는?

① $(-2, 1)$ ② $(-1, 2)$ ③ $(1, -2)$

④ $(2, -1)$ ⑤ $(2, 2)$

전략 **4** 해가 무수히 많거나 해가 없는 연립방정식

(1) 해가 무수히 많은 연립방정식

x의 계수, y의 계수, 상수항 중 하나를 같게 하였을 때, 나머지도 모두 각각 **❶** ☐ .

→ 연립방정식 $\begin{cases} ax+by=c \\ a'x+b'y=c' \end{cases}$ 에서 $\dfrac{a}{a'} = \dfrac{b}{b'} = \dfrac{c}{c'}$

(2) 해가 없는 연립방정식

x의 계수, y의 계수를 각각 같게 하였을 때, 상수항은 **❷** ☐ .

→ 연립방정식 $\begin{cases} ax+by=c \\ a'x+b'y=c' \end{cases}$ 에서 $\dfrac{a}{a'} = \dfrac{b}{b'} \neq \dfrac{c}{c'}$

❶ 같다 **❷** 다르다

필수 예제

4-1 연립방정식 $\begin{cases} 3x-ay=2 \\ 6x+12y=b \end{cases}$ 의 해가 없을 때, 상수 a, b의 조건은?

① $a \neq -6, b=-4$ ② $a=-6, b \neq 4$ ③ $a=-6, b=4$

④ $a \neq 6, b=4$ ⑤ $a=6, b \neq 4$

풀이 |

4-1 $\begin{cases} 3x-ay=2 \\ 6x+12y=b \end{cases} \rightarrow \begin{cases} 6x-2ay=4 \\ 6x+12y=b \end{cases}$

이 연립방정식의 해가 없으려면 x, y의 계수는 각각 같고, 상수항은 달라야 하므로

$-2a=12, 4 \neq b$ ∴ $a=-6, b \neq 4$

다른 풀이

해가 없으려면 $\dfrac{3}{6} = \dfrac{-a}{12} \neq \dfrac{2}{b}$ 이어야 하므로

$\dfrac{3}{6} = \dfrac{-a}{12}$ 에서 $a=-6$

$\dfrac{3}{6} \neq \dfrac{2}{b}$ 에서 $b \neq 4$

답 ②

확인 문제 **4**-1

연립방정식 $\begin{cases} x+y=a \\ bx+3y=9 \end{cases}$ 의 해가 무수히 많을 때, $a-b$의 값을 구하시오. (단, a, b는 상수)

확인 문제 **4**-2

다음 연립방정식 중 해가 없는 것을 모두 고르면? (정답 2개)

① $\begin{cases} x+4y=2 \\ 2x+8y=4 \end{cases}$ ② $\begin{cases} x-2y=1 \\ 9x-18y=7 \end{cases}$

③ $\begin{cases} 4x+y=-6 \\ 16x+4y=-24 \end{cases}$ ④ $\begin{cases} 3x+y=1 \\ -6x-3y=-2 \end{cases}$

⑤ $\begin{cases} 2x+3y=-1 \\ -6x-9y=-3 \end{cases}$

1 일차방정식 $3x+2y=10$의 한 해가 $(-a, a+3)$일 때, a의 값은?

① -7 ② -4 ③ 2

④ 4   ⑤ 7

문제 해결 전략

순서쌍 (m, n)이 일차방정식 $ax+by+c=0$의 **❶** 이다.

➡ $x=m, y=n$을 일차방정식 $ax+by+c=0$에 **❷** 하면 등식이 성립한다.

❶ 해 ❷ 대입

2 x, y가 자연수일 때, 일차방정식 $x+2y=11$의 해의 개수를 a, 일차방정식 $x+3y=15$의 해의 개수를 b라 하자. 이때 $a+b$의 값을 구하시오.

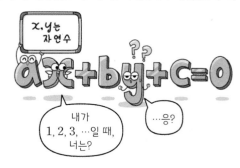

문제 해결 전략

$x=1, 2, 3, \cdots$을 차례대로 대입하여 y의 값도 **❶** 인 순서쌍 (x, y)를 찾는다. 이때 x, y의 계수 중 절댓값이 **❷** 수에 먼저 대입하여 구하면 편리하다.

❶ 자연수 ❷ 큰

3 연립방정식 $\begin{cases} x-2y=5-a \\ 3x-5y=2a-4 \end{cases}$ 를 만족시키는 x의 값이 y의 값의 3배일 때, 상수 a의 값은?

① -2 ② 1   ③ 2

④ 4   ⑤ 6

문제 해결 전략

x의 값이 y의 값의 3배이다.

➡ $x=$ **❶**

즉 $x=3y$를 주어진 연립방정식에 **❷** 하여 상수 a의 값을 구한다.

❶ 3y ❷ 대입

4 연립방정식 $\begin{cases} \dfrac{1}{3}x + \dfrac{3}{5}y = 5 \\ 0.3(x+y) - 0.1y = 1.1 \end{cases}$ 의 해가 (a, b)일 때, $b-a$의 값을 구하

시오.

문제 해결 전략

• 계수에 분수가 있으면 양변에 분모의 **❶**　　　　를 곱하여 계수를 정수로 고친 후 연립방정식을 푼다.

• 계수에 소수가 있으면 양변에 **❷**　　, 100, 1000, …을 곱하여 계수를 정수로 고친 후 연립방정식을 푼다.

❶ 최소공배수　**❷** 10

5 방정식 $\dfrac{4x+y}{5} = \dfrac{5x-2y}{3} = 1$의 해를 $x=a$, $y=b$라 할 때, $a+b$의 값을

구하시오.

문제 해결 전략

$A = B = C$ 꼴의 방정식에서 C가 상수

일 때에는 $\begin{cases} A = \boxed{\textbf{❶}} \\ B = \boxed{\textbf{❷}} \end{cases}$ 를 이용하여 푼다.

❶ C　**❷** C

6 연립방정식 $\begin{cases} (a+3)x - 2y = 4 \\ 2x - y = 7 \end{cases}$ 의 해가 없을 때, 상수 a의 값은?

① -2　　　　② -1　　　　③ 0

④ 1　　　　　⑤ 2

문제 해결 전략

연립방정식의 해가 없다.

→ 두 일차방정식의 x, y의 계수는 각각 **❶**　고 상수항은 **❷**　다.

❶ 같 **❷** 다르

전략 1 가격, 개수, 다리 수에 대한 문제

(1) 가격, 개수에 대한 문제 : (물건의 전체 가격)=(물건의 개수)×(물건 한 개의 가격)

→ $\begin{cases} (\text{A의 개수})+(\text{B의 개수})=(\text{전체 ❶ [\quad\quad]}) \\ (\text{A의 전체 금액})+(\text{B의 전체 금액})=(\text{전체 금액}) \end{cases}$

(2) 다리 수에 대한 문제 : $\begin{cases} (\text{A 동물의 수})+(\text{B 동물의 수})=(\text{전체 동물의 수}) \\ (\text{A 동물의 다리 수})+(\text{B 동물의 다리 수})=(\text{전체 동물의 ❷ [\quad\quad] 수}) \end{cases}$

❶ 개수 ❷ 다리

필수 예제

1-1 편의점에서 A, B 두 종류의 초콜릿을 판매하고 있다. A 초콜릿 4개와 B 초콜릿 3개의 가격은 5300원이고, A 초콜릿 한 개의 가격은 B 초콜릿 한 개의 가격보다 250원이 더 싸다고 할 때, A 초콜릿 한 개의 가격을 구하시오.

1-2 다음은 '손자산경'에 실려 있는 문제이다. 이 문제의 답을 구하시오.

> 꿩과 토끼가 바구니에 있다. 위를 보니 머리 수가
> 35, 아래를 보니 다리 수가 94이다.
> 꿩과 토끼는 각각 몇 마리인가?

풀이

1-1 A 초콜릿 한 개의 가격을 x원, B 초콜릿 한 개의 가격을 y원이라 하면

$\begin{cases} 4x+3y=5300 \\ x=y-250 \end{cases}$ ∴ $x=650, y=900$

따라서 A 초콜릿 한 개의 가격은 650원이다.

🖩 650원

1-2 꿩의 수를 x마리, 토끼의 수를 y마리라 하면

$\begin{cases} x+y=35 \\ 2x+4y=94 \end{cases}$ → $\begin{cases} x+y=35 \\ x+2y=47 \end{cases}$ ∴ $x=23, y=12$

따라서 꿩은 23마리, 토끼는 12마리이다.

🖩 꿩 : 23마리, 토끼 : 12마리

확인 문제 1-1

지연이는 주말에 가족들과 야구장에 갔는데 어른 1명과 청소년 4명의 입장료는 22000원이고, 어른 2명과 청소년 3명의 입장료는 24000원이었다. 이때 어른 2명과 청소년 5명의 입장료의 합은?

① 28000원 ② 30000원 ③ 32000원

④ 34000원 ⑤ 38000원

확인 문제 1-2

동현이네 할아버지 댁에는 오리와 토끼가 모두 17마리 있다. 오리와 토끼의 다리 수의 합이 50개일 때, 토끼는 몇 마리인지 구하시오.

전략 2 **가위바위보, 나이에 대한 문제**

(1) 가위바위보에 대한 문제 : A가 이긴 횟수를 x회, 진 횟수를 y회라 하면 B가 이긴 횟수는 **❶** ⬚ 회, 진 횟수는 x회이다.

(2) 나이에 대한 문제

① (x년 전의 나이)=(현재 나이) **❷** ⬚ x(살)

② (x년 후의 나이)=(현재 나이)+x(살)

❶ y ❷ $-$

필수 예제

2-1 은비와 현기가 가위바위보를 하여 이긴 사람은 3계단씩 올라가고 진 사람은 1계단씩 내려가기로 하였다. 얼마 후 은비는 처음 위치보다 27계단 올라가 있었고, 현기는 처음 위치보다 1계단 내려가 있었다. 은비와 현기가 이긴 횟수를 각각 x회, y회라 하고 x, y에 대한 연립방정식을 만들 때 필요한 방정식을 모두 고르면? (단, 비기는 경우는 없었다.)

(정답 2개)

① $3x-y=27$　　　　② $3y-x=27$　　　　③ $x-3y=-1$

④ $3y-x=1$　　　　⑤ $3y-x=-1$

2-2 현재 삼촌과 조카의 나이의 합은 42살이고, 7년 후에는 삼촌의 나이가 조카의 나이의 3배가 된다고 한다. 현재 삼촌의 나이를 구하시오.

풀이 |

2-1 은비가 이긴 횟수는 x회, 진 횟수는 y회이므로 $3x-y=27$
현기가 이긴 횟수는 y회, 진 횟수는 x회이므로 $3y-x=-1$
따라서 연립방정식을 만들 때 필요한 방정식은
$$\begin{cases} 3x-y=27 \\ 3y-x=-1 \end{cases}$$

답 ①, ⑤

2-2 현재 삼촌의 나이를 x살, 조카의 나이를 y살이라 하면
$$\begin{cases} x+y=42 \\ x+7=3(y+7) \end{cases} \rightarrow \begin{cases} x+y=42 \\ x-3y=14 \end{cases}$$
$\therefore x=35, y=7$
따라서 현재 삼촌의 나이는 35살이다.

답 35살

확인 문제 2-1

태우와 예원이가 가위바위보를 하여 이긴 사람은 4계단씩 올라가고 진 사람은 2계단씩 내려가기로 하였다. 얼마 후 태우는 처음 위치보다 32계단, 예원이는 처음 위치보다 14계단 올라가 있었다고 할 때, 태우가 이긴 횟수는 몇 회인가?

(단, 비기는 경우는 없었다.)

① 10회　　② 11회　　③ 12회

④ 13회　　⑤ 14회

확인 문제 2-2

다음 대화를 읽고 현재 아버지의 나이를 구하시오.

현재 우리 둘의 나이를 합하면 55살이구나.

10년 후에는 아버지의 나이가 제 나이의 2배가 되네요.

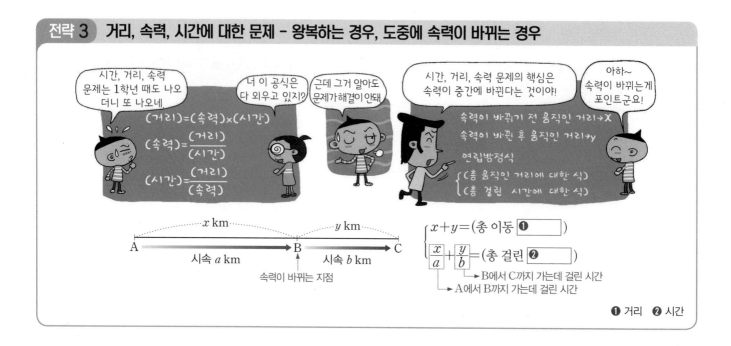

필수 예제

3-1 승현이는 등산을 하는데 올라갈 때는 시속 3 km로 걷고, 내려올 때는 올라갈 때보다 6 km만큼 더 먼 길을 시속 4 km로 걸어서 총 2시간 30분이 걸렸다고 한다. 이때 내려올 때 걸은 거리는 몇 km인지 구하시오.

3-2 윤서네 집에서 학교까지의 거리는 7 km이다. 집에서 시속 15 km로 자전거를 타고 가다가 도중에 자전거가 고장나서 시속 4 km로 걸어서 갔더니 등교하는 데 50분이 걸렸다. 이때 윤서가 걸어서 간 거리를 구하시오.

풀이 |

3-1 승현이가 올라갈 때 걸은 거리를 x km, 내려올 때 걸은 거리를 y km라 하면

$$\begin{cases} y=x+6 \\ \dfrac{x}{3}+\dfrac{y}{4}=\dfrac{5}{2} \end{cases} \rightarrow \begin{cases} y=x+6 \\ 4x+3y=30 \end{cases} \quad \therefore x=\dfrac{12}{7},\ y=\dfrac{54}{7}$$

따라서 내려올 때 걸은 거리는 $\dfrac{54}{7}$ km이다.

답 $\dfrac{54}{7}$ km

3-2 윤서가 자전거를 타고 간 거리를 x km, 걸어서 간 거리를 y km라 하면

$$\begin{cases} x+y=7 \\ \dfrac{x}{15}+\dfrac{y}{4}=\dfrac{5}{6} \end{cases} \rightarrow \begin{cases} x+y=7 \\ 4x+15y=50 \end{cases} \quad \therefore x=5,\ y=2$$

따라서 윤서가 걸어서 간 거리는 2 km이다.

답 2 km

확인 문제 3-1

수민이가 박물관에 갔다 오는데 갈 때는 시속 6 km로 달리고 올 때는 다른 길로 시속 8 km로 달려서 총 3시간이 걸렸다. 수민이의 총 이동 거리가 21 km일 때, 갈 때 거리와 올 때 거리를 각각 구하시오. (단, 박물관에 머문 시간은 무시한다.)

확인 문제 3-2

연우는 단축 마라톤 대회에 참가하여 10 km를 완주하였다. 처음에는 시속 6 km로 달리다가 도중에 시속 4 km로 걸어서 총 2시간 만에 결승점에 도착하였을 때, 연우가 달려간 거리와 걸어간 거리를 각각 구하시오.

전략 **4** 증가와 감소, 일에 대한 문제

(1) 증가와 감소에 대한 문제 : (증가량)−(감소량)=(전체 증가량 또는 전체 감소량)임을 이용하여 연립방정식을 세운다.

　참고 (올해 남학생 수)=(작년 남학생 수)+(**❶**　　　　　남학생 수)

　　　　(올해 여학생 수)=(작년 여학생 수)+(변화한 여학생 수)

(2) 일에 대한 문제

　1 전체 일의 양을 **❷**　　로 놓는다.

　2 한 사람이 하루 동안에 할 수 있는 일의 양을 각각 미지수 x, y로 놓고 연립방정식을 세운다.

❶ 변화한　**❷** 1

필수 예제

4-1 어느 중학교 작년 학생 수는 800명이었는데 올해는 작년에 비하여 남학생 수는 10 % 증가하고, 여학생 수는 5 % 감소하여 전체 14명이 증가하였다. 이때 올해 남학생 수를 구하시오.

4-2 A, B 두 사람이 함께 하면 4일 만에 끝낼 수 있는 일을 A가 8일 동안 한 후 남은 일을 B가 2일 동안 하여 끝냈다. 이 일을 B가 혼자서 끝내려면 며칠이 걸리겠는가?

① 6일　　　　　　　② 8일　　　　　　　③ 10일

④ 12일　　　　　　⑤ 14일

풀이

4-1 작년 남학생 수를 x명, 여학생 수를 y명이라 하면

$$\begin{cases} x+y=800 \\ \dfrac{10}{100}x-\dfrac{5}{100}y=14 \end{cases} \Rightarrow \begin{cases} x+y=800 \\ 2x-y=280 \end{cases}$$

$\therefore x=360,\ y=440$

따라서 올해 남학생 수는

$$360+360\times\dfrac{10}{100}=360+36=396\text{(명)}$$

답 396명

4-2 전체 일의 양을 1이라 하고, A와 B가 하루 동안에 할 수 있는 일의 양을 각각 x, y라 하면

$$\begin{cases} 4x+4y=1 \\ 8x+2y=1 \end{cases} \qquad \therefore x=\dfrac{1}{12},\ y=\dfrac{1}{6}$$

따라서 B는 하루에 $\dfrac{1}{6}$만큼의 일을 하므로 혼자서 끝내려면 6일이 걸린다.

답 ①

확인 문제 4-1

어느 학교의 올해 학생 수는 작년에 비하여 남학생 수는 15 % 늘고, 여학생 수는 10 % 줄어서 전체적으로는 20명이 늘어 520명이 되었다. 이때 올해 여학생 수는?

① 192명　　　② 198명　　　③ 204명

④ 210명　　　⑤ 216명

확인 문제 4-2

A, B 두 사람이 같이 하면 6일 만에 끝낼 수 있는 일을 A가 2일 동안 한 후 나머지를 B가 12일 동안 해서 끝냈다. A가 혼자서 일을 하면 며칠 만에 끝낼 수 있는지 구하시오.

1 선희는 1200원인 과자와 1500원인 아이스크림을 합하여 20개를 사고 28500원을 지불하였다. 선희가 구입한 아이스크림의 개수는?

① 5　　　　　② 8　　　　　③ 10

④ 12　　　　　⑤ 15

문제 해결 전략

$$\begin{cases} (\text{A의 개수})+(\text{B의 개수})=(\text{전체 }\boxed{①}) \\ (\text{A의 가격})+(\text{B의 가격})=(\text{전체 }\boxed{②}) \end{cases}$$

❶ 개수 ❷ 가격

2 현준이는 학급 대항 농구 경기에서 2점 슛과 3점 슛을 합하여 13골을 성공시켜 28점을 득점하였다. 이때 현준이가 성공시킨 2점 슛의 개수는?

① 2　　　　　② 4　　　　　③ 6

④ 8　　　　　⑤ 11

문제 해결 전략

현준이가 성공시킨 ❶ 슛의 개수를 x, 3점 슛의 개수를 ❷ 로 놓고 연립방정식을 세운다.

❶ 2점 ❷ y

3 경수와 민서가 계단에서 가위바위보를 하여 이긴 사람은 3계단씩 올라가고 진 사람은 1계단씩 내려가기로 하였다. 얼마 후 경수는 처음 위치보다 14계단 올라가 있었고 민서는 30계단 올라가 있었을 때, 민서가 이긴 횟수는? (단, 비기는 경우는 없었다.)

① 9회　　　　② 10회　　　　③ 11회

④ 12회　　　　⑤ 13회

문제 해결 전략

• 계단을 올라가는 것을 ＋, 내려가는 것을 ❶ 로 생각한다.
　예 이기면 3계단 올라간다. → ＋3
　지면 1계단 내려간다. → －1
• 비기는 경우는 없었다고 할 때, A가 이긴 횟수를 x회, 진 횟수를 y회라 하면 B가 이긴 횟수는 ❷ 회, 진 횟수는 x회이다.

❶ － ❷ y

4 어느 농가에서 작년에 재배한 감자와 고구마의 수확량의 합이 500 kg이었다. 올해는 감자의 수확량이 10 % 증가하고, 고구마의 수확량은 15 % 감소하였으나 총 수확량은 변함이 없었다. 올해 감자와 고구마의 수확량을 각각 구하시오.

문제 해결 전략

생산량의 증가와 감소에서는 **❶**◯ 생산량을 미지수 x, **❷**◯로 놓는다.

- x가 a % 증가할 때 증가량 → $\dfrac{a}{100}x$

  증가한 후의 전체 양 → $x + \dfrac{a}{100}x$

- y가 b % 감소할 때 감소량 → $\dfrac{b}{100}y$

  감소한 후의 전체 양 → $y - \dfrac{b}{100}y$

❶ 작년 **❷** y

5 주현이는 집에서 75 km 떨어진 할머니 댁에 가는데 처음에는 시속 20 km로 가다가 휴게소에서 40분을 쉰 다음부터는 시속 30 km로 갔더니 총 3시간 45분이 걸렸다. 이때 집에서 휴게소까지의 거리는?

① 30 km   ② 35 km   ③ 40 km

④ 45 km   ⑤ 50 km

문제 해결 전략

시속 a km로 간 거리가 x km, 시속 b km로 간 거리가 y km일 때

$\begin{cases} x+y=(\text{전체 거리}) \\ \dfrac{x}{\boxed{❶}} + \dfrac{y}{\boxed{❷}} = (\text{전체 걸린 시간}) \end{cases}$

❶ a **❷** b

6 어느 물탱크에 물을 가득 채우는 데 A 호스로 5시간 동안 넣고 B 호스로 2시간 동안 넣으면 물탱크가 가득 차고, A 호스로 3시간 동안 넣고 B 호스로 6시간 동안 넣으면 물탱크가 가득 찬다고 한다. 이때 A 호스만으로 물탱크에 물을 가득 채우는 데 몇 시간이 걸리는지 구하시오.

문제 해결 전략

물탱크에 물을 가득 채웠을 때의 물의 양을 **❶**◯이라 하고, A, B 두 호스로 1시간 동안 채울 수 있는 물의 양을 각각 x, **❷**◯라 두고 연립방정식을 세운다.

❶ 1 **❷** y

대표 예제 1

다음 중 $ax-5y=3x-2y+6$이 미지수가 2개인 일차방 정식이 되기 위한 상수 a의 값으로 적당하지 <u>않은</u> 것은?

미지수는 2개!

차수는 1이야.

우리가 있어야 방정식이라고~!

① 0   ② 1   ③ 2

④ 3   ⑤ 4

개념 가이드

미지수가 ❶ □ 개이고 그 차수가 모두 1인 방정식을 미지수가 2 개인 일차방정식이라 한다.

→ $ax+by+c=0$ (단, a, b, c는 상수, a❷□$0, b\neq 0$)

❶ 2 ❷ ≠

대표 예제 2

연립방정식 $\begin{cases} y=2x-10 \\ 2x+y=2 \end{cases}$의 해가 (a, b)일 때, $a+b$의 값은?

① -2 ② -1 ③ 1

④ 2   ⑤ 3

개념 가이드

대입법을 이용한 풀이

❶ 한 방정식을 $x=($❶□에 대한 식$)$ 또는 $y=($❷□에 대한 식$)$의 꼴이 되도록 한다.

❷ ❶의 식을 다른 방정식의 x 또는 y에 대입하여 해를 구한다.

❶ y ❷ x

대표 예제 3

연립방정식 $\begin{cases} 2x-y=4 \\ 4x-3y=-2 \end{cases}$를 풀면?

① $x=-7, y=-10$ ② $x=-7, y=10$

③ $x=7, y=-10$ ④ $x=7, y=10$

⑤ $x=5, y=10$

개념 가이드

가감법을 이용한 풀이

적당한 수를 곱하여 미지수 x, y 중 없애려는 미지수의 ❶ □ 의 절댓값을 같게 한다. 이때 계수의 ❷ □ 가 $\begin{cases} 같으면 빼서 \\ 다르면 더해서 \end{cases}$ 해를 구한다.

❶ 계수 ❷ 부호

대표 예제 4

연립방정식 $\begin{cases} ax+2y=1 \\ 4x-by=5 \end{cases}$의 해가 $x=-1, y=3$일 때, $b-a$의 값은? (단, a, b는 상수)

① -10 ② -8 ③ -6

④ -4 ⑤ -2

개념 가이드

연립방정식 $\begin{cases} ax+by=c \\ a'x+b'y=c' \end{cases}$의 해가 $x=m, y=n$이면 두 일차방 정식 $ax+by=c, a'x+b'y=c'$에 각각 ❶ □ 를 ❷ □ 하여 $am+bn=c, a'm+b'n=c'$로 식을 세워 푼다.

❶ 해 ❷ 대입

>> 정답과 풀이 28쪽

대표 예제 **5**

연립방정식 $\begin{cases} x-3y=-10 \\ 3x-y=-6 \end{cases}$ 의 해가 일차방정식

$4x+2y=a$를 만족시킬 때, 상수 a의 값을 구하시오.

개념 가이드

연립방정식 $\begin{cases} A \\ B \end{cases}$ 의 해가 일차방정식 C를 만족시킨다.

→ 세 일차방정식 A, B, C는 같은 **❶** [　　　]를 갖는다.

→ 연립방정식 $\begin{cases} A \\ B \end{cases}$ 의 해는 연립방정식 $\begin{cases} \boxed{❷} \\ C \end{cases}$ 또는 $\begin{cases} B \\ C \end{cases}$ 의 해와

같다.

❶ 해 **❷** A

대표 예제 **7**

연립방정식 $\begin{cases} \dfrac{1}{5}x+\dfrac{1}{10}y=\dfrac{1}{2} \\ 0.3x+0.2y=1 \end{cases}$ 을 푸시오.

나의 계수를 정수로 만들어 줘!

$0.3x + 0.2y = 1$

양변에 나를 곱하면 간단히 해결되지!

개념 가이드

계수가 분수 또는 소수인 연립방정식은 다음과 같이 계수를 정수로 고친 후 푼다.

❶ 계수가 분수 → 양변에 **❶** [　　　]의 최소공배수를 곱한다.

❷ 계수가 소수 → 양변에 10의 **❷** [　　　]을 곱한다.

❶ 분모 **❷** 거듭제곱

대표 예제 **6**

연립방정식 $\begin{cases} 4(x-y)+5y=2 \\ x+2(x-2y)=11 \end{cases}$ 을 풀면?

① $x=-2, y=1$　　② $x=-1, y=-2$

③ $x=-1, y=0$　　④ $x=0, y=1$

⑤ $x=1, y=-2$

개념 가이드

괄호가 있는 연립방정식은 **❶** [　　　]을 이용하여 괄호를 풀고 **❷** [　　　]끼리 정리한 후 푼다.

❶ 분배법칙 **❷** 동류항

대표 예제 **8**

연립방정식 $\begin{cases} x+3y=7 \\ ax+by=-14 \end{cases}$ 의 해가 무수히 많을 때,

$a+b$의 값을 구하시오. (단, a, b는 상수)

개념 가이드

해가 무수히 많은 연립방정식

→ 두 일차방정식이 **❶** [　　　]한다.

→ x의 계수, y의 계수, 상수항 중 하나를 같게 하였을 때, 나머지도 모두 각각 **❷** [　　　].

❶ 일치 **❷** 같다

대표 예제 9

두 자리의 자연수가 있다. 각 자리의 숫자의 합은 12이고, 십의 자리의 숫자와 일의 자리의 숫자를 바꾼 수는 처음 수의 2배보다 15가 크다고 할 때, 처음 수는?

① 31   ② 35   ③ 39

④ 43   ⑤ 47

개념 가이드

십의 자리의 숫자가 x, 일의 자리의 숫자가 y인 두 자리의 자연수

➔ ❶ 　　　　　

십의 자리의 숫자와 일의 자리의 숫자를 바꾼 수

➔ ❷ 　　　　　

❶ $10x+y$ ❷ $10y+x$

대표 예제 11

다음은 유클리드의 '그리스 시화집' 중 한 부분이다. 글을 읽고 노새와 당나귀의 짐은 각각 몇 포대인지 구하시오.

개념 가이드

노새의 짐을 x포대, 당나귀의 짐을 y포대라 할 때, 당나귀가 노새에게 한 포대의 짐을 주면 노새의 짐은 (❶ 　　　　)포대, 당나귀의 짐은 (❷ 　　　　)포대이다.

❶ $x+1$ ❷ $y-1$

대표 예제 10

현재 아버지와 딸의 나이의 합은 65살이다. 10년 후에 아버지의 나이는 딸의 나이의 2배보다 10살이 많다고 할 때, 10년 후 딸의 나이를 구하시오.

개념 가이드

현재 x살인 사람의 $\begin{cases} a년 \; ❶ \boxed{} \;의 나이 ➔ (x-a)살 \\ b년 \; ❷ \boxed{} \;의 나이 ➔ (x+b)살 \end{cases}$

❶ 전 ❷ 후

대표 예제 12

세로의 길이가 가로의 길이보다 5 cm만큼 긴 직사각형이 있다. 둘레의 길이가 46 cm일 때, 이 직사각형의 넓이를 구하시오.

개념 가이드

(직사각형의 둘레의 길이)

= ❶ 　　 × {(가로의 길이)+(❷ 　　　　의 길이)}

❶ 2 ❷ 세로

대표 예제 13

어느 인터넷 쇼핑몰의 지난 달 회원 수는 4500명이었다. 이번 달에는 지난 달에 비하여 남자 회원은 20 % 감소하였고, 여자 회원은 16 % 증가하였지만 전체 회원 수는 지난 달과 동일하다고 한다. 이때 이번 달 남자 회원 수를 구하시오.

개념 가이드

	증가량	전체 양
x가 a % 증가	$\dfrac{a}{100}x$	x❶$\dfrac{a}{100}x=\left(1+\dfrac{a}{100}\right)x$
	감소량	전체 양
y가 b % 감소	$\dfrac{b}{100}y$	y❷$\dfrac{b}{100}y=\left(1-\dfrac{b}{100}\right)y$

❶ + ❷ −

대표 예제 14

영훈이는 집에서 5 km 떨어진 학교에 가는데 시속 4 km로 걷다가 도중에 시속 16 km의 속력으로 뛰었다. 영훈이가 30분 만에 학교에 도착했을 때, 영훈이가 뛰어간 거리를 구하시오.

개념 가이드

A 지점에서 B 지점까지 갈 때, 걷다가 도중에 뛰어가는 경우

$\begin{cases} (걸어간\ 거리)+(\ ❶\ \boxed{}\ 거리)=(전체\ 거리) \\ (걸어갈\ 때\ 걸린\ 시간)+(뛰어갈\ 때\ 걸린\ 시간) \\ \quad =(전체\ 걸린\ ❷\ \boxed{}) \end{cases}$

❶ 뛰어간 ❷ 시간

대표 예제 15

형이 집에서 학교를 향해 분속 50 m로 걸어간 지 24분 후에 동생이 집에서 자전거를 타고 분속 200 m로 형을 뒤따라 갔다. 형과 동생이 만나는 것은 형이 출발한 지 몇 분 후인가?

① 30분 ② 31분 ③ 32분
④ 33분 ⑤ 34분

개념 가이드

A, B가 같은 ❶ $\boxed{}$ 으로 출발하여 만나는 경우
➡ 만날 때까지 이동한 거리가 같다.
즉 형과 동생이 만난다는 것은 형이 걸어간 거리와 동생이 자전거를 타고 간 거리가 ❷ $\boxed{}$ 는 뜻이다.

❶ 방향 ❷ 같다

대표 예제 16

시호와 나희가 함께하면 12일 만에 끝낼 수 있는 일을 시호가 10일 동안 한 후에 남은 일을 나희가 14일 동안 해서 끝냈다. 시호가 혼자서 일을 하면 며칠 만에 끝낼 수 있는지 구하시오.

개념 가이드

전체 일의 양을 ❶ $\boxed{}$ 이라 하고, 한 사람이 하루에 할 수 있는 일의 양을 각각 x, y로 놓고 연립방정식을 세운다. 이때 하루에 할 수 있는 일의 양이 $\dfrac{1}{a}$ 이면 그 일을 끝내는 데에는 ❷ $\boxed{}$ 일이 걸린다.

❶ 1 ❷ a

1 다음 중 주어진 문장을 미지수가 2개인 일차방정식으로 나타내었을 때, 옳지 않은 것은?

① 한 개에 400원인 사탕 x개의 가격은 한 개에 600원인 젤리 y개의 가격보다 100원 더 비싸다.

→ $400x=600y-100$

② 학생 9명이 자전거를 타는데 한 명이 탄 자전거는 x대, 두 명이 탄 자전거는 y대이다. → $x+2y=9$

③ 영웅이는 농구 경기에서 2점 슛 a골, 3점 슛 b골을 성공하여 총 16점을 득점했다. → $2a+3b=16$

④ x의 4배에서 1을 더한 수는 y에 1을 더한 수의 2배와 같다. → $4x+1=2(y+1)$

⑤ 새 x마리와 강아지 y마리의 다리 수는 모두 14개이다. → $2x+4y=14$

> **Tip**
> 미지수가 2개인 일차방정식은 주로
> $\boxed{❶}=c$ (단, a, b, c는 상수, $a\boxed{❷}0$, $b\neq0$)
> 의 꼴로 나타낸다.
>
> ❶ $ax+by$ ❷ $\neq$

2 다음 방정식 중 그 해가 $(-2, 1)$인 것은?

① $\begin{cases} -3x+4y=2 \\ -3x+8y=-2 \end{cases}$ ② $\begin{cases} x+y=-1 \\ 2x+3y=1 \end{cases}$

③ $\begin{cases} 2x+3y=-1 \\ 3x+2y=-4 \end{cases}$ ④ $\begin{cases} x=-5y+3 \\ 2x+y=-7 \end{cases}$

⑤ $2x-5y=-6x+3y=-9$

> **Tip**
> 주어진 해를 각 연립방정식의 $\boxed{❶}$ 일차방정식에 대입하여 등식이 모두 $\boxed{❷}$하는 것을 찾는다.
>
> ❶ 두 ❷ 성립

3 연립방정식 $\begin{cases} x-4y=-18 \\ ax-3y=-1 \end{cases}$ 을 만족시키는 x의 값이 y의 값보다 3만큼 작을 때, 상수 a의 값을 구하시오.

> **Tip**
> x의 값이 y의 값보다 3만큼 $\boxed{❶}$. → $x=y\boxed{❷}3$
>
> ❶ 작다 ❷ $-$

4 다음 두 연립방정식의 해가 서로 같을 때, 상수 a, b의 값을 각각 구하시오.

먼저 a, b가 없는 두 일차방정식을 이용해서 해를 구해 봐.

$\begin{cases} ax+6y=31 \\ 2x+y=3 \end{cases}$, $\begin{cases} 3x+y=2 \\ -6x+by=1 \end{cases}$

> **Tip**
> 두 연립방정식 $\begin{cases} ax+6y=31 \\ 2x+y=3 \end{cases}$, $\begin{cases} 3x+y=2 \\ -6x+by=1 \end{cases}$ 의 해가 서로 같으므로 그 해는 연립방정식 $\begin{cases} 2x+y=3 \\ \boxed{❶} \end{cases}$ 의 해와도 $\boxed{❷}$.
>
> ❶ $3x+y=2$ ❷ 같다

5 연립방정식 $\begin{cases} ax+by=1 \\ bx+ay=-5 \end{cases}$ 를 푸는데 잘못하여, a, b를 바꾸어 놓고 풀었더니 해가 $x=3$, $y=1$이 되었다. 이때 처음 연립방정식의 해를 구하시오. (단, a, b는 상수)

Tip

$x=3$, $y=1$은 주어진 연립방정식의 해가 ❶□□□ 라 a, b를 ❷□□□□ 놓은 연립방정식, 즉 $\begin{cases} bx+ay=1 \\ ax+by=-5 \end{cases}$의 해이다.

❶ 아니 ❷ 바꾸어

6 민수는 한 개에 700원인 볼펜과 500원인 색연필을 각각 몇 자루씩 고르고 8700원을 내면 될 것이라고 생각했다. 그런데 영수증에는 9300원으로 적혀 있었다. 영수증을 살펴본 민수는 구입한 볼펜과 색연필의 개수를 바꾸어 잘못 계산했다는 것을 알게 되었다. 민수가 실제로 구입한 볼펜은 몇 자루인지 구하시오.

Tip

민수가 실제로 구매한 볼펜의 수를 x자루, 색연필의 수를 y자루라 하면 영수증에 적혀 있는 볼펜의 수는 ❶□□ 자루, 색연필의 수는 ❷□□ 자루이다.

❶ y ❷ x

7 학생 수가 36명인 학급에서 남학생의 $25\,\%$, 여학생의 $70\,\%$가 소설책을 읽었다. 소설책을 읽은 학생 수는 학급 전체 학생 수의 $50\,\%$일 때, 이 학급의 남학생 수는?

① 16명   ② 17명   ③ 18명

④ 19명   ⑤ 20명

Tip

전체 수의 $a\,\%$는 (전체 수)$\times \dfrac{❶□□}{❷□□}$이다.

❶ a ❷ 100

8 다음 대화를 읽고 흐르지 않는 강물에서의 배의 속력을 구하시오. (단, 배와 강물의 속력은 일정하다.)

Tip

(강을 거슬러 올라갈 때의 속력)

=(정지한 물에서의 배의 속력) ❶□ (강물의 속력)

(강을 따라 내려올 때의 속력)

=(정지한 물에서의 배의 속력) ❷□ (강물의 속력)

❶ $-$ ❷ $+$

01 다음 중 미지수가 2개인 일차방정식인 것은?

① $x^2-y=6$

② $4x+3=6$

③ $2x-6-y=0$

④ $y=\dfrac{1}{x}-3$

⑤ $xy+y-x=0$

02 다음은 조선 시대 수학자 홍정하의 '구일집'에 실려 있는 문제 중 일부이다. 선비의 질문에 바르게 답하시오.

갑, 을 두 사람이 있네. 갑이 을에게 말하기를, 네가 너의 나이 8살을 나에게 주면 나의 나이는 너의 나이의 2배가 된다고 했네. 이를 미지수가 2개인 일차방정식으로 나타내어 보게.

03 일차방정식 $x+5y=20$을 만족시키는 자연수 x, y의 순서쌍 (x, y)는 몇 개인지 구하시오.

04 다음 중 연립방정식 $\begin{cases} x+3y=5 & \cdots\cdots ⓐ \\ 2x-y=1 & \cdots\cdots ⓑ \end{cases}$의 풀이 방법에 대하여 바르게 설명한 학생을 모두 말하시오.

ⓐ의 양변에 2를 곱한 식에서 ⓑ을 변끼리 빼면 x를 없애서 풀 수 있어.

현수

ⓑ을 $y=2x+1$로 바꾼 후 ⓐ에 대입해서 풀 수도 있어.

다혜

ⓐ을 $x=-3y+5$로 바꾼 후 ⓑ에 대입하여 정리하면 y의 값을 구할 수 있지.

세민

ⓑ의 양변에 3을 곱한 식과 ⓐ을 변끼리 더하면 x를 없앨 수 있어.

찬영

05 연립방정식 $\begin{cases} 3x-2y=4 \\ ax-y=5 \end{cases}$를 만족시키는 x의 값이 2일 때, 상수 a의 값은?

① -2

② -1

③ 1

④ 2

⑤ 3

06 연립방정식 $\begin{cases} ax-by=1 \\ 2ax+by=5 \end{cases}$ 의 해가 $(2,3)$일 때, $a+3b$의 값은? (단, a, b는 상수)

① $\dfrac{4}{3}$ ② 2 ③ 3

④ $\dfrac{10}{3}$ ⑤ 5

07 연립방정식 $\begin{cases} 0.4x-0.3y=-1.2 \\ \dfrac{1}{6}x-\dfrac{1}{2}y=1 \end{cases}$ 을 푸시오.

08 문구점에서 한 자루에 200원인 검은색 펜과 한 자루에 300원인 빨간색 펜을 합하여 모두 9자루의 펜을 샀더니 총 2100원이었다. 이때 구매한 검은색 펜은 몇 자루인지 구하시오.

09 지호는 10 km 단축 마라톤 대회에 참가했다. 처음에는 분속 200 m로 일정하게 달렸지만 도중에 체력이 떨어져 분속 150 m로 일정하게 달려서 1시간 만에 완주하였다. 처음 분속 200 m로 달린 거리를 x m, 나중에 분속 150 m으로 달린 거리를 y m라 할 때, 알맞은 연립방정식은?

① $\begin{cases} x+y=10 \\ \dfrac{x}{200}+\dfrac{y}{150}=60 \end{cases}$ ② $\begin{cases} x+y=10 \\ \dfrac{x}{12}+\dfrac{y}{9}=60 \end{cases}$

③ $\begin{cases} x+y=10000 \\ 200x+150y=60 \end{cases}$ ④ $\begin{cases} x+y=10000 \\ \dfrac{x}{200}+\dfrac{y}{150}=60 \end{cases}$

⑤ $\begin{cases} x+y=10 \\ 12x+9y=1 \end{cases}$

10 km＝10000 m를 이용해서 단위를 모두 m로 맞춰 봐.

10 현우와 은지가 벽에 페인트를 칠하고 있다. 현우가 2일 동안 칠한 다음 은지가 8일 동안 칠해서 완성할 수 있는 작업을 현우와 은지가 함께 칠해서 4일 만에 완성하였다. 현우가 혼자 페인트를 칠한다면 완성하는데 며칠이 걸리는가?

① 5일 ② 6일 ③ 8일

④ 10일 ⑤ 12일

1 서민이가 다음 규칙에 따라 미로를 이동하여 탈출하는 데 성공했을 때, (개)~(대) 중 어느 출구로 나가게 되는지 구하시오.

┌ 규칙 ┐
- 일차방정식 $2x-3y=1$의 해가 적혀 있는 방으로 들어가면 옆이나 아래로 갈 수 있다.
- 일차방정식 $2x-3y=1$의 해가 아닌 해가 적혀 있는 방으로 들어가면 문이 닫혀 갇히게 된다.

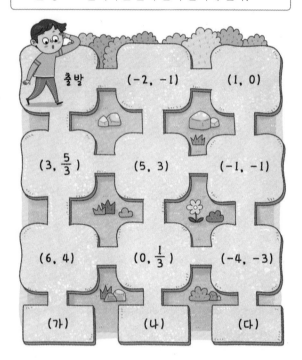

출발　(-2, -1)　(1, 0)

$(3, \frac{5}{3})$　(5, 3)　(-1, -1)

(6, 4)　$(0, \frac{1}{3})$　(-4, -3)

(가)　(나)　(다)

┌ Tip ┐
순서쌍 (m, n)이 일차방정식 $ax+by+c=0$의 **❶** 일 때, $x=m, y=n$을 $ax+by+c=0$에 **❷** 하면 등식이 성립한다. 즉 $am+bn+c=0$이 성립한다.

❶ 해 ❷ 대입

2 다음은 스프레드시트를 이용하여 연립방정식 $\begin{cases} y=ax+5 \\ 5x+by=-9 \end{cases}$ 의 해를 구하는 과정이다. 상수 a, b의 값을 각각 구하시오.

1 셀 A2에서부터 셀 A8에 x의 값 1, 2, 3, 4, 5, 6, 7을 각각 입력한다.

2 [그림 1]과 같이 셀 B2에 '$=a*A2+5$'를 입력한다. ($*$는 곱셈을 의미한다.)

3 [그림 2]와 같이 셀 B2를 셀 B8까지 드래그하여 채운다.

4 [그림 3]과 같이 셀 C2에 '$=5*A2+b*B2$'를 입력한다. ($*$는 곱셈을 의미한다.)

5 [그림 4]와 같이 셀 C2를 셀 C8까지 드래그하여 채운다.

[그림 1]　[그림 2]

[그림 3]　[그림 4]

┌ Tip ┐
예를 들어 B2$=a*A2+5$에서 A2에 있는 **❶** 의 값 1, B2에 있는 **❷** 의 값 2를 A2, B2에 각각 대입하면 $2=a\times1+5$이므로 상수 a의 값을 구할 수 있다.

❶ x ❷ y

3 다음 그림에서 A, B는 두 수 x, y에서 시작하여 화살표를 따라 계산하여 7과 6을 얻는 과정을 각각 나타낸 것이다. A에 해당하는 일차방정식이 $x+y=7$일 때, 물음에 답하시오.

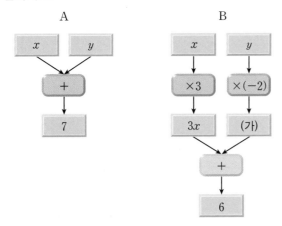

(1) (가)에 알맞은 식을 구하시오.

(2) B에 해당하는 일차방정식을 구하시오.

(3) A, B를 모두 만족시키는 x, y의 값을 각각 구하시오.

> **Tip**
> A에서 $x+y=$ ❶ ⬜ 이고, B에서 $3x+$(가)$=$ ❷ ⬜ 이 된다.
>
> ❶ 7 ❷ 6

4 고대 중국의 수학책 "구장산술"의 제8장인 '방정(方程)'에서는 다음과 같이 연립방정식의 해법을 다루고 있다.

위와 같이 사각형 모양으로 늘어놓은 것을 오늘날의 연립방정식으로 표현하면 $\begin{cases} 2x+3y=4 \\ -x+2y=5 \end{cases}$ 와 같다고 할 때, 물음에 답하시오.

(1) 구장산술에 오른쪽 그림과 같이 적혀 있다고 할 때, 이를 오늘날의 연립방정식으로 나타내시오.

(2) (1)의 연립방정식의 해가 $x=a$, $y=b$일 때, $a-b$의 값을 구하시오.

(3) 구장산술에 다음 그림과 같이 적혀 있다고 할 때, 그 해가 무수히 많은 경우를 구하시오.

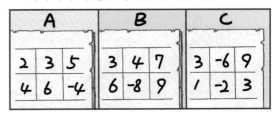

> **Tip**
>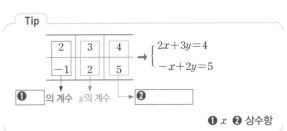
>
> ❶ x ❷ 상수항

5 다음은 서영이가 어머니의 심부름으로 마트에서 장을 보고 받은 영수증인데 일부가 찢어져서 보이지 않는다. 물음에 답하시오.

○○마트 영수증

상품	단가	수량	금액
오이	550		
요구르트	1200		
치즈	3500	2	
합계		8	
받은 금액			15,000
거스름 돈			2100

(1) 다음 괄호 안의 수 중 옳은 것에 ○표를 하시오.
   • 오이와 요구르트를 합쳐 모두 (2, 6, 8)개 샀다.
   • 치즈를 산 총금액은 (2000, 2500, 7000)원이다.
   • 장 본 물건들의 총금액은 (2100, 12900, 7000)원이다.
   • 오이와 요구르트를 사는 데 모두 (5900, 17000, 12900)원이 들었다.

(2) 오이와 요구르트를 각각 몇 개씩 샀는지 구하시오.

> **Tip**
> 오이를 **❶**〔 〕개, 요구르트를 **❷**〔 〕개 샀다고 하고 오이와 요구르트의 개수의 합과 오이와 요구르트의 전체 가격을 이용하여 연립방정식을 세운다.
>
> ❶ x ❷ y

6 양궁 대회에서 어떤 선수가 다음 그림과 같은 과녁에 화살을 15발 쏘아 모두 맞혔다. A 부분에 6발, B 부분에 x발, C 부분에 y발, D 부분에 1발을 맞혀 총 135점을 얻었다고 할 때, x, y의 값을 각각 구하시오.

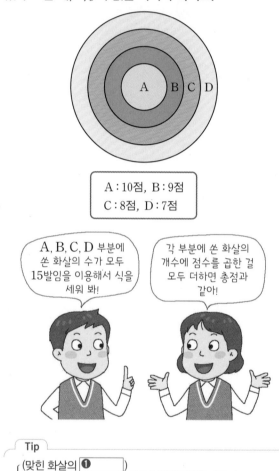

A : 10점, B : 9점
C : 8점, D : 7점

A, B, C, D 부분에 쏜 화살의 수가 모두 15발임을 이용해서 식을 세워 봐!

각 부분에 쏜 화살의 개수에 점수를 곱한 걸 모두 더하면 총점과 같아!

> **Tip**
> 〔맞힌 화살의 **❶**〔 〕〕
> 〔맞힌 화살의 **❷**〔 〕〕으로 연립방정식을 세운다.
>
> ❶ 개수 ❷ 총점

7 다음 대화를 읽고 민지의 사물함 비밀번호를 구하시오.

> Tip
>
> 백의 자리의 숫자를 **❶** , 일의 자리의 숫자를 **❷** 라 하고 연립방정식을 세운다.
>
> **❶** x **❷** y

8 다음 대화를 읽고 물음에 답하시오. (단, 유리와 유리 엄마는 모든 음식을 각각 1인분씩 먹는다.)

[음식에 따른 열량표]

음식(1인분)	밥	콩나물국	낙지볶음	시금치나물
열량(kcal)	280	15	106	79

[활동에 따라 소모되는 열량표]

활동	걷기 운동	줄넘기	댄스	배드민턴
1분 동안 소모 되는 열량(kcal)	2.0	8.0	3.6	6.0

(1) 유리가 저녁으로 먹은 음식의 총열량을 구하시오.

(2) 유리가 저녁으로 먹은 음식의 열량을 모두 소모하려면 걷기 운동과 줄넘기를 각각 몇 분씩 해야 하는지 구하시오.

(3) 유리와 같은 음식을 먹은 유리 엄마가 100분 동안 댄스와 배드민턴으로 저녁에 먹은 음식의 열량을 모두 소모하려고 한다. 댄스와 배드민턴을 각각 몇 분씩 해야 하는지 구하시오.

> Tip
>
> (2) 걷기 운동을 **❶** 분, 줄넘기를 y분 한다고 하고 연립방정식을 세운다.
>
> (3) 댄스를 x분, 배드민턴을 **❷** 분 한다고 하고 연립방정식을 세운다.
>
> **❶** x **❷** y

일차함수

x의 값이 변함에 따라 y의 값이 하나씩 정해지는 대응 관계가 있을 때 y를 x의 함수라고 해.

즉 x의 값 하나에 대응하는 y의 값이 없거나 여러 개이면 함수가 아니야.

이때 x와 y 사이의 관계식이 $y=ax+b$의 꼴이면 일차함수라고 해.

$y=4x+3$

어, 일차식이 여기서도 나오네요.

a, b가 상수이고 $a \neq 0$ 일 때

$ax+b$ 일차식

$ax+b=0$ 일차 방정식

$ax+b>0$ 일차 부등식

$y=ax+b$ 일차함수

우리는 모두 일차식으로 만들지.

개념 1 일차함수 $y=ax+b$의 그래프

(1) 함수 $y=f(x)$에서 y가 x의 일차식, 즉 $y=ax+b$(단, a, b는 상수, $a\neq0$)로 나타날 때, 이 함수를 x에 대한 ❶ [   ]라 한다.

(2) 일차함수 $y=ax+b$의 그래프는 일차함수 $y=ax$의 그래프를 ❷ [   ]축의 방향으로 b만큼 평행이동한 직선이다.

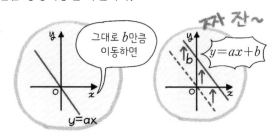

그대로 b만큼 이동하면

짜 잔~

$y=ax+b$

$y=ax$

❶ 일차함수 ❷ y

개념 돌파 Quiz

일차함수 $y=3x$의 그래프를 ❶ [   ]축의 방향으로 -5만큼 평행이동하면 일차함수 $y=$ ❷ [   ]의 그래프가 된다.

❶ y ❷ $3x-5$

개념 2 일차함수의 그래프의 x절편, y절편, 기울기

(1) x절편 : 일차함수의 그래프가 ❶ [   ]축과 만나는 점의 x좌표 ➡ $y=0$일 때의 x의 값

(2) y절편 : 일차함수의 그래프가 y축과 만나는 점의 y좌표 ➡ $x=0$일 때의 y의 값

(3) 기울기 : 일차함수 $y=ax+b$의 그래프에서 x의 값의 증가량에 대한 y의 값의 증가량의 비율

$$(기울기)=\frac{(y의\ 값의\ 증가량)}{(x의\ 값의\ 증가량)}=❷\boxed{}$$
➡ 항상 일정

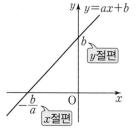

$y=ax+b$

b → y절편

$-\dfrac{b}{a}$ → x절편

❶ x ❷ a

개념 돌파 Quiz

일차함수 $y=2x-4$의 그래프에 대하여 기울기는 ❶ [   ], x절편은 $y=0$일 때의 x의 값이므로 $0=2x-4$ ∴ $x=$ ❷ [   ] 또 y절편은 $x=0$일 때의 y의 값이므로 $y=-4$

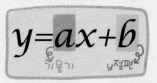

$y=ax+b$

기울기 y절편

❶ 2 ❷ 2

개념 3 일차함수 $y=ax+b$의 그래프의 성질

일차함수 $y=ax+b$의 그래프에서

(1) $a>0$일 때, x의 값이 증가하면 y의 값도 ❶ [   ]한다. ➡ 오른쪽 위로 향하는 직선이다.

(2) $a<0$일 때, x의 값이 증가하면 y의 값은 ❷ [   ]한다. ➡ 오른쪽 아래로 향하는 직선이다.

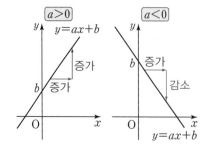

$a>0$ $a<0$

$y=ax+b$

증가   증가

증가   감소

$y=ax+b$

❶ 증가 ❷ 감소

개념 돌파 Quiz

일차함수 $y=4x+1$의 그래프는 기울기가 4로 양수이므로 x의 값이 증가할 때 y의 값은 ❶ [   ]하고, 오른쪽 ❷ [   ]로 향하는 직선이다.

❶ 증가 ❷ 위

1-1 다음 중 y가 x의 일차함수인 것은?

① $y=3(x-1)$ ② $y=3$ ③ $y=x-(x+1)$

④ $y=\dfrac{1}{x}$ ⑤ $y+x^2=1$

풀이 | ① $y=3(x-1)$에서 $y=3x-3$이므로 ❶[   ]이다.

② $y=3$은 일차함수가 아니다.

③ $y=x-(x+1)$에서 $y=1$이므로 일차함수가 아니다.

④ $y=\dfrac{1}{x}$은 분모에 x가 있으므로 일차함수가 아니다.

⑤ $y+x^2=1$에서 $y=$ ❷[   ], 즉 y가 x의 일차식이 아니므로 일차함수가 아니다.

따라서 일차함수인 것은 ①이다.

❶ 일차함수 ❷ $-x^2+1$ / 冒 ①

1-2 다음 보기 중 y가 x의 일차함수인 것을 모두 고르시오.

┌ 보기 ┐
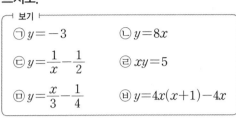
ⓐ $y=-3$ ⓑ $y=8x$

ⓒ $y=\dfrac{1}{x}-\dfrac{1}{2}$ ⓓ $xy=5$

ⓔ $y=\dfrac{x}{3}-\dfrac{1}{4}$ ⓕ $y=4x(x+1)-4x$

2-1 오른쪽 그림과 같은 일차함수의 그래프에서 x절편, y절편, 기울기를 각각 구하시오.

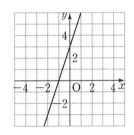

풀이 | x절편은 x축과 만나는 점의 x좌표이므로 ❶[   ]이고, y절편은 y축과 만나는 점의 y좌표이므로 3이다.

또 (기울기)$=\dfrac{3-0}{0-(-1)}=$ ❷[   ]이다.

❶ -1 ❷ 3 / 冒 x절편 : -1, y절편 : 3, 기울기 : 3

2-2 다음 일차함수의 그래프의 x절편, y절편, 기울기를 각각 구하시오.

(1) $y=x-2$

(2) $y=-3x-12$

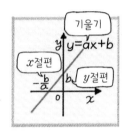

3-1 다음 중 일차함수 $y=2x-3$의 그래프에 대한 설명으로 옳은 것에는 ○표, 옳지 않은 것에는 ×표를 하시오.

(1) x축과 만나는 점의 x좌표는 $\dfrac{3}{2}$이다. (   )
  └▸ x절편

(2) 오른쪽 아래로 향하는 직선이다. (   )

(3) x의 값이 증가하면 y의 값은 감소한다. (   )

(4) 제2사분면을 지난다. (   )

풀이 | 일차함수 $y=2x-3$의 그래프를 그리면 오른쪽 그림과 같으므로

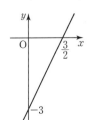

(2) 오른쪽 ❶[   ]로 향하는 직선이다.

(3) 기울기가 2로 양수이므로 x의 값이 증가하면 y의 값도 ❷[   ]한다.

(4) 제1, 3, 4사분면을 지난다.

❶ 위 ❷ 증가 / 冒 (1) ○ (2) × (3) × (4) ×

3-2 일차함수 $y=-2x+2$의 그래프에 대한 다음 보기의 설명 중 옳은 것을 모두 고르시오.

┌ 보기 ┐
ⓐ x축 위의 점 $(1, 0)$을 지난다.

ⓑ x의 값이 증가하면 y의 값은 감소한다.

ⓒ 제2사분면을 지나지 않는다.

개념 **4** 일차함수의 그래프의 평행과 일치

두 일차함수 $y=ax+b$, $y=a'x+b'$에 대하여

(1) 두 그래프가 **❶** [　　] 하다. ➡ $a=a'$, $b\neq b'$

(2) 두 그래프가 일치한다. ➡ $a=a'$, b **❷** [　] b'
             └→ 기울기는 같고 y절편은 다르다.
             └→ 기울기와 y절편이 각각 같다.

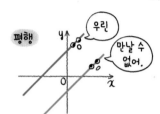
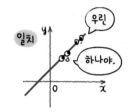

❶ 평행 ❷ =

개념 **5** 일차함수의 식 구하기

(1) 기울기 a와 y절편 b가 주어질 때

  ➡ $y=$ **❶** [　　]

(2) 기울기 a와 한 점 (x_1, y_1)이 주어질 때

  ➡ $y=ax+b$로 놓고 $x=x_1$, $y=y_1$을 대입하여 b의 값을 구한다.

(3) 서로 다른 두 점 (x_1, y_1), (x_2, y_2)가 주어질 때

  ➡ (기울기) $=\dfrac{❷\ \ \ }{x_2-x_1}=\dfrac{y_1-y_2}{x_1-x_2}=a$ 이므로 일차함수의 식을 $y=ax+b$

  로 놓고 두 점 중 한 점의 좌표를 대입하여 b의 값을 구한다.

(4) x절편 m과 y절편 n이 주어질 때
             └→ 두 점 $(m, 0)$, $(0, n)$을 지난다.

  ➡ (기울기) $=\dfrac{n-0}{0-m}=-\dfrac{n}{m}$ 이므로 $y=-\dfrac{n}{m}x+n$

❶ $ax+b$ ❷ y_2-y_1

개념 **6** 일차함수의 활용

1 문제의 뜻을 파악하여 변수 **❶** [　　] 를 정한다.

2 x, y 사이의 관계를 일차함수 $y=ax+b$로 나타낸다.

3 함숫값이나 그래프를 이용하여 답을 구한다.

4 구한 값이 문제의 뜻에 맞는지 **❷** [　　] 한다.

❶ x, y ❷ 확인

4-1 다음 일차함수 중 그 그래프가 일차함수 $y=-\frac{1}{3}x+4$의 그래프와 평행한 것은?

① $y=-3x+4$ ② $y=3x+4$

③ $y=-\frac{1}{3}x-1$ ④ $y=\frac{1}{3}x+4$

⑤ $y=-x+\frac{1}{3}$

풀이 | $y=-\frac{1}{3}x+4$의 그래프와 평행하려면 기울기는 **❶** ⬚ 이고,

❷ ⬚ 은 4가 아니어야 한다.

❶ $-\frac{1}{3}$ **❷** y절편 / 답 ③

4-2 다음 보기의 일차함수의 그래프에 대하여 물음에 답하시오.

┌ 보기
| ㉠ $y=-\frac{1}{2}x+1$ ㉡ $y=2(x+1)+3$
| ㉢ $y=2x+5$ ㉣ $y=-\frac{1}{2}x+3$

(1) 서로 평행한 것끼리 짝 지으시오.

(2) 일치하는 것끼리 짝 지으시오.

기울기가 같다고 무조건 평행한 건 아니야. y절편이 서로 다른지를 꼭 확인해야 해.

5-1 다음 직선을 그래프로 하는 일차함수의 식을 구하시오.

(1) 기울기가 2이고 점 $(1, 1)$을 지나는 직선

(2) 두 점 $(-1, 5)$, $(2, 3)$을 지나는 직선

풀이 | (1) 구하는 일차함수의 식을 $y=2x+b$라 하면 그래프가 점 $(1, 1)$을 지나므로

$1=2\times1+b$ $\therefore b=$ **❶** ⬚

따라서 구하는 일차함수의 식은 $y=2x-1$

(2) (기울기)$=\dfrac{3-5}{2-(-1)}=-\dfrac{2}{3}$이므로 구하는 일차함수의

식을 $y=$ **❷** ⬚ $x+b$라 하면 그래프가 점 $(-1, 5)$를 지나므로

$5=-\dfrac{2}{3}\times(-1)+b$ $\therefore b=\dfrac{13}{3}$

따라서 구하는 일차함수의 식은 $y=-\dfrac{2}{3}x+\dfrac{13}{3}$

❶ -1 **❷** $-\dfrac{2}{3}$ / 답 (1) $y=2x-1$ (2) $y=-\dfrac{2}{3}x+\dfrac{13}{3}$

5-2 다음 직선을 그래프로 하는 일차함수의 식을 구하시오.

(1) 일차함수 $y=-\frac{1}{3}x+6$의 그래프와 평행하고 점 $(-6, 9)$를 지나는 직선

(2) 두 점 $(-4, 0)$, $(2, 3)$을 지나는 직선

6-1 공기 중에서 소리의 빠르기는 기온이 0 °C일 때, 초속 331 m이고, 기온이 1 °C 올라갈 때마다 초속 0.6 m씩 증가한다고 한다. 기온이 x °C일 때의 소리의 속력을 초속 y m라 할 때, 기온이 28 °C일 때의 소리의 속력을 구하시오.

풀이 | 기온이 1 °C 올라갈 때마다 소리의 속력이 초속 0.6 m씩 증가하므로

$y=$ **❶** ⬚ $x+331$

이 식에 $x=28$을 대입하면 $y=0.6\times28+331=347.8$

따라서 기온이 28 °C일 때 소리의 속력은 초속 **❷** ⬚ m이다.

❶ 0.6   **❷** 347.8 / 답 초속 347.8 m

6-2 자동차가 A 지점을 출발하여 420 km 떨어진 B 지점까지 시속 60 km로 달렸다. 출발한 지 x 시간 후 남은 거리를 y km라 할 때, 다음 물음에 답하시오.

(1) y를 x의 식으로 나타내시오.

(2) 자동차가 출발한 지 2시간 후 B 지점까지 남은 거리는 몇 km인지 구하시오.

개념 7 일차방정식과 일차함수 사이의 관계

미지수가 2개인 일차방정식 $ax+by+c=0$(단, a, b, c는 상수, $a \neq 0$, $b \neq 0$)의 그래프는 일차함수 $y=-\dfrac{a}{b}x-\dfrac{c}{b}$의 그래프와 같다.

일차방정식
$ax+by+c=0$
$(a \neq 0, b \neq 0)$

← 함수의 식 / 방정식 →

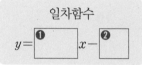

일차함수
$y=\boxed{❶}x-\boxed{❷}$

❶ $-\dfrac{a}{b}$ ❷ $\dfrac{c}{b}$

개념 돌파 Quiz

일차방정식 $-3x+y+1=0$의 그래프는 일차함수 $y=\boxed{❶}x-\boxed{❷}$의 그래프와 같다.

❶ 3 ❷ 1

개념 8 방정식 $x=p$, $y=q$의 그래프

(1) $x=p$의 그래프 : 점 $(p, 0)$을 지나고 ❶ □ 축에 평행한 직선

(2) $y=q$의 그래프 : 점 $(0, q)$를 지나고 ❷ □ 축에 평행한 직선

참고 $x=0$의 그래프는 y축, $y=0$의 그래프는 x축이다.

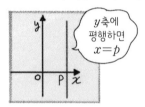

y축에 평행하면 $x=p$

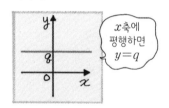

x축에 평행하면 $y=q$

❶ y ❷ x

개념 돌파 Quiz

위의 좌표평면에서 방정식 $x=3$의 그래프는 점 $(3, 0)$을 지나고 ❶ □ 축에 평행한 직선이고, 방정식 $y=2$의 그래프는 점 $(0, 2)$를 지나고 ❷ □ 축에 평행한 직선이다.

❶ y ❷ x

개념 9 연립방정식의 해와 일차함수의 그래프

(1) 연립방정식 $\begin{cases} ax+by+c=0 \\ a'x+b'y+c'=0 \end{cases}$ 의 해는

두 일차함수 $y=-\dfrac{a}{b}x-\dfrac{c}{b}$,

$y=-\dfrac{a'}{b'}x-\dfrac{c'}{b'}$의 그래프의 ❶ □ 의 좌표와 같다.

(2) 연립방정식에서 각 방정식의 그래프인 두 직선이

① 한 점에서 만나면 연립방정식의 해는 그 교점의 좌표 하나뿐이다.

② 평행하면 연립방정식의 해는 없다.

③ 일치하면 연립방정식의 해는 무수히 ❷ □.

❶ 교점 ❷ 많다

개념 돌파 Quiz

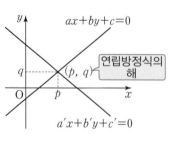

위의 그림은 연립방정식 $\begin{cases} x+y=4 \\ x-2y=-2 \end{cases}$ 를 풀기 위해 두 일차방정식의 그래프를 그린 것이다. 두 일차방정식의 그래프의 교점의 좌표가 $(2, 2)$이므로 이 연립방정식의 해는 $x=\boxed{❶}$, $y=\boxed{❷}$이다.

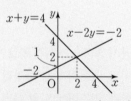

❶ 2 ❷ 2

7-1 다음 일차방정식을 일차함수 $y=ax+b$의 꼴로 나타내시오.

(1) $3x-y+4=0$

(2) $-4x+2y+3=0$

(3) $-x+3y+6=0$

풀이 | (1) $3x-y+4=0$에서 $\boxed{❶}=-3x-4$

$\therefore y=3x+4$

(2) $-4x+2y+3=0$에서 $2y=4x-3$ $\therefore y=2x-\dfrac{3}{2}$

(3) $-x+3y+6=0$에서 $3y=\boxed{❷}$ $\therefore y=\dfrac{1}{3}x-2$

❶ $-y$ ❷ $x-6$ / 답 (1) $y=3x+4$ (2) $y=2x-\dfrac{3}{2}$ (3) $y=\dfrac{1}{3}x-2$

7-2 다음 일차방정식과 일차함수 중 그 그래프가 서로 같은 것을 찾아 선으로 연결하시오.

(1) $x+y=3$ ・   ・㉠ $y=-x+3$

(2) $4x-2y+1=0$ ・   ・㉡ $y=\dfrac{1}{2}x+\dfrac{3}{2}$

(3) $3x-6y+9=0$ ・   ・㉢ $y=2x+\dfrac{1}{2}$

8-1 다음 일차방정식의 그래프를 오른쪽 좌표평면 위에 그리시오.

(1) $x=-3$

(2) $-4y=4$

(3) $3y-6=0$

(4) $2x-8=0$

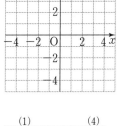

풀이 | (2) $-4y=4$에서 $y=-1$

(3) $3y-6=0$에서 $3y=6$

$\therefore y=\boxed{❶}$

(4) $2x-8=0$에서 $2x=8$

$\therefore x=\boxed{❷}$

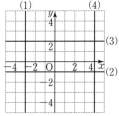

❶ 2 ❷ 4 / 답 풀이 참조

8-2 다음 중 오른쪽 그림과 같은 직선 위에 있는 점은?

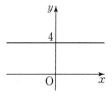

① $(4, 0)$ ② $(2, 4)$

③ $(2, -3)$ ④ $(0, -4)$

⑤ $(-1, 2)$

9-1 오른쪽 그래프를 이용하여 다음 연립방정식을 푸시오.

(1) $\begin{cases} x-y=-2 \\ 3x+y=6 \end{cases}$

(2) $\begin{cases} 3x+y=6 \\ x+3y=-6 \end{cases}$

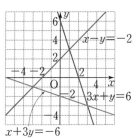

풀이 | (1) 두 일차방정식의 그래프의 교점의 좌표가 $(\boxed{❶}, 3)$ 이므로 연립방정식의 해는 $x=1, y=3$

(2) 두 일차방정식의 그래프의 교점의 좌표가 $(3, -3)$이므로 연립방정식의 해는 $x=3, y=\boxed{❷}$

❶ 1 ❷ -3 / 답 (1) $x=1, y=3$ (2) $x=3, y=-3$

9-2 다음 연립방정식에서 두 일차방정식의 그래프를 오른쪽 좌표평면 위에 그리고, 연립방정식의 해를 구하시오.

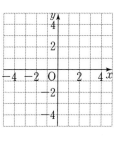

(1) $\begin{cases} y=-x+3 \\ x+y=3 \end{cases}$ (2) $\begin{cases} -x+3y=2 \\ 2x-6y=-12 \end{cases}$

바탕 문제

(1) 정비례 : 1개에 300원인 초콜릿 x개의 가격 y원

x	1	2	3	4	…
y	300	300×2	300×3	300×4	…

풀이 $y = $ ❶ ☐ x

(2) 반비례 : 곰 인형 48개를 한 상자에 x개씩 담을 때, 필요한 상자의 수 y개

x	1	2	3	4	…
y	48	$\dfrac{48}{2}$	$\dfrac{48}{3}$	$\dfrac{48}{4}$	…

풀이 $y = \dfrac{❷ ☐}{x}$

❶ 300 ❷ 48

1 다음 보기 중 y가 x의 함수인 것을 모두 고르시오.

┌ 보기 ┐

㉠ 자연수 x의 배수 y

㉡ 120 km를 시속 x km로 일정하게 달릴 때, 걸린 시간 y시간

㉢ 음료수 500 mL가 들어 있는 병에서 x mL를 마셨을 때, 남은 양 y mL

㉣ 1달러가 1100원일 때, x달러는 y원

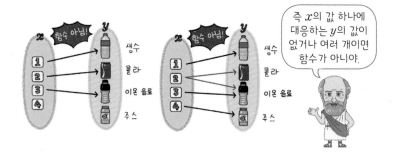

즉 x의 값 하나에 대응하는 y의 값이 없거나 여러 개이면 함수가 아니야.

바탕 문제

세 함수 $y = -x + 3$, $y = \dfrac{1}{x}$, $y = x^2 + 4x - 1$을 일차함수인 것과 일차함수가 아닌 것으로 구분하시오.

풀이 $y = -x + 3$

→ y는 x에 대한 일차함수 ❶ ☐ .

$y = \dfrac{1}{x}$, $y = x^2 + 4x - 1$

→ y는 x에 대한 일차함수가 ❷ ☐ .

❶ 이다 ❷ 아니다

2 다음 중 y가 x의 일차함수가 <u>아닌</u> 것을 모두 고르면? (정답 2개)

① $y = -x$

② $y = \dfrac{2}{x}$

③ $y = 0.1x + 3$

④ $x = 2(x - y) - x$

⑤ $y = x(x - 1) - x^2$

바탕 문제

함수 $f(x) = 2x$에 대하여 다음을 구하시오.

(1) $x = 1$일 때의 함숫값

(2) $f(-1)$의 값

풀이 (1) $f(1) = 2 \times 1 = $ ❶ ☐

(2) $f(-1) = 2 \times (-1) = $ ❷ ☐

❶ 2 ❷ -2

3 일차함수 $f(x) = 3x - 5$에 대하여 $f(-1) + 2f(1)$의 값을 구하시오.

일차함수 $y=-3x+a$의 그래프가 점 $(4, -5)$를 지날 때, 상수 a의 값을 구하시오.

[풀이] $y=-3x+a$에 $x=4$, $y=$ ❶[ ] 를 대입하면

$-5=-3\times4+a$ ∴ $a=$ ❷[ ]

❶ -5 ❷ 7

4 다음을 보고 선우처럼 두 개의 관문을 통과한 후, $a+b$의 값을 구하시오.

일차함수 $y=3x+4$의 그래프에서 x의 값의 증가량이 3일 때, y의 값의 증가량을 구하시오.

[풀이] (기울기)$=\dfrac{(y의\ 값의\ 증가량)}{(x의\ 값의\ 증가량)}$이므로

$\dfrac{(y의\ 값의\ 증가량)}{3}=$ ❶[ ]

∴ $(y의\ 값의\ 증가량)=$ ❷[ ]

❶ 3 ❷ 9

5 다음 중 x의 값이 2만큼 증가할 때 y의 값이 -4만큼 증가하는 직선을 그래프로 하는 일차함수의 식은?

① $y=-2x+7$ ② $y=-\dfrac{1}{2}x+1$ ③ $y=-\dfrac{1}{4}x+3$

④ $y=\dfrac{1}{2}x-\dfrac{1}{2}$ ⑤ $y=2x-2$

방정식 $4y-4=0$의 그래프를 그리시오.

[풀이] $4y-4=0$에서

$4y=4$ ∴ $y=$ ❶[ ]

따라서 점 $(0, 1)$을 지나고 x축에 ❷[ ] 한 직선이다.

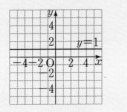

❶ 1 ❷ 평행

6 다음 보기 중 방정식 $2y=4$의 그래프에 대한 설명으로 옳은 것을 모두 고르시오.

┌ 보기
㉠ 방정식 $y=2$의 그래프와 일치한다.
㉡ x축에 수직이다.
㉢ 제1, 4사분면을 지난다.
㉣ 점 $(4, 2)$를 지난다.
㉤ 이 직선과 평행하면서 점 $(3, 1)$을 지나는 직선은 $x=3$이다.

전략 1 함숫값

함숫값 : 함수 $y=f(x)$에서 x의 값이 정해지면 그에 따라 정해지는
❶ 의 값

참고 함수 $y=f(x)$에 대하여
❷ → $x=a$일 때의 함숫값
→ $x=a$일 때 y의 값
→ $f(x)$에 $x=a$를 대입하여 얻은 값

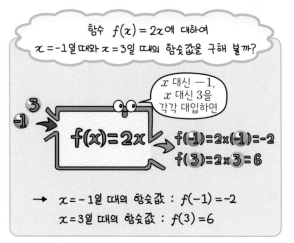

함수 $f(x)=2x$에 대하여
$x=-1$일 때와 $x=3$일 때의 함숫값을 구해 볼까?

x 대신 -1, x 대신 3을 각각 대입하면

$f(x)=2x$ → $f(-1)=2\times(-1)=-2$
$f(3)=2\times3=6$

→ $x=-1$일 때의 함숫값 : $f(-1)=-2$
$x=3$일 때의 함숫값 : $f(3)=6$

❶ y ❷ $f(a)$

필수 예제

1-1 일차함수 $f(x)=4x+7$에 대하여 $f(-1)+f(3)$의 값은?

① 10 ② 13 ③ 16
④ 19 ⑤ 22

1-2 일차함수 $f(x)=ax+1$에 대하여 $f(-2)=5, f(1)=b$일 때, $a+b$의 값은? (단, a는 상수)

① -3 ② -2 ③ -1
④ 1 ⑤ 2

풀이

1-1 $f(-1)=4\times(-1)+7=3$
$f(3)=4\times3+7=19$
$\therefore f(-1)+f(3)=3+19=22$

답 ⑤

1-2 $f(-2)=-2a+1=5$에서
$-2a=4$ $\therefore a=-2$
즉 $f(x)=-2x+1$이므로
$f(1)=-2\times1+1=-1$ $\therefore b=-1$
$\therefore a+b=-2+(-1)=-3$

답 ①

확인 문제 1-1

일차함수 $f(x)=3x-7$에 대하여 $4f(2)-2f(4)$의 값을 구하시오.

확인 문제 1-2

일차함수 $f(x)=ax-5$에 대하여 $f(2)=3$일 때, $f(-1)+f(3)$의 값을 구하시오. (단, a는 상수)

전략 2 일차함수의 그래프의 x절편, y절편, 기울기

일차함수 $y=ax+b$의 그래프에서

(1) x절편 : 그래프가 x축과 만나는 점의 x좌표 ➡ $y=0$을 대입 ➡ $x=$ ❶

(2) y절편 : 그래프가 y축과 만나는 점의 y좌표 ➡ $x=0$을 대입 ➡ $y=$ ❷

(3) (기울기)$=\dfrac{(y의\ 값의\ 증가량)}{(x의\ 값의\ 증가량)}=a$ ➡ x의 계수

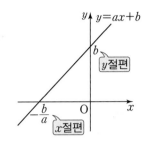

같은 뜻인데 시험 문제에 표현이 다르게 나올 수 있으니 잘 봐둬.

x절편을 나타내는 표현	y절편을 나타내는 표현
① x절편이 3이다. ② 점 (3, 0)을 지난다. ③ x축과 만나는 점의 x좌표가 3이다. ④ $y=0$일 때 x의 값이 3이다. 모두 같은 뜻	① y절편이 2이다. ② 점 (0, 2)를 지난다. ③ y축과 만나는 점의 y좌표가 2이다. ④ $x=0$일 때 y의 값이 2이다. 모두 같은 뜻

❶ $-\dfrac{b}{a}$ ❷ 0

필수 예제

2-1 일차함수 $y=4x+b$의 그래프의 y절편이 -6일 때, x절편을 구하시오. (단, b는 상수)

2-2 일차함수 $y=-\dfrac{1}{4}x+6$의 그래프에서 x의 값이 8만큼 증가할 때 y의 값은 k만큼 증가한다. 이때 상수 k의 값을 구하시오.

풀이

2-1 $y=4x+b$의 y절편이 -6이므로
$y=4x+b$에 $x=0$, $y=-6$을 대입하면 $b=-6$
즉 $y=4x-6$에 $y=0$을 대입하면
$0=4x-6$, $-4x=-6$ $\therefore x=\dfrac{3}{2}$
따라서 x절편은 $\dfrac{3}{2}$이다.

답 $\dfrac{3}{2}$

2-2 (기울기)$=\dfrac{(y의\ 값의\ 증가량)}{(x의\ 값의\ 증가량)}$이므로
$-\dfrac{1}{4}=\dfrac{k}{8}$ $\therefore k=-2$

답 -2

확인 문제 2-1

일차함수 $y=-\dfrac{3}{2}x+b$의 그래프의 x절편이 -4일 때, y절편을 구하시오. (단, b는 상수)

확인 문제 2-2

일차함수의 그래프가 오른쪽 그림과 같을 때, 기울기를 구하시오.

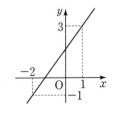

일차함수 $y=ax+b$에서 a의 부호는 일차함수의 그래프의 모양을 결정하고, b의 부호는 그래프가 y축과 만나는 부분을 결정한다. 따라서 기울기 a의 부호와 y절편 b의 부호만 알면 그래프의 대략적인 모양을 그릴 수 있다.

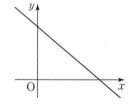

a❶ 0, $b>0$일 때	$a>0$, $b<0$일 때	$a<0$, $b>0$일 때	a❷ 0, $b<0$일 때
제1, 2, 3사분면을 지난다.	제1, 3, 4사분면을 지난다.	제1, 2, 4사분면을 지난다.	제2, 3, 4사분면을 지난다.

❶ $>$ ❷ $<$

필수 예제

3-1 일차함수 $y=ax+b$의 그래프가 오른쪽 그림과 같을 때, 상수 a, b의 부호는?

① $a>0$, $b>0$
② $a>0$, $b<0$
③ $a<0$, $b>0$
④ $a<0$, $b=0$
⑤ $a<0$, $b<0$

풀이 |

3-1 그래프가 오른쪽 아래로 향하므로 기울기는 음수이다.　　∴ $a<0$
또 그래프가 y축과 양의 부분에서 만나므로 y절편은 양수이다.　　∴ $b>0$

답 ③

확인 문제 3-1

일차함수 $y=ax-b$의 그래프가 오른쪽 그림과 같을 때, 상수 a, b의 부호는?

① $a<0$, $b<0$　② $a<0$, $b>0$
③ $a>0$, $b<0$　④ $a>0$, $b>0$
⑤ $a>0$, $b=0$

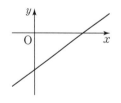

확인 문제 3-2

일차함수 $y=ax+b$의 그래프가 오른쪽 그림과 같을 때, 일차함수 $y=-ax+b$의 그래프가 지나지 <u>않는</u> 사분면은? (단, a, b는 상수)

① 제1사분면
② 제2사분면
③ 제3사분면
④ 제4사분면
⑤ 제1, 3사분면

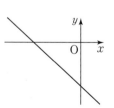

전략 4 일차함수의 그래프의 평행과 일치

두 일차함수 $y=ax+b$, $y=a'x+b'$에 대하여

(1) 두 그래프가 평행하다.

→ $a=a'$, b ❶ b'

(2) 두 그래프가 일치한다.

→ $a=a'$, b ❷ b'

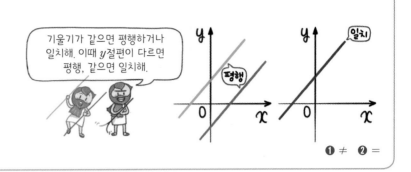

기울기가 같으면 평행하거나 일치해. 이때 y절편이 다르면 평행, 같으면 일치해.

❶ ≠ ❷ =

필수 예제

4-1 두 점 $(4, 3)$, $(a, -1)$을 지나는 직선이 일차함수 $y=-2x+1$의 그래프와 평행할 때, a의 값을 구하시오.

4-2 두 일차함수 $y=ax+6$, $y=2(x-b)$의 그래프가 일치할 때, 상수 a, b의 값은?

① $a=2$, $b=-3$ ② $a=2$, $b=3$ ③ $a=2$, $b=6$

④ $a=6$, $b=-2$ ⑤ $a=6$, $b=2$

풀이 |

4-1 두 점 $(4, 3)$, $(a, -1)$을 지나는 직선의 기울기는

$$\frac{-1-3}{a-4}=\frac{-4}{a-4}$$

서로 평행한 두 일차함수의 그래프는 기울기가 같으므로

$$\frac{-4}{a-4}=-2, \quad -2(a-4)=-4$$

$-2a+8=-4$, $-2a=-12$ ∴ $a=6$

답 6

4-2 $y=2(x-b)$에서 $y=2x-2b$

일치하는 두 일차함수 $y=ax+6$, $y=2x-2b$의 그래프는 기울기와 y절편이 각각 같으므로

$a=2$, $6=-2b$에서 $b=-3$

답 ①

확인 문제 4-1

오른쪽 그림과 같이 두 일차함수 $y=2x+6$, $y=ax+b$의 그래프가 서로 평행할 때, $a-b$의 값을 구하시오. (단, a, b는 상수)

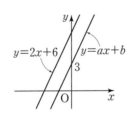

$y=2x+6$ $y=ax+b$
3

확인 문제 4-2

오른쪽 그림과 같은 일차함수의 그래프와 일차함수 $y=-\dfrac{a}{4}x+b$의 그래프가 일치할 때, 상수 a, b의 값을 각각 구하시오.

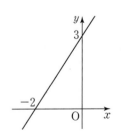

3

−2

1 일차함수 $f(x)=-\dfrac{2}{5}x-k$에 대하여 $f(-5)=1$일 때, $5f(2)$의 값은?

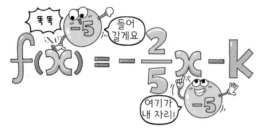

① -9 ② -6 ③ 6
④ 9 ⑤ 10

2 세 점 $A(-3, 1)$, $B(1, -1)$, $C(a, -2)$가 한 직선 위에 있을 때, a의 값을 구하시오.

3 오른쪽 그림과 같은 일차함수 $y=-ax+b$의 그래프와 x축, y축으로 둘러싸인 도형의 넓이가 6일 때, ab의 값을 구하시오. (단 a, b는 상수)

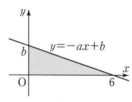

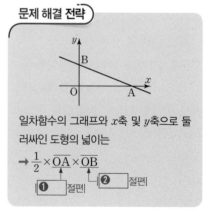

4 다음 표는 일차함수 $y=ax+b$의 x의 값에 대응하는 y의 값을 나타낸 것이다. 이를 그래프로 나타낼 때, 옳지 <u>않은</u> 것은? (단, a, b는 상수)

x	$\cdots$	-1	$\cdots$	0	$\cdots$	1	$\cdots$
y	$\cdots$	3	$\cdots$	1	$\cdots$	-1	$\cdots$

① y절편은 1이다.

② 점 $(-3, 7)$을 지난다.

③ 제3사분면은 지나지 않는다.

④ x의 값의 증가량이 2일 때, y의 값의 증가량은 -4이다.

⑤ 일차함수 $y=2x+1$의 그래프와 평행하다.

문제 해결 전략

먼저 $y=ax+b$에 두 점 ❶ [ ], ❷ [ ] 을 대입하여 상수 a, b 의 값을 각각 구한다.

❶ $(0, 1)$ ❷ $(1, -1)$

5 일차함수 $y=ax+b$의 그래프가 오른쪽 그림과 같을 때, 다음 중 일차함수 $y=bx-ab$의 그래프를 바르게 그린 학생을 말하시오. (단, a, b는 상수)

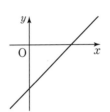

 서은
 다연
 효린

 연우

 준서

문제 해결 전략

일차함수 $y=ax+b$의 그래프가 오른쪽 위로 향하므로 기울기는 ❶ [ ] 이고, y축과 음의 부분에서 만나므로 y절편은 ❷ [ ] 이다.

❶ 양수 ❷ 음수

6 일차함수 $y=2x-b$의 그래프를 y축의 방향으로 -2만큼 평행이동하면 $y=ax-1$의 그래프와 일치할 때, $a+b$의 값을 구하시오. (단, a, b는 상수)

문제 해결 전략

두 일차함수 $y=ax+b$와 $y=mx+n$의 그래프가 일치할 때
기울기가 같다. → $a=$ ❶ [ ]
y절편이 같다. → $b=$ ❷ [ ]

❶ m ❷ n

전략 1 일차함수의 식 구하기

(1) 기울기 a와 y절편 b가 주어질 때 ➡ $y = ax + b$

(2) 기울기 a와 한 점 (x_1, y_1)이 주어질 때 ➡ $y = ax + b$로 놓고 $x = $ ❶ , $y = y_1$을 대입하여 b의 값을 구한다.

(3) 서로 다른 두 점 (x_1, y_1), (x_2, y_2)가 주어질 때

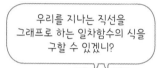

우리를 지나는 직선을 그래프로 하는 일차함수의 식을 구할 수 있겠니?

기울기 a는 $\dfrac{y_2 - y_1}{x_2 - x_1}$이니까 a의 값을 구해서 식을 $y = ax + b$로 놓고,

한 점의 좌표를 대입해서 b의 값을 구하면 되지!

(4) x절편 m과 y절편 n이 주어질 때 ➡ (기울기) $= \dfrac{n-0}{0-m} = $ ❷ 이므로 $y = -\dfrac{n}{m}x + n$

└ 두 점 $(m, 0)$, $(0, n)$을 지난다.

❶ x_1 ❷ $-\dfrac{n}{m}$

필수 예제

1-1 일차함수 $y = \dfrac{1}{4}x - 1$의 그래프와 평행하고, 점 $(8, -1)$을 지나는 직선을 그래프로 하는 일차함수의 식을 구하시오.

1-2 두 점 $(-1, -11)$, $(3, -3)$을 지나는 직선을 그래프로 하는 일차함수의 식을 구하시오.

풀이 |

1-1 $y = \dfrac{1}{4}x - 1$의 그래프와 평행하므로 기울기는 $\dfrac{1}{4}$이다.

구하는 일차함수의 식을 $y = \dfrac{1}{4}x + b$라 하면 그래프가 점 $(8, -1)$을 지나므로

$-1 = \dfrac{1}{4} \times 8 + b$ $\therefore b = -3$

따라서 구하는 일차함수의 식은 $y = \dfrac{1}{4}x - 3$

답 $y = \dfrac{1}{4}x - 3$

1-2 (기울기) $= \dfrac{-3 - (-11)}{3 - (-1)} = 2$

구하는 일차함수의 식을 $y = 2x + b$라 하면 그래프가 점 $(-1, -11)$을 지나므로

$-11 = -2 + b$ $\therefore b = -9$

따라서 구하는 일차함수의 식은 $y = 2x - 9$

답 $y = 2x - 9$

확인 문제 1-1

x의 값이 2만큼 증가할 때 y의 값은 6만큼 감소하고, y축과 만나는 점의 좌표가 $(0, -2)$인 직선을 그래프로 하는 일차함수의 식은?

① $y = -6x - 2$ ② $y = -3x - 2$

③ $y = -3x + 2$ ④ $y = 2x - 2$

⑤ $y = 3x - 2$

확인 문제 1-2

오른쪽 그림과 같은 직선을 그래프로 하는 일차함수의 식을 구하시오.

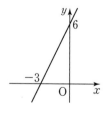

전략 2 일차함수의 활용 – 온도, 길이, 그래프

(1) 처음 온도가 a ℃, 1분 동안의 온도 변화가 k ℃일 때, x분 후의 온도를 y ℃라 하면 ➡ x분 동안의 온도 변화는 kx ℃이므로 $y=a+kx$

참고 a분 동안의 온도 변화가 k ℃이면 1분 동안 변한 온도는 ❶ $\boxed{}$ ℃이다.

(2) 처음 길이가 a cm, 1분 동안의 길이 변화가 k cm일 때, x분 후의 길이를 y cm라 하면 ➡ x분 동안의 길이 변화는 kx cm이므로 $y=a+❷\boxed{}\,x$

(3) 그래프가 주어진 일차함수의 활용 문제
➡ 그래프가 지나는 두 점의 좌표를 이용하여 일차함수의 식을 구한다.

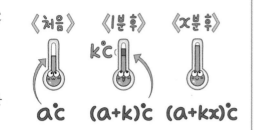

❶ $\dfrac{k}{a}$ ❷ k

필수 예제

2-1 물의 온도가 처음 30 ℃에서 매분마다 5 ℃씩 증가하면 x분 후에는 y ℃가 된다고 할 때, y를 x의 식으로 나타내시오.

2-2 길이가 25 cm인 양초에 불을 붙였더니 4분마다 1 cm씩 짧아졌다. 불을 붙인지 x분 후의 양초의 길이를 y cm라 할 때, 양초의 길이가 18 cm가 되는 것은 불을 붙인 지 몇 분 후인지 구하시오.

풀이 |

2-1 물의 온도가 매분마다 5 ℃씩 증가하므로 x분 후에는 물의 온도가 $5x$ ℃만큼 올라간다. 이때 처음 물의 온도는 30 ℃이었으므로
$$y=30+5x$$

🗊 $y=30+5x$

2-2 양초가 1분마다 $\dfrac{1}{4}$ cm씩 짧아지므로 x분 후에는 양초가 $\dfrac{1}{4}x$ cm만큼 짧아진다. 처음 양초의 길이가 25 cm이었으므로 $y=25-\dfrac{1}{4}x$

이 식에 $y=18$을 대입하면

$18=25-\dfrac{1}{4}x,\ \dfrac{1}{4}x=7$ ∴ $x=28$

따라서 양초의 길이가 18 cm가 되는 것은 불을 붙인 지 28분 후이다.

🗊 28분

확인 문제 2-1

처음 온도가 10 ℃인 물을 가열할 때, 물의 온도는 2분에 6 ℃씩 일정하게 오른다고 한다. x분 후에 y ℃가 된다고 할 때, y를 x의 식으로 나타내면 $y=ax+b$이다. 이때 상수 a, b의 값을 각각 구하시오.

확인 문제 2-2

오른쪽 그림은 길이가 30 cm인 양초에 불을 붙인 지 x분 후에 남은 양초의 길이를 y cm라 할 때, x와 y 사이의 관계를 그래프로 나타낸 것이다. 불을 붙인 후 1시간이 지났을 때의 양초의 길이를 구하시오.

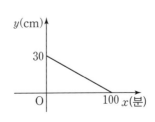

(1) 연립방정식의 해는 두 일차방정식의 그래프, 즉 두 일차함수의 그래프의 ❶ ⬜⬜⬜ 의 좌표와 같다.

(2) 연립방정식 $\begin{cases} ax+by+c=0 \\ a'x+b'y+c'=0 \end{cases}$ 의 해의 개수는 두 일차방정식

의 그래프의 교점의 ❷ ⬜⬜⬜ 와 같다.

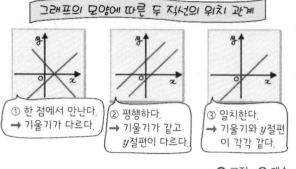

그래프의 모양에 따른 두 직선의 위치 관계

① 한 점에서 만난다.
→ 기울기가 다르다.

② 평행하다.
→ 기울기가 같고 y절편이 다르다.

③ 일치한다.
→ 기울기와 y절편이 각각 같다.

❶ 교점 ❷ 개수

필수 예제

3-1 오른쪽 그림은 연립방정식 $\begin{cases} ax+y=6 \\ -x+by=0 \end{cases}$ 의 해를 구하기 위하여 두 일차방정식의 그래프를 그린 것이다. 이때 상수 a, b의 값을 각각 구하시오.

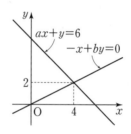

3-2 연립방정식 $\begin{cases} ax+2y-8=0 \\ 2x-y-b=0 \end{cases}$ 의 해가 무수히 많을 때, ab의 값을 구하시오. (단, a, b는 상수)

풀이 |

3-1 연립방정식 $\begin{cases} ax+y=6 \\ -x+by=0 \end{cases}$ 의 해가 $x=4$, $y=2$이므로

$ax+y=6$에 $x=4$, $y=2$를 대입하면

$4a+2=6$, $4a=4$ ∴ $a=1$

$-x+by=0$에 $x=4$, $y=2$를 대입하면

$-4+2b=0$, $2b=4$ ∴ $b=2$

🖺 $a=1$, $b=2$

3-2 $\begin{cases} ax+2y-8=0 \\ 2x-y-b=0 \end{cases} \rightarrow \begin{cases} y=-\dfrac{a}{2}x+4 \\ y=2x-b \end{cases}$

해가 무수히 많으려면 두 그래프가 일치해야 하므로

$-\dfrac{a}{2}=2$에서 $a=-4$, $4=-b$에서 $b=-4$

∴ $ab=-4 \times (-4)=16$

🖺 16

확인 문제 3-1

두 일차방정식 $3x+ay=-3$, $x+by=-5$의 그래프의 교점의 좌표가 $(1, 2)$일 때, $a-b$의 값은? (단, a, b는 상수)

① -2 ② -1 ③ $-\dfrac{1}{2}$

④ 0 ⑤ $\dfrac{1}{2}$

확인 문제 3-2

두 직선 $2x+ay=3$, $4x-2y=b$가 만나지 않기 위한 상수 a, b의 조건은?

① $a=-1$, $b \neq 6$ ② $a=-1$, $b=6$

③ $a \neq -1$, $b \neq 6$ ④ $a \neq -2$, $b=3$

⑤ $a=2$, $b \neq -3$

전략 **4** 직선으로 둘러싸인 도형의 넓이

오른쪽 그림과 같이 두 직선 l, m과 x축으로 둘러싸인 $\triangle$ABC의 넓이 구하기

1 연립방정식을 풀어 두 직선의 교점 **❶**〔 〕의 좌표를 구한다.

2 두 직선의 **❷**〔 〕을 이용하여 두 점 B, C의 좌표를 각각 구한다.

3 **1**, **2**에서 구한 세 점의 좌표를 이용하여 $\triangle$ABC의 넓이를 구한다.

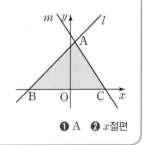

❶ A **❷** x절편

필수 예제

4-1 오른쪽 그림과 같이 두 직선 $x-y+3=0$, $2x+y-4=0$의 교점을 A, 두 직선과 x축과의 교점을 각각 B, C라 할 때, 다음을 구하시오.

(1) 점 A의 좌표

(2) 점 B와 점 C의 좌표

(3) $\triangle$ABC의 넓이

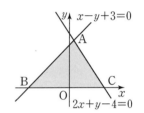

풀이 |

4-1 (1) 연립방정식 $\begin{cases} x-y+3=0 \\ 2x+y-4=0 \end{cases}$ 의 해는 $x=\dfrac{1}{3}$, $y=\dfrac{10}{3}$ 이므로 A$\left(\dfrac{1}{3}, \dfrac{10}{3}\right)$

(2) 두 직선 $x-y+3=0$, $2x+y-4=0$의 x절편이 각각 -3, 2이므로 B$(-3, 0)$, C$(2, 0)$

(3) $\triangle$ABC$=\dfrac{1}{2} \times \{2-(-3)\} \times \dfrac{10}{3}=\dfrac{25}{3}$

🔖 (1) A$\left(\dfrac{1}{3}, \dfrac{10}{3}\right)$ (2) B$(-3, 0)$, C$(2, 0)$ (3) $\dfrac{25}{3}$

확인 문제 4-1

오른쪽 그림과 같이 두 직선 $x-2y+6=0$, $2x+y-8=0$과 x축으로 둘러싸인 도형의 넓이를 구하시오.

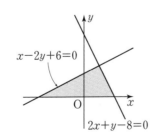

확인 문제 4-2

세 직선 $x=1$, $y=0$, $3x+y-9=0$으로 둘러싸인 도형의 넓이를 구하시오.

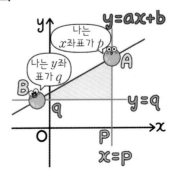

1 오른쪽 그림과 같은 일차함수의 그래프와 평행하고 y절편이 -2인 직선을 그래프로 하는 일차함수의 식은?

① $y=-4x-2$

② $y=-3x-2$

③ $y=-\dfrac{4}{3}x-2$

④ $y=-\dfrac{3}{4}x-2$

⑤ $y=\dfrac{3}{4}x+2$

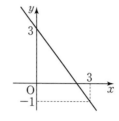

문제 해결 전략

구하는 일차함수의 그래프는 주어진 일차함수의 그래프와 **❶**[____]하므로 **❷**[____]가 같다.

❶ 평행 ❷ 기울기

2 일차함수 $y=3x+2$의 그래프와 평행하고 점 $(2, 4)$를 지나는 직선의 x절편을 구하시오.

문제 해결 전략

일차함수 $y=3x+2$의 그래프와 **❶**[____]하므로 기울기는 **❷**[____]이다.

❶ 평행 ❷ 3

3 열기구를 타고 지상으로부터 x m 상승했을 때 측정한 기온을 y °C라 하자. x와 y 사이의 관계를 다음 그림과 같이 그래프로 나타내었을 때, 측정한 기온이 10 °C인 지점은 지상으로부터 몇 m 상승한 곳인가?

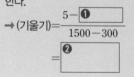

① 900 m

② 1000 m

③ 1100 m

④ 1200 m

⑤ 1300 m

문제 해결 전략

두 점 $(300, 17)$, $(1500, 5)$를 지나는 직선을 그래프로 하는 일차함수의 식을 구한다.

→ (기울기) $=\dfrac{5-\boxed{\text{❶}}}{1500-300}$

$=\boxed{\text{❷}}$

❶ 17 ❷ $-\dfrac{1}{100}$

>> 정답과 풀이 **37쪽**

4 1 L의 휘발유로 15 km를 달릴 수 있는 자동차가 있다. 이 자동차에 30 L의 휘발유를 넣고 x km를 달린 후 남아 있는 휘발유의 양을 y L라 할 때, y를 x의 식으로 나타내시오.

문제 해결 전략

1 L의 휘발유로 15 km를 달린다.

→ 15 km를 달리는 데 **❶** L의 휘발유가 필요하므로 1 km를 달리는 데 **❷** L의 휘발유가 필요하다.

❶ 1 **❷** $\dfrac{1}{15}$

5 방정식 $ax+by-12=0$의 그래프가 다음 그림과 같을 때, $-a+b$의 값을 구하시오. (단, a, b는 상수)

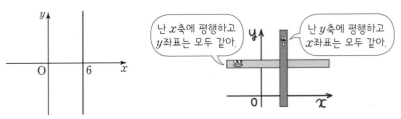

난 x축에 평행하고 y좌표는 모두 같아.

난 y축에 평행하고 x좌표는 모두 같아.

문제 해결 전략

방정식 $ax+by-12=0$의 그래프가 그림과 같이 점 $(6, 0)$을 지난다.

→ x축에 **❶** 이다.

→ y축에 **❷** 하다.

❶ 수직 **❷** 평행

6 두 일차방정식 $3x-y-2=0$, $x+y-6=0$의 그래프의 교점이 일차함수 $y=ax-4$의 그래프 위에 있을 때, 상수 a의 값을 구하시오.

문제 해결 전략

1 연립방정식 $\begin{cases} 3x-y-2=0 \\ x+y-6=0 \end{cases}$의 **❶** 를 구한다.

2 1에서 구한 해를 일차함수 $y=ax-4$에 **❷** 한다.

❶ 해 **❷** 대입

7 오른쪽 그림과 같이 점 A는 두 직선 $x-y+4=0$, $2x+y-8=0$의 교점이다. 두 직선과 x축과의 교점을 각각 B, C라 할 때, $\triangle$ABC의 넓이를 구하시오.

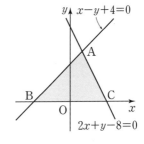

문제 해결 전략

1 두 직선 $x-y+4=0$, $2x+y-8=0$의 **❶** 의 좌표를 구한다.

2 두 직선이 **❷** 과 만나는 점의 좌표를 각각 구한다.

3 $\triangle$ABC의 넓이를 구한다.

❶ 교점 **❷** x축

대표 예제 1

일차함수 $f(x)=3x+a$에 대하여 $f(0)+f(8)=30$일 때, 상수 a의 값을 구하시오.

개념 가이드

일차함수 $f(x)=ax+b$에서 함숫값 **❶** [ ] 는 x 대신에 **❷** [ ] 를 대입하여 얻은 $ap+b$이다. 즉 $f(p)=ap+b$

❶ $f(p)$ ❷ p

대표 예제 2

다음 중 일차함수 $y=-x+5$의 그래프를 y축의 방향으로 -3만큼 평행이동한 그래프 위의 점이 <u>아닌</u> 것은?

① $(-2,4)$ ② $(-1,1)$ ③ $(0,2)$
④ $(1,1)$ ⑤ $(2,0)$

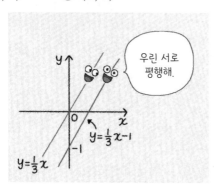

우린 서로 평행해.

개념 가이드

일차함수 $y=ax+b$의 그래프를 **❶** [ ] 의 방향으로 k만큼 평행이동한 그래프의 식은 $y=ax+b+$ **❷** [ ] 이다.

❶ y축 ❷ k

대표 예제 3

일차함수 $y=-2x+5$의 그래프에서 x의 값이 4만큼 감소할 때, y의 값의 증가량을 구하시오.

개념 가이드

일차함수 $y=ax+b$의 그래프의

$(기울기)=\dfrac{(y의\ 값의\ 증가량)}{(x의\ 값의\ 증가량)}=$ **❶** [ ]

❶ a

대표 예제 4

다음 일차함수 중 그 그래프가 제4사분면을 지나지 <u>않는</u> 것은?

① $y=-3x-1$ ② $y=2x-2$
③ $y=-\dfrac{1}{2}x+5$ ④ $y=\dfrac{1}{2}x-2$
⑤ $y=\dfrac{1}{4}x+2$

개념 가이드

일차함수 $y=ax+b$의 그래프가 제4사분면을 지나지 않을 때 a,b의 부호는 a **❶** [ ] 0, b **❷** [ ] 0이다.

❶ $>$ ❷ $>$

대표 예제 5

다음 그림과 같이 일차함수 $y=\dfrac{4}{3}x-8$의 그래프와 x축, y축으로 둘러싸인 삼각형의 넓이를 구하시오.

먼저 일차함수 $y=\dfrac{4}{3}x-8$의 그래프를 그려 봐.

x절편이 밑변, y절편이 높이인 직각삼각형이네요. 그럼 간단하죠.

개념 가이드

x절편, y절편을 각각 구한 후 일차함수의 그래프를 그린다.

이때 x절편은 **❶** 축과의 교점, y절편은 **❷** 축과의 교점이다.

❶ x **❷** y

대표 예제 6

다음 중 일차함수 $y=-\dfrac{1}{2}x-5$의 그래프에 대한 설명으로 옳지 **않은** 것은?

① y절편은 -5이다.

② x절편은 -10이다.

③ 기울기는 $-\dfrac{1}{2}$이다.

④ 점 $(6,-2)$를 지난다.

⑤ 제2, 3, 4사분면을 지난다.

개념 가이드

일차함수 $y=ax+b$의 그래프의 기울기는 **❶** , x절편은

❷ , y절편은 b이다.

❶ a **❷** $-\dfrac{b}{a}$

대표 예제 7

기울기가 2이고, y절편이 3인 직선을 그래프로 하는 일차함수의 식은?

① $y=-2x-3$ ② $y=2x+3$

③ $y=2x+9$ ④ $y=3x-2$

⑤ $y=3x+2$

개념 가이드

기울기가 a, y절편이 b인 일차함수의 식은

$y=$ **❶** $x+$ **❷**

❶ a **❷** b

대표 예제 8

두 점 $(0,2)$, $(4,0)$을 지나는 일차함수의 그래프와 평행하고, 점 $(2,4)$를 지나는 그래프가 나타내는 일차함수의 식을 구하시오.

개념 가이드

두 점 (x_1, y_1), (x_2, y_2)를 지나는 직선을 그래프로 하는 일차함수의 식 구하기

1 (기울기)$=\dfrac{y_2-y_1}{x_2-x_1}=a$를 구한 후 $y=$ **❶** 로 놓는다.

2 $y=ax+b$에 $x=x_1$, $y=y_1$ 또는 $x=x_2$, $y=y_2$를 대입하여 **❷** 의 값을 구한다.

❶ $ax+b$ **❷** b

대표 예제 9

오른쪽 그림과 같은 일차함수의 그래프가 점 $\left(\dfrac{3}{4}, k\right)$를 지날 때, 상수 k의 값을 구하시오.

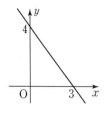

개념 가이드

x절편이 m, y절편이 n인 직선을 그래프로 하는 일차함수의 식은 두 점 ($\boxed{①}$, 0), (0, $\boxed{②}$)을 지나는 직선이므로

$(기울기)=\dfrac{n-0}{0-m}=-\dfrac{n}{m}$, $(y절편)=n$ $\therefore y=-\dfrac{n}{m}x+n$

❶ m ❷ n

대표 예제 10

길이가 8 cm인 용수철에 무게가 150 g짜리인 추를 달았더니 용수철의 길이가 14 cm가 되었다. 이 용수철에 무게가 250 g짜리인 추를 달았을 때, 용수철의 길이를 구하시오.

개념 가이드

처음 길이가 a cm이고 1 g씩 무게를 달았을 때마다 b cm씩 길이가 늘어날 때

❶ x g을 달았을 때의 길이 변화는 $\boxed{①}$ cm

❷ x g을 달았을 때의 길이를 y cm라 하면 $y=a+\boxed{②}$

❶ bx ❷ bx

대표 예제 11

다음 그림과 같은 직사각형 ABCD에서 점 P는 점 B를 출발하여 점 C까지 $\overline{BC}$ 위를 매초 2 cm의 속력으로 움직인다. x초 후의 사각형 APCD의 넓이를 y cm²라 할 때, y를 x의 식으로 나타내면?

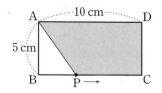

① $y=5x$
② $y=5x+50$
③ $y=5x+100$
④ $y=-5x+50$
⑤ $y=-5x+100$

개념 가이드

x초 동안 점 P가 움직인 거리는 $\boxed{①}$ cm이므로

$\overline{PC}=(\boxed{②})$ cm

❶ $2x$ ❷ $10-2x$

대표 예제 12

일차방정식 $2x+3y-9=0$의 그래프와 일차함수 $y=ax+b$의 그래프가 일치할 때, 상수 a, b의 값은?

① $a=-\dfrac{3}{2}, b=-9$
② $a=-\dfrac{2}{3}, b=-3$
③ $a=-\dfrac{2}{3}, b=3$
④ $a=\dfrac{2}{3}, b=-3$
⑤ $a=\dfrac{3}{2}, b=3$

개념 가이드

일차방정식	함수의 식 →	일차함수
$ax+by+c=0$	← 방정식	$y=\boxed{①}x-\boxed{②}$
$(a\neq0, b\neq0)$		

❶ $-\dfrac{a}{b}$ ❷ $\dfrac{c}{b}$

대표 예제 13

직선 $x=-1$에 수직이고, 점 $(-3, 5)$를 지나는 직선의
방정식은?

① $x=-3$ ② $x=5$ ③ $y=5$

④ $y=-3$ ⑤ $y=-1$

개념 가이드

직선 $x=-1$에 수직이면 **❶** [ ] 축에 **❷** [ ] 한 직선이다.

❶ x **❷** 평행

대표 예제 15

오른쪽 그림은 연립방정식

$\begin{cases} 4x-5y=-8 \\ 4x+y=a \end{cases}$ 의 해를 구하

기 위하여 두 일차방정식의 그
래프를 그린 것이다. 이때 상수
a, b의 값을 각각 구하시오.

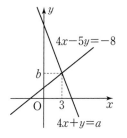

개념 가이드

연립방정식의 **❶** [ ] 는 두 일차방정식의 그래프, 즉 두 일차함수의
그래프의 **❷** [ ] 의 좌표와 같다.

❶ 해 **❷** 교점

대표 예제 14

일차함수 $y=\dfrac{1}{a}x-\dfrac{b}{a}$의 그래프

가 오른쪽 그림과 같을 때, 상수
a, b의 부호는?

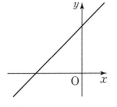

① $a>0, b>0$ ② $a>0, b<0$

③ $a<0, b<0$ ④ $a<0, b>0$

⑤ 알 수 없다.

개념 가이드

일차함수 $y=\dfrac{1}{a}x-\dfrac{b}{a}$의 그래프가

오른쪽 위로 향하므로 $\dfrac{1}{a}$ **❶** [ ] 0

y축과 양의 부분에서 만나므로 $-\dfrac{b}{a}$ **❷** [ ] 0

❶ $>$ **❷** $>$

대표 예제 16

다음 대화를 읽고 상수 a의 값을 구하시오.

개념 가이드

연립방정식의 해가 없다.
→ 두 직선의 교점이 존재하지 않는다.
→ 두 직선이 **❶** [ ] 하다.
→ 두 직선의 기울기는 같고 **❷** [ ] 은 다르다.

❶ 평행 **❷** y절편

1 일차함수 $y=-x+4$의 그래프를 y축의 방향으로 k만큼 평행이동하면 점 $(2, -k)$를 지난다. 이때 상수 k의 값을 구하시오.

> **Tip**
> 일차함수 $y=ax$의 그래프를 y축의 방향으로 b만큼 평행이동한
> 그래프가 점 (p, q)를 지날 때
> **1** 평행이동한 그래프가 나타내는 일차함수의 식
> $y=$ **❶** 를 구한다.
> **2** $x=p$, $y=$ **❷** 를 $y=ax+b$에 대입한다.
> ❶ $ax+b$ ❷ q

2 세 점 $A(1, -1)$, $B(3, 2)$, $C(k, -2)$가 한 직선 위에 있을 때, k의 값을 구하시오.

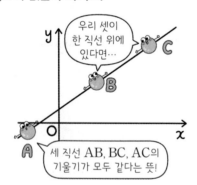

> **Tip**
> 서로 다른 세 점 A, B, C가 한 직선 위에 있다.
> → 세 점 중 어떤 두 점을 택하여 기울기를 구해도 기울기가
> **❶** 하다.
> → (두 점 A, B를 지나는 직선의 기울기)
> =(두 점 B, C를 지나는 직선의 기울기)
> =(두 점 **❷** 를 지나는 직선의 기울기)
> ❶ 일정 ❷ A, C

3 일차함수 $y=ax-b$의 그래프가 오른쪽 그림과 같을 때, 일차함수 $y=\dfrac{1}{a}x+\dfrac{b}{a}$의 그래프가 지나지 않는 사분면을 구하시오.

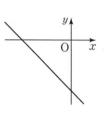

> **Tip**
> 일차함수 $y=ax-b$의 그래프가
> 오른쪽 아래로 향하므로 a **❶** 0
> y축과 음의 부분에서 만나므로 $-b$ **❷** 0
> ❶ $<$ ❷ $<$

4 일차함수 $y=-\dfrac{1}{2}x+1$의 그래프와 x축에서 만나고, 일차함수 $y=\dfrac{2}{3}x-4$의 그래프와 y축에서 만나는 직선을 그래프로 하는 일차함수의 식을 구하시오.

> **Tip**
> 일차함수 $y=ax+b$의 그래프에서
> ① x절편 → x축과 만나는 점의 **❶** 좌표 → $-\dfrac{b}{a}$
> ② y절편 → y축과 만나는 점의 **❷** 좌표 → b
> ❶ x ❷ y

5 오른쪽 그림은 길이가 30 cm 인 양초에 불을 붙이고 x시간 후에 남은 양초의 길이를 y cm라 할 때, x와 y 사이의 관계를 그래프로 나타낸 것이다. 남은 양초의 길이가 8 cm 일 때는 양초에 불을 붙인 지 몇 시간이 지난 후인가?

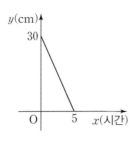

① 2시간 40분 ② 3시간 10분
③ 3시간 40분 ④ 4시간 10분
⑤ 4시간 40분

> **Tip**
> 두 점 $(5, 0)$, $(0, 30)$을 지나는 직선을 그래프로 하는 일차함수
> 의 식은 $y=$ ❶ ▢ $x+$ ❷ ▢ 이다.
>
> ❶ -6 ❷ 30

7 다음 중 일차방정식 $-3x+y-2=0$의 그래프에 대하여 바르게 설명한 학생을 모두 말하시오.

> **Tip**
> 일차방정식 $-3x+y-2=0$의 그래프는 일차함수
> $y=$ ❶ ▢ 의 그래프와 ❷ ▢.
>
> ❶ $3x+2$ ❷ 같다

6 다음 그림에서 점 P는 점 B를 출발하여 $\overline{BC}$를 따라 점 C 까지 매초 2 cm씩 움직인다. △ABP와 △DPC의 넓이의 합이 96 cm²가 되는 것은 점 P가 점 B를 출발한 지 몇 초 후인지 구하시오.

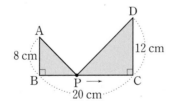

> **Tip**
> 점 P가 점 B를 출발한 지 x초 후에
> $\overline{BP}=$ ❶ ▢ cm, $\overline{PC}=($ ❷ ▢ $)$ cm이다.
>
> ❶ $2x$ ❷ $20-2x$

8 연립방정식 $\begin{cases}(a-1)x-2y=4\\3x+2y=2b\end{cases}$ 의 해가 무수히 많을 때, 상수 a, b의 조건은?

① $a=-2, b=-4$ ② $a\neq-2, b=-4$
③ $a=-2, b\neq-4$ ④ $a=-4, b=-2$
⑤ $a=-4, b\neq-2$

> **Tip**
> 연립방정식 ❶ ▢ 가 무수히 많다.
> → 두 직선이 일치한다.
> → 두 직선의 기울기와 ❷ ▢ 이 각각 같다.
>
> ❶ 해 ❷ y절편

01 다음 중 y가 x의 함수가 <u>아닌</u> 것은?

① 절댓값이 x인 수 y

② 자연수 x의 약수의 개수 y

③ 올해 15살인 학생의 x년 후의 나이 y살

④ 한 변의 길이가 x cm인 정사각형의 넓이 y cm²

⑤ 한 자루에 700원 하는 연필을 x자루 살 때, 지불하는 금액 y원

02 다음 중 y가 x의 일차함수가 <u>아닌</u> 것은?

우리와 같은 모양을 가지면 일차함수야!

$y=ax+b$

단, a와 b는 상수이고 a는 0이 아니야!

① 낮의 길이가 x시간일 때, 밤의 길이는 y시간이다.

② 반지름의 길이가 x cm인 원의 둘레의 길이는 y cm이다.

③ 200원짜리 지우개 1개와 x원짜리 공책 3권의 값은 y원이다.

④ 자동차가 시속 x km로 y시간 동안 달린 거리가 320 km이다.

⑤ 온도가 20 ℃인 물이 매분 4 ℃씩 상승할 때, x분 후의 물의 온도는 y ℃이다.

03 일차함수 $f(x)=\dfrac{2}{x}-1$에 대하여 $f(4)$의 값은?

① $-\dfrac{1}{4}$ ② $-\dfrac{1}{2}$ ③ 1

④ $\dfrac{1}{4}$ ⑤ $\dfrac{1}{2}$

04 일차함수 $y=-2x$의 그래프를 y축의 방향으로 -3만큼 평행이동하면 일차함수 $y=ax+b$의 그래프가 될 때, $a-b$의 값은? (단, a, b는 상수)

① -10 ② -7 ③ -5

④ 1 ⑤ 3

05 일차함수 $y=\dfrac{2}{3}x+b$의 그래프의 x절편이 a이고, y절편이 6일 때, $a+b$의 값은?

① -6 ② -3 ③ 0

④ 3 ⑤ 6

06 다음 중 일차함수 $y=\dfrac{1}{3}x-2$의 그래프는?

①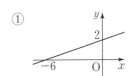

②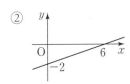

③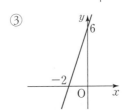

④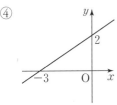

⑤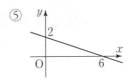

07 다음 중 일차함수 $y=\dfrac{4}{5}x+4$의 그래프에 대한 설명으로 옳지 <u>않은</u> 것은?

① $y=\dfrac{4}{5}(x+7)$의 그래프와 평행하다.

② x의 값이 5만큼 증가하면 y의 값은 4만큼 증가한다.

③ 두 점 $(5, 8)$, $\left(-3, \dfrac{8}{5}\right)$을 지난다.

④ x절편은 -5이고, y절편은 4인 직선이다.

⑤ 제1, 2사분면을 지난다.

08 다음 중 나머지 넷과 평행하지 <u>않은</u> 직선은?

① 일차함수 $y=-2x+1$의 그래프

② x절편이 2, y절편이 -4인 직선

③ 기울기가 -2이고 y절편이 2인 직선

④ 두 점 $(-1, 2)$, $(3, -6)$을 지나는 직선

⑤ y절편이 -2이고 점 $(-1, 0)$을 지나는 직선

09 어떤 환자가 900 mL들이의 링거 주사를 맞고 있다. 주사약이 1분에 5 mL씩 환자의 몸에 들어간다고 하자. x분 후 링거병에 남아 있는 주사약의 양을 y mL라 할 때, 주사약이 400 mL 남았다면 몇 분 동안 링거 주사를 맞았는지 구하시오.

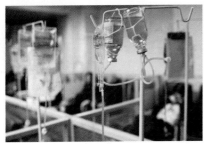

10 다음 그림에서 두 일차방정식 $x-2y+1=0$, $2x+y+2=0$의 그래프의 교점을 찾으시오.

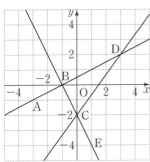

1 다음 동화를 읽고 피노키오가 거짓말 한 횟수를 x회, 피노키오의 코의 길이를 y cm라 할 때, y를 x의 식으로 나타내시오. 또 y가 x의 일차함수인지 말하시오.

제페토 할아버지가 나무토막으로 인형을 만들었습니다. 동그란 눈, 5 cm 길이의 코와 싱글벙글 입을 만들고 옷을 입혀 주었어요. "네 이름은 이제부터 피노키오란다."

그날 밤 요정이 찾아와 피노키오를 사람처럼 움직이게 하고 말도 할 수 있게 해주었지요.

하지만 피노키오는 말썽꾸러기에다 거짓말까지 하는 골칫덩이였습니다. 그래서 요정은 피노키오가 거짓말을 한 번 할 때마다 코가 3 cm씩 길어지는 마법을 걸었답니다. 거짓말을 할 때마다 길어지던 피노키오의 코는 어느 덧 50 cm까지 자라게 되었습니다.

> **Tip**
>
> 피노키오가 거짓말을 1회 할 때마다 코의 길이는 ❶ ☐ 씩 길어진다.
>
> → 피노키오가 거짓말을 x회 할 때마다 코의 길이는 ❷ ☐ 씩 길어진다.
>
> ❶ 3 cm ❷ $3x$ cm

2 아파트에서 이사할 때는 흔히 사다리차를 사용하는데 이때 사다리의 시작 부분에서 아파트까지의 거리를 수평 거리, 지면에서 사다리가 올라간 부분까지의 거리를 수직 거리라 하면

$$(경사도) = \frac{(수직\ 거리)}{(수평\ 거리)}$$

로 나타낼 수 있다.

사다리차 운전사가 다음 그림과 같이 아파트에서 거리가 8 m인 지점에 사다리의 시작 부분을 놓았다. 아파트 한 층의 높이를 2.8 m라 할 때, 10층까지의 경사도를 구하시오.

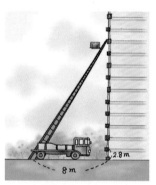

> **Tip**
>
> $(경사도) = \dfrac{(❶\ ☐\ 거리)}{(수평\ 거리)}$ 임을 이용한다. 이때 수직 거리는 10층까지의 ❷ ☐ 를 뜻한다.
>
> ❶ 수직 ❷ 높이

3 다음 그림의 세 점 A(6, 3), B(2, 4), C(1, 2)와 점 P를 선분으로 연결하여 평행사변형 ABCP를 그리려고 한다. 물음에 답하시오.

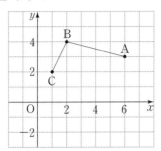

(1) 두 점 A, B를 지나는 직선의 기울기를 구하시오.

(2) 두 점 B, C를 지나는 직선의 기울기를 구하시오.

(3) 사각형 ABCP가 평행사변형이 되도록 하는 점 P의 좌표를 구하시오.

평행사변형은 마주 보는 변이 각각 평행한 사각형이지.

그럼 두 직선 AB와 CP가 평행하고 두 직선 BC와 AP가 평행해야겠구나.

> **Tip**
>
> 두 직선 AB와 CP가 평행하면 두 직선 AB와 CP의 **❶** ⬚⬚⬚ 가 같다.
>
> 두 직선 BC와 AP가 **❷** ⬚⬚⬚ 하면 두 직선 BC와 AP의 기울기가 같다.
>
> **❶** 기울기 **❷** 평행

4 태현이네 가족은 주말을 맞아 캠핑장을 찾았다. 다음 그림과 같이 일차함수 $y = ax + b$의 그래프에 대한 설명이 있는 징검다리에서 설명이 옳으면 ⇨를, 옳지 않으면 ⇩를 따라 징검다리를 건널 때, 태현이네 가족이 도착하는 텐트를 구하시오. (단, a, b는 상수)

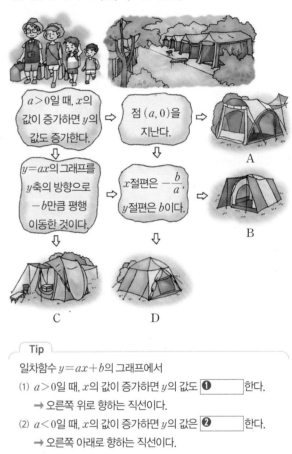

> **Tip**
>
> 일차함수 $y = ax + b$의 그래프에서
>
> (1) $a > 0$일 때, x의 값이 증가하면 y의 값도 **❶** ⬚⬚⬚ 한다.
>   → 오른쪽 위로 향하는 직선이다.
>
> (2) $a < 0$일 때, x의 값이 증가하면 y의 값은 **❷** ⬚⬚⬚ 한다.
>   → 오른쪽 아래로 향하는 직선이다.
>
> **❶** 증가 **❷** 감소

5 유리와 현수는 다음 그림과 같은 두 힌트 상자 A, B에서 카드를 한 장씩 뽑아 만든 $y=ax+b$의 그래프를 네 일차함수의 그래프 ①~④에서 찾는 게임을 하고 있다. 물음에 답하시오.

A
㉠ $a>0$　㉡ $a<0$

B
㉢ $b>0$　㉣ $b<0$
㉤ $b=0$

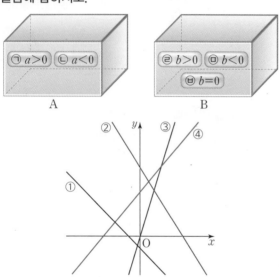

(1) 유리가 뽑은 카드가 ㉡, ㉤일 때, 찾아야 할 그래프는 몇 번인지 구하시오.

(2) 현수가 뽑은 카드가 ㉠, ㉤일 때, 찾아야 할 그래프는 몇 번인지 구하시오.

(3) 두 상자 A, B에서 각각 어떤 카드를 뽑았을 때 ④번 그래프를 찾게 되는지 구하시오.

> **Tip**
> 일차함수 $y=ax+b$의 그래프가
> (1) 오른쪽 위로 향하면 ➡ a ❶◻ 0
> 　　오른쪽 아래로 향하면 ➡ $a<0$
> (2) y축과 양의 부분에서 만나면 ➡ $b>0$
> 　　y축과 음의 부분에서 만나면 ➡ b ❷◻ 0
>
> 　　　　　　　　　　　　❶ > ❷ <

6 다음 만화를 보고, 물음에 답하시오.

(1) 주전자를 냇물에 담가 놓은 시간을 x분, 물 온도를 y ℃라 할 때, y를 x의 식으로 나타내시오.

(2) 철이는 주전자를 냇물에 담근 지 몇 분 뒤에 스승님께 가져가야 하는지 구하시오.

> **Tip**
> 처음 온도가 a ℃, 1분 동안 변한 온도가 k ℃일 때, x분 후의 온도를 y ℃라 하면 x분 동안 변한 온도는 ❶◻ ℃
> ➡ $y=a+$ ❷◻
>
> 　　　　　　　　　　　　❶ kx　❷ kx

7 다음을 보고 세 직선 l, m, n에 대하여 물음에 답하시오.

두 점 $(-1, -a)$, $(1, -3a+4)$를 지나고 x축에 평행해.

두 점 $(-2b+3, 5)$, $(b, -3)$을 지나고 직선 l 너랑은 수직이야.

y절편이 2이고, 점 $(a, b+5)$를 지나는 직선이야.

(1) a의 값을 구한 후 이를 이용하여 직선 l의 방정식을 구하시오.

(2) b의 값을 구한 후 이를 이용하여 직선 m의 방정식을 구하시오.

(3) 직선 n의 방정식을 구하시오.

> **Tip**
> (1) $x=p$의 그래프 : 점 $(p, 0)$을 지나고 ❶ [   ] 축에 평행한 직선
> (2) $y=q$의 그래프 : 점 $(0, q)$를 지나고 ❷ [   ] 축에 평행한 직선
>
> ❶ y ❷ x

8 민정이는 두 마리의 꿀벌이 날아가는 모습을 좌표평면 위에 옮겨 놓았다. 첫 번째 꿀벌이 벌집을 향하여 가는 직선의 방정식을 구했더니 $4x=3y$이었고, 두 번째 꿀벌이 벌집을 향하여 가는 직선의 방정식을 구했더니 $2x+y=10$이었다. 이때 두 마리의 꿀벌이 만나는 지점의 좌표를 구하시오.

두 직선의 교점의 좌표를 찾으면 되겠다!

> **Tip**
> 두 마리의 꿀벌이 만나는 지점은 두 직선 $4x=3y$, ❶ [   ] 의 ❷ [   ] 이다.
>
> ❶ $2x+y=10$ ❷ 교점

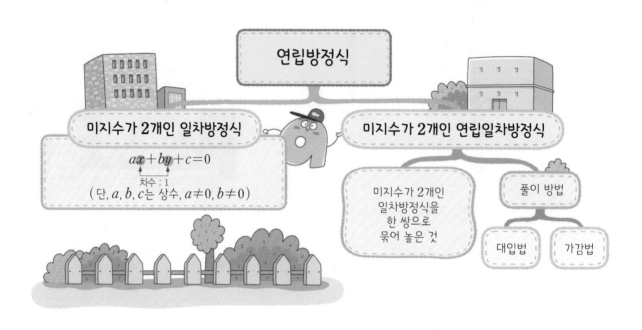

연립방정식

미지수가 2개인 일차방정식

$$ax+by+c=0$$

차수 : 1
(단, a, b, c는 상수, $a \neq 0, b \neq 0$)

미지수가 2개인 연립일차방정식

미지수가 2개인
일차방정식을
한 쌍으로
묶어 놓은 것

풀이 방법

대입법   가감법

연립일차방정식의 풀이

여러 가지 연립방정식

- 괄호가 있는 연립방정식
- 계수가 소수인 연립방정식
- 계수가 분수인 연립방정식

$A=B=C$ 꼴의 방정식

$$\begin{cases} A=B \\ A=C \end{cases} \text{ 또는 } \begin{cases} A=B \\ B=C \end{cases} \text{ 또는 } \begin{cases} A=C \\ B=C \end{cases}$$

해가 특수한 연립방정식

$$\begin{cases} ax+by=c \\ a'x+b'y=c \end{cases}$$

해가 무수히 많다.
$$\frac{a}{a'} = \frac{b}{b'} = \frac{c}{c'}$$

해가 없다.
$$\frac{a}{a'} = \frac{b}{b'} \neq \frac{c}{c'}$$

일차함수

일차함수의 뜻

$y=ax+b$ (단, a, b는 상수, $a \neq 0$)

평행이동

$y=ax$ $\xrightarrow[\text{$b$만큼 평행이동}]{\text{$y$축의 방향으로}}$ $y=ax+b$

x절편, y절편, 기울기

기울기
$y=ax+b$
x절편
$-\dfrac{b}{a}$
y절편
b

일차함수의 그래프의 평행과 일치

두 일차함수 $y=ax+b$, $y=a'x+b'$에 대하여
(1) 두 그래프가 평행하다.   (2) 두 그래프가 일치한다.
  ➡ $a=a'$, $b \neq b'$ ➡ $a=a'$, $b=b'$

일차방정식과 일차함수

일차방정식   일차함수
$4x-5y+20=0 = y=\dfrac{4}{5}x+4 =$

연립방정식의 해와 그래프

연립방정식의 해
$x=p, y=q$

⇕

두 일차함수의
그래프의 교점의
좌표 (p, q)

1 다음 그림과 같이 차례대로 주어진 연산을 통과하여 아래와 같은 결과를 얻었다고 할 때, 두 수 x, y의 값을 각각 구하시오.

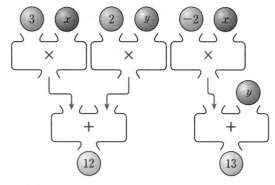

(1) 연산을 통과하여 생기는 연립방정식을 세우시오.

(2) (1)에서 세운 연립방정식의 해를 구하시오.

> **Tip**
> 연산을 통과하면
> $3x+2y=$ ❶ $\boxed{}$, $-2x+y=$ ❷ $\boxed{}$ 이 된다.
>
> ❶ 12 ❷ 13

2 다음 표와 같이 짝수들을 배열하고 그 중에서

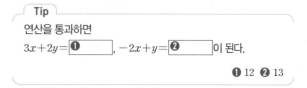 의 모양으로 4개의 수를 택하여 더하였더니

그 값이 412였다. 네 수 a, b, c, d 중 가장 작은 수를 x, 가장 큰 수를 y라 하고, 네 수를 구하기 위한 연립방정식

을 세우면 $\begin{cases} x+y=m \\ x-y=n \end{cases}$ 일 때, 물음에 답하시오.

2	12	22	32	42	⋯
4	14	24	34	44	⋯
6	16	26	36	46	⋯
8	18	28	38	48	⋯
10	20	30	40	50	⋯
⋮	⋮	⋮	⋮	⋮	

표를 보니 오른쪽으로 이동할 때마다 10씩 증가하네.

그리고 아래로 이동할 때마다 2씩 증가해.

(1) m, n의 값을 각각 구하시오.

(2) 연립방정식 $\begin{cases} x+y=m \\ x-y=n \end{cases}$ 을 풀어 x, y의 값을 각각 구하시오.

> **Tip**
> a, b, c, d 중 가장 작은 수는 a, 가장 큰 수는 d이므로
> $a=x, d=y$이다.
> 이때 b를 x의 식으로 나타내면 $b=$ ❶ $\boxed{}$ 이고 c를 y의 식으로 나타내면 $c=$ ❷ $\boxed{}$ 이다.
>
> ❶ $x+10$ ❷ $y-10$

3 다음 [그림 1], [그림 2]는 똑같은 모양의 직사각형 여러 개를 쌓아올린 것이다. 직사각형의 긴 변의 길이를 구하시오.

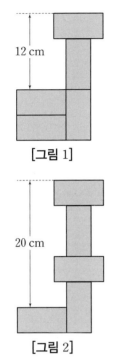

[그림 1]

12 cm

[그림 2]

20 cm

> **Tip**
> 직사각형의 긴 변의 길이를 x cm, 짧은 변의 길이를 y cm라 두고 ❶ □□□ 에 대한 ❷ □□□□ 을 세운다.
>
> ❶ 길이 ❷ 연립방정식

4 다음 그림과 같이 정사각형 모양의 빨간 색종이와 파란 색종이를 겹쳐놓았는데 겹쳐진 부분은 한 변의 길이가 2 cm인 정사각형 모양이다. [그림 1]에서 위에 있는 빨간 색종이의 넓이는  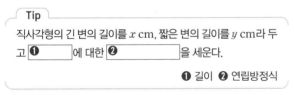 모양의 파란 색종이의 넓이의 5배이고, [그림 2]에서 ▢ 모양의 빨간 색종이의 넓이는 위에 있는 파란 색종이의 넓이의 4배일 때, 빨간 색종이의 넓이는? (단, 두 색종이는 모두 불투명하다.)

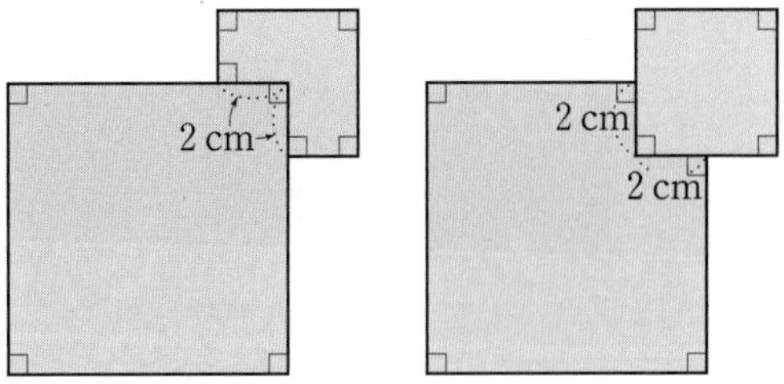

[그림 1]   [그림 2]

2 cm   2 cm

2 cm

① 81 cm² ② 100 cm² ③ 121 cm²

④ 144 cm² ⑤ 169 cm²

> **Tip**
> 정사각형 모양의 빨간 색종이의 넓이를 x cm², 정사각형 모양의 파란 색종이의 넓이를 ❶ □□ cm²라 하고 ❷ □□□□ 을 세운다.
>
> ❶ y ❷ 연립방정식

5

천둥과 번개 중 더 빠른 것은?

비 오는 날 '우르릉 쾅쾅' 천둥 소리에 놀라 잠을 깬 적이 다들 있을 것이다. 이때 천둥 소리가 먼저 들렸나? 아니면 번개가 먼저 보였나?

기온이 0 °C일 때 소리의 속력은 초속 331 m, 빛의 속력은 초속 30만 km로 빛이 소리보다 아주 빠르다. 따라서 번개가 먼저 보이고 몇 초 후에 천둥 소리가 들리게 된다.

기온이 1 °C 오를 때마다 소리의 속력은 초속 0.6 m씩 빨라진다고 한다. 이때 기온이 20 °C일 때의 소리의 속력은 초속 몇 m인지 구하시오.

Tip

기온이 1 °C 오를 때마다 소리의 속력은 초속 ❶ [　] m씩 빨라지므로 기온이 x °C만큼 오르면 소리의 속력은 초속 ❷ [　] m만큼 빨라진다.

❶ 0.6 ❷ 0.6x

6

다음은 4대의 열차 A, B, C, D가 정차하지 않고 일정한 시간 동안 달린 거리를 그래프로 나타낸 것이다. 그래프를 보고 나눈 학생들의 대화를 읽고 바르게 설명한 학생을 모두 고르시오.

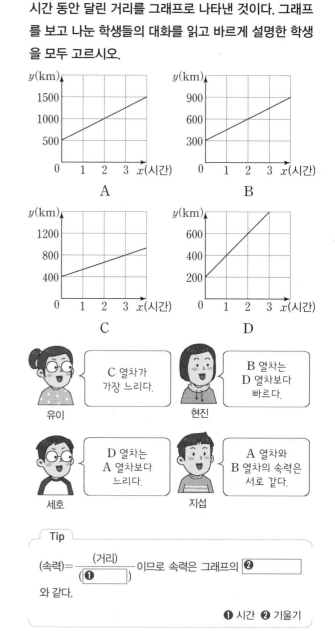

Tip

$(속력)=\dfrac{(거리)}{(❶ \quad)}$ 이므로 속력은 그래프의 ❷ [　] 와 같다.

❶ 시간 ❷ 기울기

7 주연이는 좌표평면 위에 다음 그림과 같은 모양의 도형을 그렸다. 물음에 답하시오.

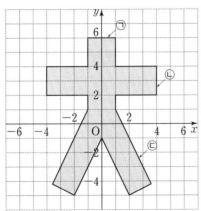

(1) 선분 ㉠과 선분 ㉡을 연장한 직선의 방정식을 각각 구하시오.

(2) 선분 ㉢을 연장한 직선을 그래프로 하는 일차함수의 기울기를 구하시오.

(3) (2)의 결과를 이용하여 선분 ㉢을 연장한 직선을 그래프로 하는 일차함수의 식을 구하시오.

> **Tip**
> (1) 점 $(p, 0)$을 지나고 y축에 평행한 직선
> → $x=$ **❶**
> (2) 점 $(0, q)$을 지나고 x축에 평행한 직선
> → $y=$ **❷**
>
> ❶ p ❷ q

8 다음은 해적 왕 골.D.로저의 유서이다.

> 내 몸은 이미 회복이 불가능해. 이렇게 되니 내가 숨겨놓은 보물들을 어떻게 해야 할까 하는 생각이 들더군. 영영 숨겨두고 싶었지만 마지막으로 좋은 일을 한 번 하려고 하네. 아래 단서가 자네들에게 보물이 있는 곳을 알려줄걸세. 좌표축이 그려진 지도도 같이 남기니 잘 찾아보게.
> 그럼, 행운을 비네.
>
> > 보물은 일차방정식 $x+y-2=0$의 그래프와 일차방정식 $2x-y=1$의 그래프가 만나는 곳에 있네.

위의 유서를 읽고 좌표축이 그려진 다음 지도에서 보물의 위치를 순서쌍으로 나타내시오.

> **Tip**
> 두 일차방정식 $x+y-2=0$, $2x-y=1$의 그래프의 교점의 좌표는 연립방정식 $\begin{cases} x+y-2=0 \\ 2x-y= \text{❶} \end{cases}$의 **❷**와 같다.
>
> ❶ 1 ❷ 해

01 다음 그림을 보고 미지수가 2개인 일차방정식이 적혀 있는 팻말을 들고 있는 학생을 말하시오.

$xy-1=0$ 서준

$4x-3=2y+4$ 수아

$2x-7=x$ 준혁

$2x-2(y^2-1)=-y^2$ 연주

02 일차방정식 $5x-2(ay-1)=3$의 해가 $x=3$, $y=-1$일 때, 상수 a의 값은?

① -10 ② -7 ③ -5

④ 3 ⑤ 7

03 연립방정식 $\begin{cases} 2x-y=-5 & \cdots\cdots ㉠ \\ 3x+2y=-4 & \cdots\cdots ㉡ \end{cases}$ 를 풀기 위해 ㉠을 정리하여 ㉡에 대입하였더니 $ax=-14$가 되었다. 이때 상수 a의 값은?

① 7 ② 9 ③ 11

④ 13 ⑤ 15

04 연립방정식 $\begin{cases} 3x+ay=10 \\ bx+3y=2 \end{cases}$ 의 해가 $x=2$, $y=-2$일 때, $a+b$의 값은? (단, a, b는 상수)

① 1 ② 2 ③ 3

④ 4 ⑤ 5

05 연립방정식 $\begin{cases} 3x+y=11 \\ y=x-5 \end{cases}$ 의 해가 일차방정식

$\dfrac{1}{4}ax+y=-3$을 만족시킬 때, 다음 물음에 답하시오.

(1) 연립방정식 $\begin{cases} 3x+y=11 \\ y=x-5 \end{cases}$ 의 해를 구하시오.

(2) 상수 a의 값을 구하시오.

06 다음은 연립방정식 $\begin{cases} 2x-y=-4 \\ x+2y=a+1 \end{cases}$ 을 만족시키는 y의 값이 x의 값보다 3만큼 클 때, 상수 a의 값을 구하는 문제에 대하여 수진이와 정우가 나눈 대화이다.

위의 대화를 읽고 상수 a의 값을 구하시오.

07 다음 두 연립방정식의 해가 서로 같을 때, $a+b$의 값은?

(단, a, b는 상수)

$$\begin{cases} -3x+2y=1 \\ 5x+ay=9 \end{cases}, \quad \begin{cases} bx-4y=-3 \\ 3x+4y=11 \end{cases}$$

① 0 　　　② 2 　　　③ 3
④ 5 　　　⑤ 7

08 연립방정식 $\begin{cases} 2x+3y=5 & \cdots\cdots ㉠ \\ 4x+3y=-5 & \cdots\cdots ㉡ \end{cases}$ 을 풀 때 ㉡의

상수항 -5를 잘못 보고 풀어서 $x=-2$가 되었다. 이때 상수항 -5를 어떤 수로 잘못 보았는가?

① -7 　　　② -5 　　　③ -3
④ 0 　　　⑤ 1

09 연립방정식 $\begin{cases} 5x-(x-3y)=4 \\ 2x+3(x+y)=4x+10 \end{cases}$ 의 해가 (a, b)일 때, $a+4b$의 값은?

① 14 　　② 16 　　③ 18

④ 20 　　⑤ 22

11 방정식 $8x+4y-5=7x-4y=2x+3$의 해가 (m, n)일 때, mn의 값은?

① $-\dfrac{1}{2}$ 　　② $-\dfrac{1}{4}$ 　　③ 0

④ $\dfrac{1}{4}$ 　　⑤ $\dfrac{1}{2}$

10 연립방정식 $\begin{cases} \dfrac{y-x}{5}+0.3x=-\dfrac{1}{5} \\ \dfrac{x+2y}{10}-\dfrac{6}{5}y=2.2 \end{cases}$ 를 푸시오.

이렇게 식이 복잡하면 먼저 계수를 정수로 바꿔봐.

음… 그럼 소수, 분수를 모두 정수로 바꿀 수 있는 10을 곱해봐야지.

12 다음 중 해가 무수히 많은 연립방정식은?

① $\begin{cases} x=1-y \\ 3x+3y=5 \end{cases}$ 　　② $\begin{cases} x-y=3 \\ -x+y=3 \end{cases}$

③ $\begin{cases} x-3y=-6 \\ x=2y-5 \end{cases}$ 　　④ $\begin{cases} 2x+y=4 \\ x-3y=9 \end{cases}$

⑤ $\begin{cases} \dfrac{1}{2}x+y=2 \\ x=4-2y \end{cases}$

13 영웅이는 어머니 심부름으로 과일 가게에 가서 몇 종류의 과일을 사가지고 왔다. 어머니가 과일을 확인해 보니 복숭아 상태가 불량했다. 복숭아를 교환하려고 영수증을 확인하니 다음과 같이 영수증의 일부분이 얼룩져 알아볼 수 없었다. 이때 구입한 복숭아는 몇 개인지 구하시오.

\u00a0	영 수 증		
No.			귀하
품 목	단 가	수 량	금 액
복숭아	1,000		
자두	400		
사과	800	5	4,000
합 계		40	36,000
위 금액을 정히 영수(청구)함.			

14 아름이와 지훈이가 계단에서 가위바위보를 하는데 이긴 사람은 2계단씩 올라가고, 진 사람은 1계단씩 내려가기로 했다. 얼마 후 아름이는 처음 위치보다 12계단 올라가 있었고, 지훈이는 처음 위치보다 3계단 내려가 있었다. 이때 아름이와 지훈이가 가위바위보를 한 횟수를 구하시오. (단, 비기는 경우는 없었다.)

15 어느 영화관의 어제 총 관객 수는 1200명이었다. 오늘은 어제에 비하여 남자 관객 수는 3 % 증가하고, 여자 관객 수는 6 % 감소하여 전체 관객 수는 36명이 감소하였다. 이때 오늘 남자 관객 수는?

① 388명 ② 400명 ③ 412명
④ 776명 ⑤ 824명

16 지수는 동네 뒷산을 등반하는 데 올라갈 때는 시속 3 km로 걷고, 정상에서 20분 쉰 후에 내려올 때는 올라갈 때와 다른 길로 시속 4 km로 걸었다고 한다. 지수가 이동한 전체 거리는 15 km이고 총 4시간 40분이 걸렸을 때, 올라간 거리를 구하시오.

01 다음 중 y가 x의 일차함수가 <u>아닌</u> 것은?

① y는 자연수 x의 약수이다.
② 하루의 낮의 길이가 x시간일 때, 밤의 길이는 y시간이다.
③ 시속 x km로 3시간 동안 달린 거리는 y km이다.
④ 1분에 12장을 인쇄하는 프린터가 x분 동안 인쇄한 종이는 y장이다.
⑤ 160개인 사탕을 x개씩 10명에게 나누어 주면 남은 사탕의 개수는 y이다.

02 일차함수 $f(x) = -x - a$에 대하여 $f(-3) = 2, f(2) = b$일 때, $\dfrac{b}{a}$의 값은? (단, a는 상수)

① -6　　　② -3　　　③ -2
④ $\dfrac{1}{3}$　　　⑤ 3

03 일차함수 $y = -2x$의 그래프를 y축의 방향으로 -3만큼 평행이동한 그래프가 두 점 $(a, -2)$, $(1, b)$를 지날 때, ab의 값은?

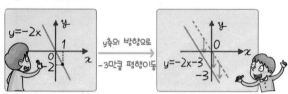

① -5　　　② -3　　　③ $-\dfrac{1}{2}$
④ $\dfrac{5}{2}$　　　⑤ 4

04 두 점 $(1, 3)$, $(4, -6)$을 지나는 일차함수의 그래프의 기울기는?

① -3　　　② $-\dfrac{1}{3}$　　　③ $\dfrac{1}{3}$
④ 1　　　⑤ 3

05 일차함수 $y=\dfrac{2}{3}x+5$의 그래프를 y축의 방향으로 -3 만큼 평행이동한 그래프와 x축, y축으로 둘러싸인 도형 의 넓이를 구하려고 한다. 물음에 답하시오.

(1) 일차함수 $y=\dfrac{2}{3}x+5$의 그래프를 y축의 방향으로 -3만큼 평행이동한 그래프를 좌표평면 위에 그 리시오.

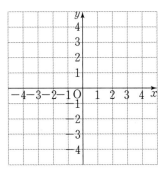

(2) (1)에서 그린 그래프와 x축, y축으로 둘러싸인 도형 의 넓이를 구하시오.

06 일차함수 $y=ax+b$의 그래프에 대한 설명으로 옳은 것 은? (단, a, b, c, d는 상수, $a\neq0, c\neq0$)

① 점 $(-1, a-b)$를 지난다.

② x절편은 $\dfrac{b}{a}$이고, y절편은 b이다.

③ $a<0, b<0$이면 그래프가 제1사분면을 지난다.

④ a는 y의 값의 증가량에 대한 x의 값의 증가량의 비 율이다.

⑤ 일차함수 $y=cx+d$에서 $a=c, b\neq d$이면 두 그 래프는 평행하다.

07 다음 보기의 일차함수의 그래프에 대하여 바르게 설명한 학생을 말하시오.

보기
ㄱ $y=2x-7$　　ㄴ $y=-5x+4$
ㄷ $y=-\dfrac{1}{3}x-5$　　ㄹ $y=-\dfrac{1}{2}x-6$
ㅁ $y=5x+4$　　ㅂ $y=-2x$

08 일차함수 $y=\dfrac{b}{a}x+b$의 그래프 가 오른쪽 그림과 같을 때, 상수 a, b의 부호는?

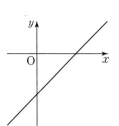

① $a>0, b>0$　　② $a<0, b>0$

③ $a>0, b<0$　　④ $a<0, b<0$

⑤ $a>0, b=0$

09 다음 그림의 직선과 평행하고, x절편이 -2인 직선을 그 래프로 하는 일차함수의 식은?

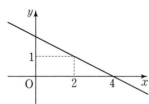

① $y=-\dfrac{1}{2}x-1$ ② $y=-\dfrac{1}{2}x+1$

③ $y=\dfrac{1}{2}x-1$ ④ $y=\dfrac{1}{2}x+1$

⑤ $y=\dfrac{1}{2}x-2$

10 다음 4명의 학생이 말한 일차함수의 식 중 나머지 셋과 다른 일차함수의 식을 말한 학생을 고르시오.

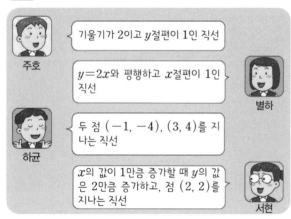

기울기가 2이고 y절편이 1인 직선

— 주호

$y=2x$와 평행하고 x절편이 1인 직선

— 별하

두 점 $(-1, -4)$, $(3, 4)$를 지나는 직선

— 하균

x의 값이 1만큼 증가할 때 y의 값은 2만큼 증가하고, 점 $(2, 2)$를 지나는 직선

— 서현

11 냉장고에서 바로 꺼낸 4 °C의 물을 상온에 두면 온도가 4분에 1.2 °C씩 일정하게 올라간다고 한다. 냉장고에서 물을 꺼낸 지 x분 후의 물의 온도를 y °C라 할 때, y를 x의 식으로 나타내고, 물의 온도가 13 °C가 되는 것은 물을 냉장고에서 꺼낸 지 몇 분 후인가?

① $y=0.3x+4$, 20분

② $y=0.3x+4$, 30분

③ $y=0.4x+4$, 20분

④ $y=0.4x+4$, 30분

⑤ $y=1.2x+4$, 30분

12 오른쪽 그림과 같은 직사각형 ABCD에서 점 P는 점 B를 출발하여 점 C까지 $\overline{BC}$ 위를 매초 1 cm씩 움직인다. △ABP의 넓이가 10 cm²가 되는 것은 점 P가 점 B를 출발한 지 몇 초 후인지 구하시오.

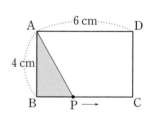

13 두 일차방정식 $2x+y=3$, $7x+y=-2$의 그래프의 교점을 지나고 x축에 평행한 직선의 방정식은?

① $y=5$　　　② $y=-1$　　　③ $x=5$

④ $x+1=0$　　　⑤ $y=2x+3$

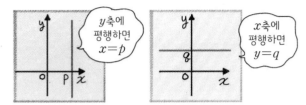

15 연립방정식 $\begin{cases} ax-10y=-2 \\ -2x+by=1 \end{cases}$ 의 해가 무수히 많을 때, 일차함수 $y=ax+b$의 그래프가 지나지 않는 사분면은?

(단, a, b는 상수)

① 제1사분면　　　② 제2사분면

③ 제3사분면　　　④ 제4사분면

⑤ 제1, 3사분면

14 다음 그림은 두 일차방정식 $x-2y=6$, $ax+y=6$의 그래프를 나타낸 것이다. 이때 상수 a의 값은?

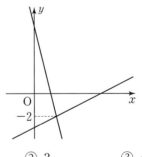

① -5　　　② 3　　　③ 4

④ 5　　　⑤ 6

16 다음 세 직선으로 둘러싸인 도형의 넓이는?

$$y=0, \quad x-y+2=0, \quad x+2y-1=0$$

① $\dfrac{1}{4}$　　　② $\dfrac{1}{2}$　　　③ 1

④ $\dfrac{3}{2}$　　　⑤ 3

memo

최고를 위한 교재는 다르다

최고수준
수학

최고를 위한 심화 학습 교재
최고수준 수학!
(중 1~3 / 학기별)

book.chunjae.co.kr

교재 내용 문의 ·················· 교재 홈페이지 ▶ 중학 ▶ 교재상담
교재 내용 외 문의 ·················· 교재 홈페이지 ▶ 고객센터 ▶ 1:1문의
발간 후 발견되는 오류 ··············· 교재 홈페이지 ▶ 중학 ▶ 학습지원 ▶ 학습자료실

중간고사 기말고사
고득점을 예약하자!

시험비법
수학전략
중학 2-1
BOOK 3 정답과 풀이

천재교육

수학전략

정답과 풀이

중간고사 대비

1주 유리수와 순환소수, 식의 계산 (1)

1일 개념 돌파 전략 ❶   9쪽, 11쪽

1-2 ④   **2-2** 우현, 은지   **3-2** (1) $\dfrac{14}{9}$ (2) $\dfrac{3}{22}$

4-2 ④   **5-2** 풀이 참조

6-2 (1) $2x-3y+3$ (2) $7x^2-3x$

1-2 ① $0.310310310\cdots \rightarrow 310$

② $1.010101\cdots \rightarrow 01$

③ $5.315315\cdots \rightarrow 315$

⑤ $14.70777077\cdots \rightarrow 7077$

따라서 순환마디를 바르게 나타낸 것은 ④이다.

2-2 수진 : $\dfrac{21}{98}=\dfrac{3}{14}=\dfrac{3}{2\times 7}$

우현 : $\dfrac{9}{225}=\dfrac{1}{25}=\dfrac{1}{5^2}$

은지 : $\dfrac{6}{75}=\dfrac{2}{25}=\dfrac{2}{5^2}$

성수 : $\dfrac{42}{270}=\dfrac{7}{45}=\dfrac{7}{3^2\times 5}$

따라서 유한소수로 나타낼 수 있는 분수가 적힌 카드를 들고 있는 학생은 우현, 은지이다.

분수를 기약분수로 나타낸 후

분모의 소인수가 2 또는 5뿐이면 → 유한소수

분모의 소인수 중에 2 또는 5 이외의 소인수가 있으면 → 순환소수

꼭 기억해!

3-2 (1) $1.\dot{5}=\dfrac{15-1}{9}=\dfrac{14}{9}$

(2) $0.1\dot{3}\dot{6}=\dfrac{136-1}{990}=\dfrac{135}{990}=\dfrac{3}{22}$

4-2 ① $a^2\times a^3=a^{2+3}=a^5$

② $(a^3)^4=a^{3\times 4}=a^{12}$

③ $a^8\div a^2=a^{8-2}=a^6$

④ $(a^2b^3)^4=a^{2\times 4}b^{3\times 4}=a^8b^{12}$

⑤ $\left(\dfrac{a^5}{b^3}\right)^2=\dfrac{a^{5\times 2}}{b^{3\times 2}}=\dfrac{a^{10}}{b^6}$

따라서 옳은 것은 ④이다.

5-2 $\div \dfrac{1}{2}xy^2$을 $\times 2xy^2$으로 잘못 계산했다.

따라서 바르게 계산하면

$8x^4\div \dfrac{1}{2}xy^2=8x^4\times \dfrac{2}{xy^2}=\dfrac{16x^3}{y^2}$

6-2 (1) $(5x-3y-4)-(3x-7)$

$=5x-3y-4-3x+7$

$=2x-3y+3$

(2) $(5x^2-4x+3)-(-2x^2-x+3)$

$=5x^2-4x+3+2x^2+x-3$

$=7x^2-3x$

1일 개념 돌파 전략 ❷   12쪽~13쪽

1 ④   **2** ⑤   **3** 예은   **4** ①

5 ④   **6** $5, 4, 20, -2, 7, 20$ **7** ④, ⑤

---

1 ① $-\dfrac{4}{9}=-0.444\cdots$이므로 무한소수이다.

② $\dfrac{5}{24}=0.208333\cdots$이므로 무한소수이다.

③ $\dfrac{7}{40}=0.175$이므로 유한소수이다.

④ $\pi=3.141592\cdots$이므로 무한소수이다.

따라서 옳지 않은 것은 ④이다.

2 $\dfrac{6}{250} = \dfrac{3}{\boxed{①125}} = \dfrac{3}{\boxed{②5^3}} = \dfrac{3 \times \boxed{③2^3}}{\boxed{②5^3} \times \boxed{③2^3}}$

$\qquad = \dfrac{\boxed{④24}}{1000} = \boxed{⑤0.024}$

따라서 ①~⑤에 들어갈 수로 알맞지 않은 것은 ⑤이다.

3 유준, 은지 : 순환마디가 05이므로 $0.2050505\cdots$는 $0.2\dot{0}\dot{5}$
로 나타낼 수 있다.

현수, 예은 : $x = 0.2050505\cdots$에서

$\qquad 1000x = 205.0505\cdots \qquad \cdots\cdots ㉠$

$\qquad\ \ 10x = \ \ \ 2.0505\cdots \qquad \cdots\cdots ㉡$

$㉠ - ㉡$을 하면

$\qquad 990x = 203 \qquad \therefore x = \dfrac{203}{990}$

따라서 잘못 설명한 학생은 예은이다.

4 ① $(a^2)^3 = a^{2 \times 3} = a^6$

② $a^4 \times a = a^{4+1} = a^5$

③ $a^{12} \div a^7 = a^{12-7} = a^5$

④ $(a^2b)^4 \div a^3b^4 = a^8b^4 \div a^3b^4 = \dfrac{a^8b^4}{a^3b^4} = a^5$

⑤ $\left(\dfrac{a}{b^2}\right)^5 \times (b^5)^2 = \dfrac{a^5}{b^{10}} \times b^{10} = a^5$

따라서 계산 결과가 나머지 넷과 다른 하나는 ①이다.

5 ① $3x^2 \times 6xy = 18x^3y$

② $2x \times (-3y)^3 = 2x \times (-27y^3) = -54xy^3$

③ $9a^2b^5 \div \dfrac{3}{4}ab = 9a^2b^5 \times \dfrac{4}{3ab} = 12ab^4$

④ $(-6x^3y)^2 \div 3xy = 36x^6y^2 \div 3xy$

$\qquad\qquad = \dfrac{36x^6y^2}{3xy} = 12x^5y$

⑤ $(-2x^2y)^2 \times (-3xy^2) = 4x^4y^2 \times (-3xy^2)$

$\qquad\qquad\qquad = -12x^5y^4$

따라서 옳은 것은 ④이다.

6 $\dfrac{2x-3y}{4} - \dfrac{3x-2y}{5}$

$= \dfrac{\boxed{5}(2x-3y) - \boxed{4}(3x-2y)}{\boxed{20}}$

$= \dfrac{10x-15y-12x+8y}{20}$

$= \dfrac{\boxed{-2}x - \boxed{7}y}{\boxed{20}}$

7 ② $x^2 - 3x^2 + 7 = -2x^2 + 7$ ➡ 이차식

③ $2x^2 + 5x - 5x^2 = -3x^2 + 5x$ ➡ 이차식

④ $3(x - x^2) + 3x^2 = 3x - 3x^2 + 3x^2 = 3x$ ➡ 일차식

⑤ 분모에 x^2이 있으므로 이차식이 아니다.

따라서 x에 대한 이차식이 아닌 것은 ④, ⑤이다.

2일 필수 체크 전략 ❶ 확인　　14쪽~17쪽

| 1-1 2 | 1-2 1 | 2-1 ⑤ | 2-2 ①, ③ |
| 3-1 ③ | 3-2 17 | 4-1 ③ | 4-2 ㉡, ㉢, ㉣ |

1-1 $\dfrac{3}{11} = 0.\dot{2}\dot{7}$이므로 순환마디의 숫자의 개수는 2이다.

이때 $9 = 2 \times 4 + 1$이므로 소수점 아래 9번째 자리의 숫자
는 순환마디의 첫 번째 숫자인 2이다.

1-2 $\dfrac{4}{37} = 0.\dot{1}0\dot{8}$이므로 순환마디의 숫자의 개수는 3이다.

이때 $50 = 3 \times 16 + 2$이므로 소수점 아래 50번째 자리의
숫자는 순환마디의 2번째 숫자인 0이다. 　　$\therefore a = 0$

또 $100 = 3 \times 33 + 1$이므로 소수점 아래 100번째 자리의
숫자는 순환마디의 첫 번째 숫자인 1이다. 　　$\therefore b = 1$

$\therefore a + b = 0 + 1 = 1$

2-1 ① $\dfrac{11}{20} = \dfrac{11}{2^2 \times 5}$

② $\dfrac{75}{150} = \dfrac{1}{2}$

③ $\dfrac{121}{440} = \dfrac{11}{40} = \dfrac{11}{2^3 \times 5}$

④ $\dfrac{27}{2^2 \times 3 \times 5} = \dfrac{3^2}{2^2 \times 5}$

⑤ $\dfrac{35}{2^3 \times 3 \times 5} = \dfrac{7}{2^3 \times 3}$

따라서 순환소수로만 나타낼 수 있는 것은 ⑤이다.

2-2 $\dfrac{A}{2^3 \times 3 \times 5}$가 유한소수가 되려면 A는 3의 배수이어야 한
다.

따라서 A의 값이 될 수 있는 것은 6, 21이다.

3-1 ① $0.\dot{4}=\dfrac{4}{9}$

② $0.0\dot{1}=\dfrac{1}{90}$

③ $0.\dot{4}\dot{5}=\dfrac{45}{99}=\dfrac{5}{11}$

④ $3.\dot{6}\dot{9}=\dfrac{369-3}{99}=\dfrac{366}{99}=\dfrac{122}{33}$

⑤ $0.3\dot{5}\dot{7}=\dfrac{357-3}{990}=\dfrac{354}{990}=\dfrac{59}{165}$

따라서 옳은 것은 ③이다.

3-2 $1.1333\cdots=1.1\dot{3}=\dfrac{113-11}{90}=\dfrac{102}{90}=\dfrac{17}{15}$

$\therefore x=17$

4-1 ② 유리수 중에는 순환소수가 있으므로 무한소수도 있다.

③ 무한소수 중에는 분수로 나타낼 수 있는 순환소수도 있다.

④ 무한소수 중에는 순환하지 않는 무한소수도 있으므로 유리수가 아닌 것도 있다.

따라서 옳지 않은 것은 ③이다.

4-2 ㉠ 0은 유리수이다.

㉢ 기약분수는 유한소수 또는 순환소수로 나타낼 수 있으므로 유한소수로 나타낼 수 없는 기약분수는 모두 순환소수로 나타낼 수 있다.

㉣ 순환소수가 아닌 무한소수는 유리수가 아니므로
$\dfrac{(\text{정수})}{(0\text{이 아닌 정수})}$ 꼴로 나타낼 수 없다.

따라서 옳은 것은 ㉢, ㉢, ㉣이다.

---

2 $\dfrac{7}{125}=\dfrac{7}{5^3}=\dfrac{7\times2^3}{5^3\times2^3}=\dfrac{56}{10^3}$

따라서 $a+n$의 최솟값은 $56+3=59$

3 $\dfrac{14}{2^4\times5\times a}=\dfrac{7}{2^3\times5\times a}$이 유한소수가 되려면

$\dfrac{7}{2^3\times5\times a}$의 분모의 소인수가 2 또는 5뿐이어야 하므로 a의 값이 될 수 없는 것은 21이다.

4 $\dfrac{x}{90}=\dfrac{x}{2\times3^2\times5}$가 유한소수가 되려면 x는 3^2, 즉 9의 배수이어야 한다.

이때 $10<x<20$이므로 $x=18$

즉 $\dfrac{18}{90}=\dfrac{1}{5}$에서 $y=5$

$\therefore x+y=18+5=23$

5 $0.0\dot{6}\dot{7}=\dfrac{67}{990}$이고 진희는 분자는 바르게 보았으므로

$a=67$

$0.\dot{6}7\dot{0}=\dfrac{670}{999}$이고 정식이는 분모는 바르게 보았으므로

$b=999$

$\therefore \dfrac{a}{b}=\dfrac{67}{999}=0.\dot{0}6\dot{7}$

6 $\dfrac{8}{11}=x+0.\dot{3}\dot{2}$에서 $\dfrac{8}{11}=x+\dfrac{32}{99}$

$\therefore x=\dfrac{8}{11}-\dfrac{32}{99}=\dfrac{72}{99}-\dfrac{32}{99}=\dfrac{40}{99}$

$=0.4040\cdots=0.\dot{4}\dot{0}$

2일 **필수 체크 전략 ❷**　　18쪽~19쪽

| **1** 5 | **2** 59 | **3** ③ | **4** ⑤ |
| **5** $0.\dot{0}6\dot{7}$ | **6** ① | | |

1 $0.2\dot{5}\dot{6}$에서 순환마디의 숫자는 5, 6의 2개이고 소수점 아래 첫 번째 자리의 숫자 2는 순환하지 않는다.

따라서 소수점 아래 50번째 자리의 숫자는 순환하는 부분의 49번째 숫자이고 $49=2\times24+1$이므로 순환마디의 첫 번째 숫자인 5이다.

3일 **필수 체크 전략 ❶ 확인**　　20쪽~23쪽

1-1 ③	**1-2** 15	**2-1** ②	**2-2** 10
3-1 $\dfrac{18b^4}{a^5}$	**3-2** ⑤	**4-1** $\dfrac{5}{4}a^2-\dfrac{1}{3}a-2$	
4-2 8			

1-1 ① $3^2\times3^2\times3^2=3^{2+2+2}=3^6$

② $(3^2)^5\times(3^2)^5=3^{10}\times3^{10}=3^{10+10}=3^{20}$

③ $5^6\div5^2\div5^3=5^{6-2-3}=5$

④ $5^3\div\dfrac{1}{5^3}=5^3\times5^3=5^{3+3}=5^6$

⑤ $\left(-\dfrac{3y}{x^3}\right)^3 = -\dfrac{27y^3}{x^9}$

따라서 옳은 것은 ③이다.

1-2 $\left(\dfrac{2x^a}{y^2}\right)^b = \dfrac{2^b x^{ab}}{y^{2b}} = \dfrac{16x^{12}}{y^c}$ 이므로

$2^b = 16$에서 $b = 4$

$ab = 4a = 12$에서 $a = 3$

$2b = c$에서 $c = 2 \times 4 = 8$

$\therefore a + b + c = 3 + 4 + 8 = 15$

2-1 $2^x \times 32 = 2^x \times 2^5 = 2^{x+5} = 2^{12}$ 이므로

$x + 5 = 12$ $\therefore x = 7$

$3^y \div 3^2 = 3^{y-2} = 3^{10}$ 이므로

$y - 2 = 10$ $\therefore y = 12$

$\therefore x + y = 7 + 12 = 19$

2-2 $2^5 + 2^5 + 2^5 + 2^5 = 2^5 \times 4 = 2^5 \times 2^2 = 2^7$ 이므로

$(2^5 + 2^5 + 2^5 + 2^5) \times 5^7 = 2^7 \times 5^7 = (2 \times 5)^7 = 10^7$

$\therefore x = 10$

분자 ÷ 분모

3-1 $(2ab^3)^2 \times \left(\dfrac{3b}{a^3}\right)^2 \div 2ab^4$

$= 4a^2b^6 \times \dfrac{9b^2}{a^6} \times \dfrac{1}{2ab^4}$

$= \dfrac{18b^4}{a^5}$

3-2 $5a^2b \div \boxed{} \times (-3ab^2)^2 = -15ab$ 에서

$5a^2b \times \dfrac{1}{\boxed{}} \times 9a^2b^4 = -15ab$

$\therefore \boxed{} = 5a^2b \times 9a^2b^4 \div (-15ab)$

$= 5a^2b \times 9a^2b^4 \times \left(-\dfrac{1}{15ab}\right)$

$= -3a^3b^4$

4-1 $\left(\dfrac{3}{4}a^2 + \dfrac{2}{3}a - 3\right) - \left(-\dfrac{1}{2}a^2 + a - 1\right)$

$= \dfrac{3}{4}a^2 + \dfrac{2}{3}a - 3 + \dfrac{1}{2}a^2 - a + 1$

$= \dfrac{3}{4}a^2 + \dfrac{1}{2}a^2 + \dfrac{2}{3}a - a - 3 + 1$

$= \dfrac{5}{4}a^2 - \dfrac{1}{3}a - 2$

4-2 $6x + y - \{2x - (x - 4y)\} = 6x + y - (2x - x + 4y)$

$= 6x + y - (x + 4y)$

$= 6x + y - x - 4y$

$= 5x - 3y$

따라서 $a = 5$, $b = -3$이므로

$a - b = 5 - (-3) = 8$

1 ②	**2** ①	**3** ③	**4** 8
5 ②	**6** $-8x^2 - 18x + 5$		

1 ① $a^7 \div a = a^6$ $\therefore \square = 6$

② $a^{16} \div a^3 = a^{13}$ $\therefore \square = 13$

③ $(a^4)^3 = a^{12}$ $\therefore \square = 12$

④ $(-a^5b^{\square})^3 = -a^{15}b^{3 \times \square} = -a^{15}b^{12}$ 이므로

$3 \times \square = 12$ $\therefore \square = 4$

⑤ $a^4 \times b \times a^2 \times (b^2)^3 = a^6 \times b^7$ $\therefore \square = 7$

따라서 $\square$ 안에 들어갈 수가 가장 큰 것은 ②이다.

2 $\dfrac{2^7 + 2^7}{9^3 + 9^3 + 9^3} \times \dfrac{3^4 + 3^4 + 3^4}{4^3 + 4^3 + 4^3 + 4^3}$

$= \dfrac{2^7 \times 2}{9^3 \times 3} \times \dfrac{3^4 \times 3}{4^3 \times 4} = \dfrac{2^8}{(3^2)^3 \times 3} \times \dfrac{3^5}{(2^2)^3 \times 2^2}$

$= \dfrac{2^8}{3^7} \times \dfrac{3^5}{2^8} = \dfrac{1}{3^2} = \dfrac{1}{9}$

3 $9^{10} = (3^2)^{10} = 3^{20} = (3^4)^5 = A^5$

$3^4 = A$를 이용하기 위해서 3^{20}을 $(3^4)^5$으로 나타내는 거야.

4 $2^6 \times 3 \times 5^7 = 2^6 \times 3 \times 5 \times 5^6 = 3 \times 5 \times (2^6 \times 5^6)$

$= 3 \times 5 \times (2 \times 5)^6 = 15 \times 10^6$

따라서 $2^6 \times 3 \times 5^7$은 8자리의 자연수이므로 $n = 8$

5 $\dfrac{1}{2} \times (밑변의 길이) \times 20a^7b^4 = 80a^5b^7$ 에서

$10a^7b^4 \times (밑변의 길이) = 80a^5b^7$

$\therefore (밑변의 길이) = \dfrac{80a^5b^7}{10a^7b^4} = \dfrac{8b^3}{a^2}$

6 어떤 식을 A라 하면
$$A-(-5x^2-7x+4)=2x^2-4x-3$$
$$\therefore A=2x^2-4x-3+(-5x^2-7x+4)$$
$$=-3x^2-11x+1$$
따라서 바르게 계산한 식은
$$-3x^2-11x+1+(-5x^2-7x+4)$$
$$=-8x^2-18x+5$$

4일 교과서 대표 전략 ① 　　26쪽~29쪽

1 ④	**2** ④	**3** 10	**4** $\frac{13}{15}$, $\frac{5}{60}$
5 ③	**6** ②	**7** ②	**8** 우빈
9 3개	**10** ⑤	**11** $a=7, b=4$	
12 6^5	**13** ①, ⑤	**14** ①	**15** $-a+3b$
16 -1			

1 ① $2.3515151\cdots=2.3\dot{5}\dot{1}$
② $0.599999\cdots=0.5\dot{9}$
③ $0.101010\cdots=0.\dot{1}\dot{0}$
⑤ $4.02757575\cdots=4.02\dot{7}\dot{5}$

2 $x=1.0\dot{4}$라 하면 $x=1.0444\cdots$ $\cdots\cdots$ ㉠
㉠의 양변에 ①$100$을 곱하면
$100x=104.444\cdots$ $\cdots\cdots$ ㉡
㉠의 양변에 10을 곱하면 $10x=$②$10.444\cdots$ $\cdots\cdots$ ㉢
㉡에서 ㉢을 변끼리 빼면 ③$90$ $x=$④$94$
$\therefore x=$⑤$\frac{47}{45}$

따라서 □ 안에 알맞은 수로 옳지 않은 것은 ④이다.

3 $1.57\dot{4}$의 순환마디의 숫자의 개수는 3이고
$101=3\times33+2$이므로 소수점 아래 101번째 자리의 숫자는 순환마디의 2번째 숫자인 7이다. $\therefore a=7$
$\frac{7}{41}=0.\dot{1}707\dot{3}$이므로 순환마디의 숫자의 개수는 5이고
$50=5\times10$이므로 소수점 아래 50번째 자리의 숫자는 순환마디의 5번째 숫자인 3이다. $\therefore b=3$
$\therefore a+b=7+3=10$

---

4 $\frac{7}{4}=\frac{7}{2^2}$, $\frac{15}{6}=\frac{5}{2}$, $\frac{13}{15}=\frac{13}{3\times5}$, $\frac{22}{55}=\frac{2}{5}$,
$\frac{5}{60}=\frac{1}{12}=\frac{1}{2^2\times3}$
따라서 순환소수로만 나타낼 수 있는 것은 $\frac{13}{15}$, $\frac{5}{60}$이다.

5 $\frac{5}{56}=\frac{5}{2^3\times7}$이므로 $\frac{5}{56}\times x$가 유한소수가 되려면 x는 7의 배수이어야 한다.
따라서 x의 값이 될 수 없는 것은 25이다.

6 ② $2.\dot{1}\dot{9}=\frac{219-2}{99}=\frac{217}{99}$
③ $1.1\dot{7}=\frac{117-11}{90}=\frac{106}{90}=\frac{53}{45}$
⑤ $1.0\dot{5}\dot{3}=\frac{1053-10}{990}=\frac{1043}{990}$
따라서 순환소수를 분수로 잘못 나타낸 것은 ②이다.

7 $2.2777\cdots=2.2\dot{7}=\frac{227-22}{90}=\frac{205}{90}=\frac{41}{18}$
$\therefore A=41$

8 수영 : 순환하지 않는 무한소수는 분수로 나타낼 수 없다.
재현 : 모든 유리수는 분수로 나타낼 수 있다.
서희 : 기약분수의 분모에 2 또는 5 이외의 소인수가 있으면 유한소수로 나타낼 수 없다.

9 ㉢ $(y^3)^4=y^{12}$
㉣ $(ab)^4=a^4b^4$
㉤ $\left(\frac{1}{b^2}\right)^3=\frac{1}{b^6}$
따라서 옳은 것은 ㉠, ㉢, ㉥의 3개이다.

참고 지수법칙

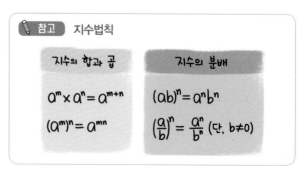

지수의 합과 곱
$$a^m\times a^n=a^{m+n}$$
$$(a^m)^n=a^{mn}$$

지수의 분배
$$(ab)^n=a^nb^n$$
$$\left(\frac{a}{b}\right)^n=\frac{a^n}{b^n} \text{ (단, } b\neq0)$$

10 ① $a^{\square}\times a^4=a^{\square+4}=a^7$이므로
$\square+4=7$ $\therefore \square=3$
② $a^5\div a^{\square}=a^{5-\square}=a^2$이므로
$5-\square=2$ $\therefore \square=3$

③ $(x^\square y^2)^2=x^{\square\times2}y^4=x^6y^4$이므로
$\square\times2=6$ ∴ $\square=3$

④ $\left(\dfrac{a^2}{b}\right)^3=\dfrac{a^6}{b^3}=\dfrac{a^6}{b^\square}$이므로 $\square=3$

⑤ $(x^3y^\square)^3=x^9y^{\square\times3}=x^9y^{18}$이므로
$\square\times3=18$ ∴ $\square=6$

따라서 $\square$ 안에 들어갈 수가 나머지 넷과 다른 것은 ⑤이다.

11 $64^2\div4^4\times8=(2^6)^2\div(2^2)^4\times2^3=2^{12}\div2^8\times2^3=2^7$
즉 $2^7=2^a$이므로 $a=7$
$27^b\times81\div243=(3^3)^b\times3^4\div3^5=3^{3b-1}$
즉 $3^{3b-1}=3^{11}$이므로
$3b-1=11,\ 3b=12$ ∴ $b=4$

12 $6^4+6^4+6^4+6^4+6^4+6^4=6^4\times6=6^5$

13 ① $(2x^2y)^2\times(-xy)^3=4x^4y^2\times(-x^3y^3)=-4x^7y^5$

② $\left(-\dfrac{1}{2}xy^2\right)^2\div(-2x^3y^2)=\dfrac{1}{4}x^2y^4\div(-2x^3y^2)$
$=\dfrac{1}{4}x^2y^4\times\left(-\dfrac{1}{2x^3y^2}\right)$
$=-\dfrac{y^2}{8x}$

③ $2xy\times(5x^2y)^2\div10xy^3=2xy\times25x^4y^2\div10xy^3$
$=2xy\times25x^4y^2\times\dfrac{1}{10xy^3}$
$=5x^4$

④ $(-2xy^2)^2\div(2x^2y)^3=4x^2y^4\div8x^6y^3$
$=4x^2y^4\times\dfrac{1}{8x^6y^3}$
$=\dfrac{y}{2x^4}$

⑤ $-x^2y\div(-xy)^3\div x^3y^2=-x^2y\div(-x^3y^3)\div x^3y^2$
$=-x^2y\times\left(-\dfrac{1}{x^3y^3}\right)\times\dfrac{1}{x^3y^2}$
$=\dfrac{1}{x^4y^4}$

따라서 옳은 것은 ①, ⑤이다.

14 $(-3a^2b)^3\div\boxed{}\times(2ab^2)^4=16a^{10}$에서
$-27a^6b^3\times\dfrac{1}{\boxed{}}\times16a^4b^8=16a^{10}$
∴ $\boxed{}=-27a^6b^3\times16a^4b^8\times\dfrac{1}{16a^{10}}$
$=-27b^{11}$

15 $3a-[5a-2b-\{2a-(a-b)\}]$
$=3a-\{5a-2b-(2a-a+b)\}$
$=3a-\{5a-2b-(a+b)\}$
$=3a-(5a-2b-a-b)$
$=3a-(4a-3b)$
$=3a-4a+3b$
$=-a+3b$

16 $\dfrac{1}{3}(2x^2-6x-3)-\dfrac{1}{2}(x^2+8x-4)$
$=\dfrac{2}{3}x^2-2x-1-\dfrac{1}{2}x^2-4x+2$
$=\dfrac{2}{3}x^2-\dfrac{1}{2}x^2-2x-4x-1+2$
$=\dfrac{1}{6}x^2-6x+1$
따라서 $a=\dfrac{1}{6},\ b=-6$이므로
$ab=\dfrac{1}{6}\times(-6)=-1$

4일 교과서 대표 전략 ❷ | 30쪽~31쪽

1 ⑤	**2** $2.5\dot{6}$	**3** ④	**4** 10
5 ③	**6** ⑤	**7** ②	**8** $-x^2+x+2$

1 $\dfrac{x}{30}=\dfrac{x}{2\times3\times5}$가 유한소수가 되려면 x는 3의 배수이어야 한다.
또 $\dfrac{x}{30}$를 기약분수로 나타내면 $\dfrac{7}{y}$이므로 x는 7의 배수이어야 한다.
즉 x는 3과 7의 공배수인 21의 배수이고 $20<x<30$이므로 $x=21$
따라서 $\dfrac{21}{30}=\dfrac{7}{10}$이므로 $y=10$
∴ $x+y=21+10=31$

2 $0.8\dot{5}=\dfrac{85-8}{90}=\dfrac{77}{90}$이고 혜진이는 분자는 바르게 보았으므로 처음 기약분수의 분자는 77이다.
$2.2\dot{3}=\dfrac{223-22}{90}=\dfrac{201}{90}=\dfrac{67}{30}$이고 승범이는 분모는 바르게 보았으므로 처음 기약분수의 분모는 30이다.
따라서 처음 기약분수는 $\dfrac{77}{30}$이므로 순환소수로 나타내면 $2.5\dot{6}$이다.

3 $\dfrac{1}{25^3}=\dfrac{1}{(5^2)^3}=\dfrac{1}{(5^3)^2}=\dfrac{1}{A^2}$

4 $2^7\times5^{10}=2^7\times5^7\times5^3=(2^7\times5^7)\times5^3$
$\qquad\qquad=5^3\times(2\times5)^7=125\times10^7$
따라서 $2^7\times5^{10}$은 10자리의 자연수이므로 $n=10$

5 $-3x^2y^A\div6x^By\times2x^5y^3=-3x^2y^A\times\dfrac{1}{6x^By}\times2x^5y^3$
$\qquad\qquad\qquad\qquad\qquad\qquad=-x^{7-B}y^{A+2}$
즉 $-x^{7-B}y^{A+2}=Cx^2y^4$이므로
$-1=C,\ 7-B=2$에서 $B=5$
$A+2=4$에서 $A=2$
$\therefore A+B-C=2+5-(-1)=8$

6 (직사각형의 넓이)$=3ab\times2ab^2=6a^2b^3$
이때 직사각형과 삼각형의 넓이가 서로 같으므로
$\dfrac{1}{2}\times$ (밑변의 길이) $\times12ab=6a^2b^3$에서
$6ab\times$ (밑변의 길이) $=6a^2b^3$
$\therefore$ (밑변의 길이) $=\dfrac{6a^2b^3}{6ab}=ab^2$

7 $3x^2-[x-2\{x+2x(3-x)-1\}]$
$=3x^2-\{x-2(x+6x-2x^2-1)\}$
$=3x^2-\{x-2(-2x^2+7x-1)\}$
$=3x^2-(x+4x^2-14x+2)$
$=3x^2-(4x^2-13x+2)$
$=3x^2-4x^2+13x-2$
$=-x^2+13x-2$
따라서 x^2의 계수는 -1, 상수항은 -2이므로 그 합은
$-1+(-2)=-3$

8 어떤 식을 A라 하면
$A+(2x^2+x-1)=3x^2+3x$에서
$A=3x^2+3x-(2x^2+x-1)$
$\quad=3x^2+3x-2x^2-x+1$
$\quad=x^2+2x+1$
따라서 바르게 계산한 식은
$x^2+2x+1-(2x^2+x-1)=x^2+2x+1-2x^2-x+1$
$\qquad\qquad\qquad\qquad\qquad\qquad=-x^2+x+2$

---

01 민우	**02** ②, ⑤	**03** ④	**04** ④
05 ⑤	**06** ③	**07** 석민, $-\dfrac{x^3y^{12}}{8}$	
08 ③	**09** ④	**10** ④	

01 은미 : 순환소수는 분수로 나타낼 수 있으므로 유리수이다.
재현 : $x=2.\dot{4}0\dot{5}$로 나타낼 수 있다.
연수 : 순환마디는 405이다.
민우 : $2.\dot{4}0\dot{5}=\dfrac{2405-2}{999}=\dfrac{2403}{999}=\dfrac{89}{37}$
따라서 바르게 설명한 학생은 민우이다.

02 ① $\dfrac{3}{14}=\dfrac{3}{2\times7}$
② $\dfrac{21}{28}=\dfrac{3}{4}=\dfrac{3}{2^2}$
③ $\dfrac{7}{48}=\dfrac{7}{2^4\times3}$
④ $\dfrac{105}{132}=\dfrac{35}{44}=\dfrac{35}{2^2\times11}$
⑤ $\dfrac{54}{2\times3^3\times5}=\dfrac{1}{5}$
따라서 유한소수로 나타낼 수 있는 것은 ②, ⑤이다.

03 $\dfrac{5}{24}\times x=\dfrac{5}{2^3\times3}\times x$가 유한소수가 되려면 x는 3의 배수이어야 한다.
따라서 x의 값이 될 수 있는 한 자리의 자연수는 3, 6, 9이므로 그 합은
$3+6+9=18$

04 $x=0.50\dot{6}$이라 하면 $x=0.506666\cdots$ $\qquad$ ……㉠
㉠의 양변에 1000을 곱하면
$1000x=\boxed{①506}.6666\cdots$ $\qquad$ ……㉡
㉠의 양변에 100을 곱하면
$\boxed{②100}\,x=50.6666\cdots$ $\qquad$ ……㉢
㉡에서 ㉢을 변끼리 빼면
$\boxed{③900}\,x=\boxed{④456}$ $\quad\therefore x=\boxed{⑤\dfrac{38}{75}}$
따라서 ①~⑤에 들어갈 수로 옳은 것은 ④이다.

05 $1.29542954\cdots=1.\dot{2}95\dot{4}$의 순환마디의 숫자의 개수는 4이다. 이때 $50=4\times12+2$이므로 소수점 아래 50번째 자리의 숫자는 순환마디의 2번째 숫자인 9이다.

06 ① $x^3 \times x^3 = x^{3+3} = x^6$

② $(x^2)^3 = x^6$

③ $x^6 \div x^4 = x^{6-4} = x^2$

④ $(x^2)^2 \times x^2 = x^4 \times x^2 = x^{4+2} = x^6$

⑤ $\left(\dfrac{x}{y}\right)^3 = \dfrac{x^3}{y^3}$

따라서 옳은 것은 ③이다.

07

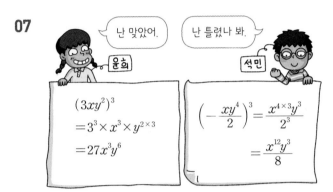

석민 : $\left(-\dfrac{xy^4}{2}\right)^3 = (-1)^3 \times \dfrac{x^3 y^{4 \times 3}}{2^3} = -\dfrac{x^3 y^{12}}{8}$

08 $6xy^2 \times \boxed{} \div (-3x^2y^3) = 4x^2y^3$에서

$\boxed{} = 4x^2y^3 \div 6xy^2 \times (-3x^2y^3)$

$= 4x^2y^3 \times \dfrac{1}{6xy^2} \times (-3x^2y^3)$

$= -2x^3y^4$

09 (직사각형의 넓이) $= a^4 b \times$ (세로의 길이) $= 8a^8b^3$에서

(세로의 길이) $= \dfrac{8a^8b^3}{a^4b} = 8a^4b^2$

10 $2x - [3y - \{5x - (x - 4y)\}]$

$= 2x - \{3y - (5x - x + 4y)\}$

$= 2x - \{3y - (4x + 4y)\}$

$= 2x - (3y - 4x - 4y)$

$= 2x - (-4x - y)$

$= 2x + 4x + y$

$= 6x + y$

따라서 x의 계수는 6, y의 계수는 1이므로 그 합은

$6 + 1 = 7$

---

1 답 풀이 참조, C 지점

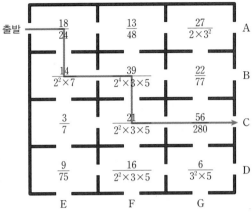

$\dfrac{18}{24} = \dfrac{3}{4} = \dfrac{3}{2^2}$ ➡ 유한소수

$\dfrac{13}{48} = \dfrac{13}{2^4 \times 3}$ ➡ 순환소수

$\dfrac{14}{2^2 \times 7} = \dfrac{1}{2}$ ➡ 유한소수

$\dfrac{39}{2^4 \times 3 \times 5} = \dfrac{13}{2^4 \times 5}$ ➡ 유한소수

$\dfrac{3}{7}$ ➡ 순환소수, $\dfrac{22}{77} = \dfrac{2}{7}$ ➡ 순환소수

$\dfrac{21}{2^2 \times 3 \times 5} = \dfrac{7}{2^2 \times 5}$ ➡ 유한소수

$\dfrac{56}{280} = \dfrac{1}{5}$ ➡ 유한소수

$\dfrac{16}{2^2 \times 3 \times 5} = \dfrac{4}{3 \times 5}$ ➡ 순환소수

$\dfrac{6}{3^2 \times 5} = \dfrac{2}{3 \times 5}$ ➡ 순환소수

따라서 C 지점에 보물이 있다.

2 답 풀이 참조

[지희]

판단 : 옳지 않다.

이유 : 무한소수 중 순환소수는 유리수이므로 분수로 나

타낼 수 있다. 예 $0.\dot{2}\dot{3} = \dfrac{23}{99}$

[서한]

판단 : 옳지 않다.

이유 : 정수가 아닌 유리수는 유한소수 또는 순환소수로

나타낼 수 있다.

예 $\dfrac{1}{2} = 0.5$ (유한소수)

$\dfrac{1}{3} = 0.333\cdots = 0.\dot{3}$ (순환소수)

[은별]

판단 : 옳다.

이유 : 분모의 소인수가 2 또는 5 뿐이므로 유한소수로 나타낼 수 있다.

3 🗒 $\dfrac{746}{999}$

도(7), 솔(4), 시(6) 음을 반복하여 연주하라는 악보가 출력되어야 하므로 입력해야 하는 기약분수는

$0.\dot{7}4\dot{6}=\dfrac{746}{999}$

4 🗒 (1) 민수 : $0.\dot{6}7\dot{5}$, 연주 : $0.63\dot{8}$ (2) 민수

(1) 민수의 자유투 성공률은

$\dfrac{25}{37}=0.675675\cdots=0.\dot{6}7\dot{5}$

연주의 자유투 성공률은

$\dfrac{23}{36}=0.63888\cdots=0.63\dot{8}$

(2) 민수 : $0.\dot{6}7\dot{5}=0.675675\cdots$,

연주 : $0.63\dot{8}=0.638888\cdots$이므로

$0.\dot{6}7\dot{5}>0.63\dot{8}$

따라서 자유투 성공률이 더 높은 사람은 민수이다.

5 🗒 500초

$\dfrac{15\times10^{10}}{3\times10^8}=5\times10^2=500$(초)

따라서 전파가 지구까지 도달하는데 500초가 걸린다.

6 🗒 주연

상현 : $-5a\times2a\times b^2\div(-b)$

$\quad=-5a\times2a\times b^2\times\left(-\dfrac{1}{b}\right)$

$\quad=10a^2b$

주연 : $ab^2\times a\div b^2\div a=ab^2\times a\times\dfrac{1}{b^2}\times\dfrac{1}{a}$

$\qquad\qquad\qquad\qquad\quad=a$

서은 : $a\times3a\times b\div(-3ab)$

$\quad=a\times3a\times b\times\left(-\dfrac{1}{3ab}\right)$

$\quad=-a$

현주 : $a^2\div(-a)\div a\times b=a^2\times\left(-\dfrac{1}{a}\right)\times\dfrac{1}{a}\times b$

$\qquad\qquad\qquad\qquad=-b$

보람 : $b^2\times ab\div b^2\div ab=b^2\times ab\times\dfrac{1}{b^2}\times\dfrac{1}{ab}$

$\qquad\qquad\qquad\qquad=1$

따라서 결과가 a인 사람은 주연이므로 주연이가 매점에 가게 된다.

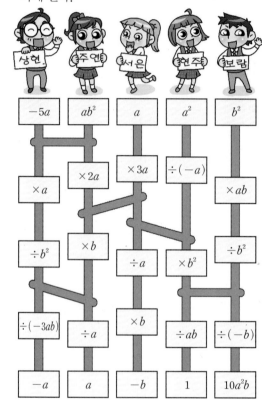

7 🗒 $4a^4b^3$

$3ab^2\times(2a^2b)^2\times(높이)=48a^9b^7$에서

$3ab^2\times4a^4b^2\times(높이)=48a^9b^7$

$12a^5b^4\times(높이)=48a^9b^7$

$(높이)=\dfrac{48a^9b^7}{12a^5b^4}=4a^4b^3$

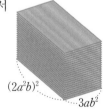

8 🗒 $3x+5y+7$

(ⅰ) $(3x+2y-1)+(-2x-6y+10)=x-4y+9$

(ⅱ) $(3x+2y-1)+(8x-2y-5)=11x-6$

(ⅲ) $(5x-y+3)+(-2x-6y+10)=3x-7y+13$

(ⅳ) $(5x-y+3)+(8x-2y-5)=13x-3y-2$

따라서 ㉠+㉡을 계산하였을 때, 그 결과로 나올 수 없는 식은 $3x+5y+7$이다.

2주 식의 계산 ⑵, 일차부등식

1일 개념 돌파 전략 ❶

41쪽, 43쪽

1-2 ③	2-2 ①, ④	3-2 ④	4-2 ③

5-2 ⑴ $x>-3$ ⑵ $x\geq6$ **6-2** 14, 15

1-2 ③ $(-x-4y+1)\times(-2y)=2xy+8y^2-2y$

④ $(a^2-4a)\div\dfrac{a}{2}=(a^2-4a)\times\dfrac{2}{a}$
$$=2a-8$$

⑤ $(6a^3-4a^4+2a^5)\div(-2a^3)$
$$=(6a^3-4a^4+2a^5)\times\left(-\dfrac{1}{2a^3}\right)$$
$$=-3+2a-a^2$$

따라서 옳지 않은 것은 ③이다.

2-2 ② 방정식

③ $3(y+2)-4=3y+2$ ➡ 다항식

⑤ 부등식이 아니다.

따라서 부등식인 것은 ①, ④이다.

3-2 ① $a\leq b$의 양변에 2를 더하면 $a+2\leq b+2$

② $a\leq b$의 양변에서 3을 빼면 $a-3\leq b-3$

③ $a\leq b$의 양변에 2를 곱하고 1을 빼면
$$2a-1\leq 2b-1$$

④ $a\leq b$의 양변에 -5를 곱하면 $-5a\geq -5b$

⑤ $a\leq b$의 양변에 $\dfrac{2}{3}$를 곱하고 7을 더하면
$$\dfrac{2}{3}a+7\leq\dfrac{2}{3}b+7$$

따라서 부등호의 방향이 나머지 넷과 다른 하나는 ④이다.

4-2 $5x-31<x+5$에서
$$4x<36 \quad \therefore x<9$$

5-2 ⑴ $0.7x<1.1x+1.2$의 양변에 10을 곱하면
$$7x<11x+12$$
$$-4x<12 \quad \therefore x>-3$$

⑵ $\dfrac{1}{2}x-1\geq\dfrac{1}{3}x$의 양변에 6을 곱하면
$$3x-6\geq 2x \quad \therefore x\geq 6$$

6-2 연속하는 두 자연수를 x, $x+1$이라 하면
$$x+(x+1)<30$$
$$2x<29 \quad \therefore x<\dfrac{29}{2}$$

따라서 조건을 만족시키는 가장 큰 두 자연수는 14, 15이다.

1일 개념 돌파 전략 ❷

44쪽~45쪽

1 $9a-4b$	**2** ②	**3** 2, 3	**4** ④

5 84점 **6** 4개월

---

1 $(9ab-6b^2)\div3b+2(3a-b)$
$$=(9ab-6b^2)\times\dfrac{1}{3b}+2(3a-b)$$
$$=3a-2b+6a-2b$$
$$=9a-4b$$

2 ① $20x\geq 324$

③ $3x<100$

④ $2x+3\geq x+8$

⑤ $4x>40$

따라서 옳은 것은 ④이다.

3 $x=2$, 3일 때, 부등식이 참이 되므로 부등식 $6-x>2$의 해는 1, 2이다.

4 $2x-1\geq 2-x$에서
$$3x\geq 3 \quad \therefore x\geq 1$$

따라서 부등식의 해를 수직선 위에 바르게 나타낸 것은 ④이다.

5 준서가 수학 시험에서 x점을 받는다고 하면
$$\dfrac{83+88+x}{3}\geq 85 \quad \therefore x\geq 84$$

따라서 수학 시험에서 최소 84점 이상을 받아야 한다.

6 x개월 후에 혜련이의 예금액이 유림이의 예금액보다 많아진다고 하면

$6000+5000x>12000+3000x$ $\therefore x>3$

따라서 혜련이의 예금액이 유림이의 예금액보다 많아지는 것은 4개월 후부터이다.

2일 필수 체크 전략 ❶ 확인   46쪽~49쪽

1-1 5   **1-2** 현석   **2-1** ⑤

2-2 $-1<-3x+5<8$ **3-1** 3   **3-2** 7

4-1 -3 **4-2** 1

1-1 $(xy+5x^2y)\div xy-10\left(\dfrac{1}{2}x-\dfrac{2}{5}\right)$

$=(xy+5x^2y)\times\dfrac{1}{xy}-10\left(\dfrac{1}{2}x-\dfrac{2}{5}\right)$

$=1+5x-5x+4$

$=5$

1-2 현석 : $x(x-6y)-y(x-3y)$

$\quad=x^2-6xy-xy+3y^2$

$\quad=x^2-7xy+3y^2$

$\quad=2^2-7\times2\times(-1)+3\times(-1)^2$

$\quad=4+14+3$

$\quad=21$

보람 : $3x(-3y+2)+\dfrac{-15x^2+10x^2y}{5x}$

$\quad=-9xy+6x-3x+2xy$

$\quad=-7xy+3x$

$\quad=-7\times2\times(-1)+3\times2$

$\quad=14+6$

$\quad=20$

따라서 식의 값이 큰 식을 들고 있는 사람은 현석이다.

2-1 ① $a>b$의 양변에 2를 곱하고 1을 더하면 $2a+1>2b+1$

② $a>b$의 양변에 -1을 곱하고 1을 빼면

$\quad-a-1<-b-1$

③ $a>b$의 양변에 $\dfrac{1}{3}$을 곱하고 2를 빼면

$\quad\dfrac{a}{3}-2>\dfrac{b}{3}-2$

④ $a>b$의 양변에서 $\dfrac{5}{2}$를 빼면 $a-\dfrac{5}{2}>b-\dfrac{5}{2}$

⑤ $a>b$의 양변에 $-\dfrac{2}{5}$를 곱하고 2를 더하면

$\quad-\dfrac{2}{5}a+2<-\dfrac{2}{5}b+2$

따라서 옳지 않은 것은 ⑤이다.

2-2 $-1<x<2$의 각 변에 -3을 곱하면

$-6<-3x<3$

$-6<-3x<3$의 각 변에 5를 더하면

$-1<-3x+5<8$

3-1 $5-(3-x)<2x$에서

$5-3+x<2x$

$-x<-2$ $\therefore x>2$

따라서 부등식을 만족시키는 가장 작은 정수는 3이다.

3-2 $0.5x+0.8\geq0.9x-2$의 양변에 10을 곱하면

$5x+8\geq9x-20$

$-4x\geq-28$ $\therefore x\leq7$

따라서 부등식을 만족시키는 자연수 x는 1, 2, 3, 4, 5, 6, 7의 7개이다.

계수가 소수이면 10의 거듭제곱을 곱해.

4-1 $2x+a>x-2$에서

$x>-2-a$

이때 수직선 위에 나타낸 부등식의 해가 $x>1$이므로

$-2-a=1$, $-a=3$ $\therefore a=-3$

4-2 $2x-3(x+1)>-7$에서

$2x-3x-3>-7$, $-x>-4$ $\therefore x<4$ $\cdots\cdots\ \bigcirc$

$\dfrac{1}{2}x-1<a$의 양변에 2를 곱하면

$x-2<2a$ $\therefore x<2a+2$ $\cdots\cdots\ \bigcirc$

㉠과 ㉡이 서로 같으므로

$4=2a+2$, $-2a=-2$ $\therefore a=1$

1 0	**2** $6a+3b-3$	**3** ③	**4** ⑤
5 $x<-\dfrac{2}{3}$	**6** ④	**7** $7<a\le 9$	

1
$$\frac{6x^2-3xy}{3x}-\frac{10y^2+5xy}{5y}=(2x-y)-(2y+x)$$
$$=2x-y-2y-x$$
$$=x-3y$$
따라서 $a=1$, $b=-3$이므로
$3a+b=3\times 1+(-3)=0$

2 $\overline{BF}=3b-3$, $\overline{DE}=4a-2$이므로
$\triangle EFC=$(직사각형 ABCD의 넓이)
$\qquad -\triangle AFE-\triangle FBC-\triangle ECD$
$$=4a\times 3b-\frac{1}{2}\times 3\times 2-\frac{1}{2}\times(3b-3)\times 4a$$
$$\qquad -\frac{1}{2}\times(4a-2)\times 3b$$
$$=12ab-3-6ab+6a-6ab+3b$$
$$=6a+3b-3$$

3 ① $7-2a<7-2b$에서 $-2a<-2b$ $\quad\therefore a>b$
② $a>b$의 양변에 -3을 곱하면 $-3a<-3b$
③ $a>b$의 양변에 4를 곱하고 1을 빼면
$\quad 4a-1>4b-1$
④ $a>b$의 양변을 3으로 나누면 $\dfrac{a}{3}>\dfrac{b}{3}$
⑤ $a>b$의 양변에 $\dfrac{3}{2}$을 곱하고 5를 더하면
$\quad \dfrac{3}{2}a+5>\dfrac{3}{2}b+5$
따라서 옳은 것은 ③이다.

4 $-2x-3>7$에서
$\quad -2x>10$ $\quad\therefore x<-5$
① $2x+10>0$에서
$\quad 2x>-10$ $\quad\therefore x>-5$
② $x-1<2x+4$에서
$\quad -x<5$ $\quad\therefore x>-5$
③ $4x>3x-5$에서 $x>-5$
④ $3x+6<1$에서
$\qquad 3x<-5$ $\quad\therefore x<-\dfrac{5}{3}$

⑤ $-\dfrac{x}{5}>1$에서 $x<-5$
따라서 부등식 $-2x-3>7$과 해가 같은 것은 ⑤이다.

5 $\dfrac{1}{2}x+1.2<0.2(x+5)$의 양변에 10을 곱하면
$5x+12<2(x+5)$
$5x+12<2x+10$
$3x<-2$ $\quad\therefore x<-\dfrac{2}{3}$

6 $2-ax\ge 1$에서 $-ax\ge -1$ $\quad\cdots\cdots$ ㉠
이때 $-a<0$이므로 ㉠의 양변을 $-a$로 나누면
$x\le \dfrac{1}{a}$

7 $3x-a<x-1$에서
$2x<a-1$ $\quad\therefore x<\dfrac{a-1}{2}$
이 부등식을 만족시키는 자연수 x
가 3개이려면 오른쪽 그림과 같아
야 하므로
$3<\dfrac{a-1}{2}\le 4$
$6<a-1\le 8$ $\quad\therefore 7<a\le 9$

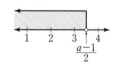

1-1 ⑤	**1-2** ④	**2-1** 9권	**2-2** 23명
3-1 16000원	**3-2** 22000원	**4-1** 2 km	**4-2** $1\dfrac{1}{3}$ km

1-1 상자 한 개의 무게를 x kg이라 하면
$65+11x\le 450$ $\quad\therefore x\le 35$
따라서 상자 한 개의 무게는 최대 35 kg이다.

1-2 아이스크림을 x개 산다고 하면 빵은 $(15-x)$개 살 수 있
으므로
$1200(15-x)+1500x\le 20000$ $\quad\therefore x\le \dfrac{20}{3}$
따라서 아이스크림은 최대 6개까지 살 수 있다.

2-1 공책을 x권 산다고 하면
$1000x>600x+3200$ $\quad\therefore x>8$
따라서 공책을 9권 이상 살 경우 대형 할인점에 가는 것이
유리하다.

2-2 x명이 입장한다고 하면

$$40000x > 40000 \times \frac{75}{100} \times 30 \qquad \therefore x > \frac{45}{2}$$

따라서 23명 이상이면 30명의 단체 입장권을 사는 것이 유리하다.

3-1 정가를 x원이라 하면

$$\frac{90}{100}x - 12000 \geq 12000 \times \frac{20}{100} \qquad \therefore x \geq 16000$$

따라서 정가는 최소 16000원 이상으로 정해야 한다.

3-2 정가를 x원이라 하면

$$\frac{50}{100}x - 10000 \geq 10000 \times \frac{10}{100} \qquad \therefore x \geq 22000$$

따라서 정가는 최소 22000원 이상으로 정해야 한다.

4-1 뛰어간 거리를 x km라 하면 걸어간 거리는 $(5-x)$ km이므로

$$\frac{x}{4} + \frac{5-x}{2} \leq 2 \qquad \therefore x \geq 2$$

따라서 뛰어간 거리는 최소 2 km이다.

4-2 역에서 상점까지의 거리를 x km라 하면

$$\frac{x}{2} + \frac{40}{60} + \frac{x}{2} \leq 1 \qquad \therefore x \leq \frac{1}{3}$$

따라서 역에서 최대 $\frac{1}{3}$ km 이내에 있는 상점까지 다녀올 수 있다.

3일 필수 **체크 전략 ❷**			56쪽~57쪽
1 4	**2** 91점	**3** 22개	**4** 4 cm
5 109분	**6** ④		

1 어떤 자연수를 x라 하면

$$3x + 8 \leq 7x - 8 \qquad \therefore x \geq 4$$

따라서 이와 같은 자연수 중 가장 작은 수는 4이다.

2 이번 수학 시험에서 x점을 받는다고 하면

$$\frac{83 + 92 + 94 + x}{4} \geq 90 \qquad \therefore x \geq 91$$

따라서 이번 수학 시험에서 91점 이상을 받아야 한다.

3 물건을 한 번에 x개 싣는다고 하면

$$40x + 50 \leq 950 \qquad \therefore x \leq \frac{90}{4}$$

따라서 물건을 한 번에 최대 22개까지 실을 수 있다.

4 윗변의 길이를 x cm라 하면

$$\frac{1}{2} \times (x + 16) \times 9 \geq 90 \qquad \therefore x \geq 4$$

따라서 윗변의 길이는 4 cm 이상이어야 한다.

5 한 달에 휴대 전화 통화를 x분 한다고 하면

$$17000 + 180x > 30000 + 60x \qquad \therefore x > \frac{1300}{12}$$

따라서 한 달에 휴대 전화 통화를 109분 이상할 때, B 요금제를 선택하는 것이 유리하다.

6 정수기를 x개월 사용한다고 하면

$$450000 + 13000x < 27000x \qquad \therefore x > \frac{225}{7}$$

따라서 정수기를 최소 33개월 이상 사용하면 구입하는 것이 유리하다.

4일 교과서 **대표 전략 ❶**			58쪽~61쪽
1 -8	**2** ③, ⑤	**3** ②	**4** 석현, 지아
5 ①	**6** ⑤	**7** -11	**8** 1
9 14개	**10** 10개	**11** 9개월	**12** 5병
13 25명	**14** ①	**15** 5 km	**16** 1 km

1
$$-2x(3x+y) + (12xy^2 - 6y) \div 3y$$
$$= -6x^2 - 2xy + (12xy^2 - 6y) \times \frac{1}{3y}$$
$$= -6x^2 - 2xy + 4xy - 2$$
$$= -6x^2 + 2xy - 2$$

따라서 $a = -6$, $b = -2$이므로

$$a + b = -6 + (-2) = -8$$

2
① $2x > 5 + x$
② $7a \leq 5000$
④ $x + 15 > 2x$

3 ① $-4a+3>-4b+3$에서 $-4a>-4b$ ∴ $a<b$

② $a<b$의 양변을 2로 나누면 $\dfrac{a}{2}<\dfrac{b}{2}$

③ $a<b$의 양변에서 7을 빼면 $a-7<b-7$

④ $a<b$의 양변에 -3을 곱하고 4를 더하면
$4-3a>4-3b$

⑤ $a<b$의 양변에 5를 곱하고 3을 더하면 $5a+3<5b+3$

따라서 옳은 것은 ②이다.

4 정우 : $x+4<x+2$에서 $2<0$
→ 일차부등식이 아니다.
석현 : $2x+3(1-x)\geq2x+5$에서
$2x+3-3x\geq2x+5$ ∴ $-3x-2\geq0$
→ 일차부등식이다.
근영 : $4x+2=5x+1$에서 $-x+1=0$
→ 일차방정식이다.
나연 : 일차식이다.
지아 : $x(x+5)>x^2-3$에서
$x^2+5x>x^2-3$ ∴ $5x+3>0$
→ 일차부등식이다.
따라서 일차부등식이 적힌 카드를 고른 학생은 석현, 지아이다.

5 $3x+2<x-4$에서
$2x<-6$ ∴ $x<-3$
따라서 부등식의 해를 수직선 위에
바르게 나타낸 것은 ①이다.

6 ⑤ $-9x\leq18$의 양변을 -9로 나누면
$x\geq-2$

7 $-4x+a>5$에서
$-4x>5-a$ ∴ $x<-\dfrac{5-a}{4}$
이때 부등식의 해가 $x<-4$이므로
$-\dfrac{5-a}{4}=-4$
$5-a=16$ ∴ $a=-11$

8 $\dfrac{x+2}{4}>x-1$의 양변에 4를 곱하면
$x+2>4x-4$
$-3x>-6$ ∴ $x<2$ ……㉠
$2x-1<x+a$에서
$x<a+1$ ……㉡
㉠과 ㉡이 서로 같으므로
$2=a+1$ ∴ $a=1$

9 한 번에 짐을 x개 운반한다고 하면
$72\times5+180x\leq3000$ ∴ $x\leq\dfrac{44}{3}$
따라서 한 번에 운반할 수 있는 짐은 최대 14개이다.

10 참외를 x개 산다고 하면 키위는 $(20-x)$개 살 수 있으므로
$1000(20-x)+1500x\leq25000$ ∴ $x\leq10$
따라서 참외를 최대 10개까지 살 수 있다.

11 x개월 후부터 동생의 예금액이 누나의 예금액보다 많아진다고 하면
$8000+2000x>16000+1000x$ ∴ $x>8$
따라서 동생의 예금액이 누나의 예금액보다 많아지는 것은 9개월 후부터이다.

12 음료수를 x병 산다고 하면
$1500x>1200x+1300$ ∴ $x>\dfrac{13}{3}$
따라서 음료수를 5병 이상 사는 경우 대형 마트에서 사는 것이 유리하다.

13 x명이 입장한다고 하면
$2000x>2000\times\dfrac{80}{100}\times30$ ∴ $x>24$
따라서 25명 이상이면 30명의 단체 입장권을 사는 것이 유리하다.

14 정가를 x원이라 하면

$$\frac{90}{100}x - 1200 \geq 1200 \times \frac{20}{100} \qquad \therefore x \geq 1600$$

따라서 정가가 될 수 없는 것은 ①이다.

15 x km 지점까지 걷는다고 하면

2시간 40분은 $2\frac{40}{60} = \frac{8}{3}$(시간)이므로

$$\frac{x}{3} + \frac{x}{5} \leq \frac{8}{3} \qquad \therefore x \leq 5$$

따라서 최대 5 km 지점까지 걸을 수 있다.

16 걸어간 거리를 x km라 하면 뛰어간 거리는

$(4-x)$ km이므로

$$\frac{x}{2} + \frac{4-x}{3} \leq \frac{3}{2} \qquad \therefore x \leq 1$$

따라서 집에서 1 km 지점까지는 걸어가도 된다.

4일 교과서 대표 전략 ② 62쪽~63쪽

1 ③	**2** 8	**3** $x > -3$	**4** $3 < a \leq 4$
5 800 MB	**6** 3권	**7** 27 cm	**8** $\frac{9}{7}$ km

1 $\overline{CE} = 4a - 3b$, $\overline{DF} = 5b - 2b = 3b$이므로

$\triangle AEF = $(직사각형 ABCD의 넓이)

$$- \triangle ABE - \triangle ECF - \triangle AFD$$

$$= 4a \times 5b - \frac{1}{2} \times 5b \times 3b - \frac{1}{2} \times (4a - 3b) \times 2b$$

$$- \frac{1}{2} \times 4a \times 3b$$

$$= 20ab - \frac{15}{2}b^2 - 4ab + 3b^2 - 6ab$$

$$= 10ab - \frac{9}{2}b^2$$

2 $2(x+3) \geq 5x - 18$에서

$2x + 6 \geq 5x - 18$, $-3x \geq -24$ $\qquad \therefore x \leq 8$

따라서 부등식을 만족시키는 x의 값 중 가장 큰 정수는 8이다.

3 $\dfrac{x-3}{4} - \dfrac{3x-1}{5} < \dfrac{1}{2}$의 양변에 20을 곱하면

$5(x-3) - 4(3x-1) < 10$

$5x - 15 - 12x + 4 < 10$

$-7x < 21 \qquad \therefore x > -3$

4 $4a - x > 3x + 12$에서

$-4x > -4a + 12 \qquad \therefore x < a - 3$

이때 부등식을 만족시키는 자연수인 해가 없으려면 오른쪽 그림과 같아야 하므로

$0 < a - 3 \leq 1$

$\therefore 3 < a \leq 4$

5 데이터를 x MB 이용한다고 하면

350 MB를 초과하는 데이터 용량은 $(x-350)$ MB이므로

$20(x - 350) \leq 9000 \qquad \therefore x \leq 800$

따라서 데이터를 최대 800 MB까지 이용할 수 있다.

6 문제집을 x권 구매한다고 하면

$9000x + 2000 > 8000x + 4000 \qquad \therefore x > 2$

따라서 최소 3권 이상 구매할 때, B 쇼핑몰에서 구매하는 것이 유리하다.

7 세로의 길이를 x cm라 하면

가로의 길이는 $(x-4)$ cm이므로

$2\{(x-4) + x\} \leq 100 \qquad \therefore x \leq 27$

따라서 세로의 길이는 27 cm 이하이어야 한다.

8 역에서 상점까지의 거리를 x km라 하면

기차가 출발하는 시각까지 $4 - 3 = 1$(시간) 남아 있으므로

$\dfrac{x}{3} + \dfrac{15}{60} + \dfrac{x}{4} \leq 1 \qquad \therefore x \leq \dfrac{9}{7}$

따라서 역에서 최대 $\dfrac{9}{7}$ km 이내에 있는 상점까지 다녀올 수 있다.

01 ②   **02** 0   **03** ③   **04** ④

05 ⑤   **06** ②   **07** ①   **08** 6송이

09 7통   **10** ②

01 $(12x^2-6xy)\div 3x-15xy\times\dfrac{1}{5y}$

$=(12x^2-6xy)\times\dfrac{1}{3x}-15xy\times\dfrac{1}{5y}$

$=4x-2y-3x$

$=x-2y$

02 $3x(x-2xy)-\dfrac{x^2y-5x^2y^2}{y}$

$=3x^2-6x^2y-(x^2-5x^2y)$

$=3x^2-6x^2y-x^2+5x^2y$

$=2x^2-x^2y$

$=2\times(-1)^2-(-1)^2\times 2$

$=2-2=0$

03 ① $x^2+1<7$에서 $x^2-6<0$ ➡ 일차부등식이 아니다.

② $2x+1>2x$에서 $1>0$ ➡ 일차부등식이 아니다.

③ $3x+2\geq 5$에서 $3x-3\geq 0$ ➡ 일차부등식이다.

④ $3x+1\geq x^3-1$에서 $-x^3+3x+2\geq 0$

➡ 일차부등식이 아니다.

⑤ $2x^2-1\leq x^2-2x+1$에서 $x^2+2x-2\leq 0$

➡ 일차부등식이 아니다.

따라서 일차부등식인 것은 ③이다.

05 ① $a>b$의 양변에서 5를 빼면 $a-5>b-5$

② $a>b$의 양변에 -3을 곱하면 $-3a<-3b$

③ $a>b$의 양변에 -2를 곱하고 3을 더하면

$3-2a<3-2b$

④ $a>b$의 양변에 $\dfrac{5}{3}$를 곱하고 2를 빼면

$\dfrac{5}{3}a-2>\dfrac{5}{3}b-2$

⑤ $a>b$의 양변을 -3으로 나누고 2를 더하면

$2-\dfrac{a}{3}<2-\dfrac{b}{3}$

따라서 옳지 않은 것은 ⑤이다.

06 $3(x+2)\leq 5x$에서

$3x+6\leq 5x$, $-2x\leq -6$ $\therefore x\geq 3$

따라서 부등식의 해를 수직선 위에

바르게 나타낸 것은 ②이다.

07 $0.5x+1\leq 0.2(2x+1)$의 양변에 10을 곱하면

$5x+10\leq 2(2x+1)$

$5x+10\leq 4x+2$ $\therefore x\leq -8$

08 수국을 x송이 산다고 하면 카네이션은 $(10-x)$송이를

살 수 있으므로

$2000x+1000(10-x)\leq 26000$ $\therefore x\leq 6$

따라서 수국은 최대 6송이까지 살 수 있다.

09 생수를 x통 산다고 하면

$1000x>700x+1900$ $\therefore x>\dfrac{19}{3}$

따라서 생수를 7통 이상 사는 경우 할인 매장에서 사는 것

이 유리하다.

10 올라간 거리를 x km라 하면

$\dfrac{x}{3}+\dfrac{x}{4}\leq 7$ $\therefore x\leq 12$

따라서 최대 12 km 지점까지 올라갈 수 있다.

1 📋 (1) $(x-2y)\times 5x-(8x^2y-3x^3)\div\dfrac{1}{2}x$

(2) $11x^2-26xy$

(2) $(x-2y)\times 5x-(8x^2y-3x^3)\div\dfrac{1}{2}x$

$=(x-2y)\times 5x-(8x^2y-3x^3)\times\dfrac{2}{x}$

$=5x^2-10xy-(16xy-6x^2)$

$=5x^2-10xy-16xy+6x^2$

$=11x^2-26xy$

2 답 (1) $2ab$ (2) $12ab^2+12a^2b+16ab^3$

(1) $3a \times 4b^2 \times (높이) = 24a^2b^3$에서

$12ab^2 \times (높이) = 24a^2b^3$

$\therefore (높이) = \dfrac{24a^2b^3}{12ab^2} = 2ab$

(2) $(수족관의\ 겉넓이)$

$= 3a \times 4b^2 + (3a \times 2ab + 4b^2 \times 2ab) \times 2$

$= 12ab^2 + (6a^2b + 8ab^3) \times 2$

$= 12ab^2 + 12a^2b + 16ab^3$

3 답 (1) $x \leq 3.5$ (2) $x \leq 50$

4 답 경주

$a < b$이면 $a - 2 > b - 2$

→ 부등식의 양변에서 같은 수를 빼어도 부등호의 방향은 바뀌지 않으므로

$a < b$이면 $a - 2 < b - 2$ (아니오)

$a > b$이면 $-2a - 5 < -2b - 5$

→ 부등식의 양변에 같은 음수를 곱하면 부등호의 방향은 바뀌지만 같은 수를 빼어도 부등호의 방향은 바뀌지 않으므로

$a > b$이면 $-2a - 5 < -2b - 5$ (예)

$a < b$이면 $a - (-6) > b - (-6)$

→ 부등식의 양변에서 같은 수를 빼어도 부등호의 방향은 바뀌지 않으므로

$a < b$이면 $a - (-6) < b - (-6)$ (아니오)

따라서 현준이가 여행할 도시는 경주이다.

5 답 Z

$0.2x + 0.9 \leq 0.1x + 1.4$의 양변에 10을 곱하면

$2x + 9 \leq x + 14$ $\therefore x \leq 5$

따라서 $x \leq 5$를 만족시키는 자연수가 적힌 칸을 모두 색칠하면 다음과 같고, 이때 나타나는 알파벳은 Z이다.

2	5	3	4	2
0	7	6	1	9
9	8	3	6	7
0	4	7	8	6
5	3	1	1	4

6 답 (1) $(40x + 2000)$ kWh (2) 9대

(1) $400 \times 5 + 40 \times x = 40x + 2000$ (kWh)

(2) $40x + 2000 < 2400$에서

$40x < 400$ $\therefore x < 10$

따라서 선풍기는 최대 9대까지 사용할 수 있다.

7 답 (1) $1000x > 1000 \times \dfrac{50}{100} \times 30$ (2) 16

(2) $1000x > 1000 \times \dfrac{50}{100} \times 30$ $\therefore x > 15$

따라서 16명 이상이면 30명의 단체 입장권을 내는 것이 유리하다.

8 답 (1) $\dfrac{x}{50}$분 (2) 500 m

(1) $(시간) = \dfrac{(거리)}{(속력)}$이므로 집에서 마트까지 가는 데 걸린 시간은 $\dfrac{x}{50}$분이다.

(2) $\dfrac{x}{50} + 10 + \dfrac{x}{50} \leq 30$ $\therefore x \leq 500$

따라서 집에서 최대 500 m 이내에 있는 마트까지 다녀올 수 있다.

중간고사 마무리

신유형 · 신경향 · 서술형 **전략** | 72쪽~75쪽

1 답 (1) 풀이 참조 (2) $0.\dot{2}8571\dot{4}$, 6

(1)

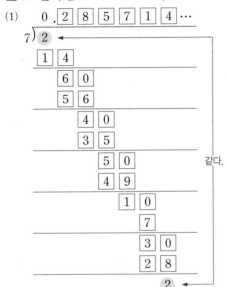

(2) $\dfrac{2}{7}$ 를 순환소수로 나타내면 $0.\dot{2}8571\dot{4}$이고, 순환마디를 이루는 숫자의 개수는 $2, 8, 5, 7, 1, 4$의 6개이다.

2 답 (1) 9, 3, 12, 12 (2) 12, 2, 4, 4, 4

(1) $512 \times 8 = 2^{\boxed{9}} \times 2^{\boxed{3}} = 2^{9+3} = 2^{\boxed{12}}$ (MiB)

따라서 용량이 512 MiB인 동영상 8편의 전체 용량은 $2^{\boxed{12}}$ MiB이다.

(2) 2^{10} MiB는 1 GiB이므로

$2^{\boxed{12}}$ (MiB) $= 2^{\boxed{2}} \times 2^{10}$ (MiB)

$\qquad\qquad\quad = \boxed{4} \times 2^{10}$ (MiB)

$\qquad\qquad\quad = \boxed{4}$ (GiB)

따라서 용량이 512 MiB인 동영상 8편의 전체 용량은 $\boxed{4}$ GiB이다.

3 답 영호

계산식을 바르게 풀면

$12x^2 \div \dfrac{3}{2}x = 12x^2 \times \dfrac{2}{3x} = 8x$

따라서 바르게 말한 사람은 영호이다.

4 답 (1) $8x^2y - 2xy^2$ (2) $4x - y$

(1) (직사각형 모양의 색지의 넓이)

$= ($A 부분의 넓이$) + ($B 부분의 넓이$)$

$= (6x^2y - 7xy^2) + (5xy^2 + 2x^2y)$

$= 8x^2y - 2xy^2$

(2) 직사각형 모양의 색지의 가로의 길이를 a라 하면

$a \times 2xy = 8x^2y - 2xy^2$

$\therefore a = \dfrac{8x^2y - 2xy^2}{2xy} = 4x - y$

따라서 직사각형 모양의 색지의 가로의 길이는 $4x - y$이다.

5 답 (1) $\dfrac{1}{3}\pi r^2 h$ (2) $\dfrac{1}{81}\pi r^2 h$ (3) $\dfrac{26}{81}\pi r^2 h$

(2) 물의 높이는 $\dfrac{1}{3}h$, 수면의 반지름의 길이는 $\dfrac{1}{3}r$이므로

(물의 부피) $= \dfrac{1}{3}\pi \times \left(\dfrac{1}{3}r\right)^2 \times \left(\dfrac{1}{3}h\right) = \dfrac{1}{81}\pi r^2 h$

(3) $\dfrac{1}{3}\pi r^2 h - \dfrac{1}{81}\pi r^2 h = \dfrac{26}{81}\pi r^2 h$

6 답 ③

①

②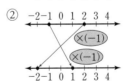

③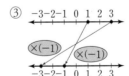

④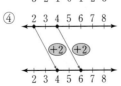

⑤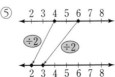

따라서 옳지 않은 것은 ③이다.

7 답 (1) A 치즈 : $\dfrac{1}{125}$ g, B 치즈 : $\dfrac{1}{200}$ g (2) 300 g

(1) A 치즈의 20 g당 칼슘 함유량은 0.16 g이므로

1 g당 칼슘 함유량은 $\dfrac{0.16}{20}=\dfrac{1}{125}$ (g)

B 치즈의 20 g당 칼슘 함유량은 0.1 g이므로

1 g당 칼슘 함유량은 $\dfrac{0.1}{20}=\dfrac{1}{200}$ (g)

(2) $\dfrac{1}{125}x+\dfrac{1}{200}\times 200\geq 3.4$ ∴ $x\geq 300$

따라서 A 치즈는 최소한 300 g 필요하다.

8 답 270분

x분 동안 주차한다고 하면 3시간 30분, 즉 210분을 초과하여 주차한 시간은 $(x-210)$분이므로

$2000+100(x-210)\leq 8000$ ∴ $x\leq 270$

따라서 최대 270분 동안 주차할 수 있다.

적중 예상 **전략** | 1회			76쪽~79쪽
01 ⑤	**02** 1	**03** ⑤	**04** ①
05 46	**06** ②	**07** 지아	**08** ②
09 ③	**10** ③	**11** ①	**12** ②
13 ③	**14** ①, ⑤	**15** ②	
16 $3x^2+13x-6$			

01 ⑤ $4.124124124\cdots=4.\dot{1}2\dot{4}$

02 $\dfrac{7}{37}=0.\dot{1}8\dot{9}$이므로 순환마디를 이루는 숫자는 3개이다.

이때 $2020=3\times 673+1$이므로 소수점 아래 2020번째 자리의 숫자는 순환마디의 첫 번째 숫자인 1이다.

03 ① $\dfrac{3}{36}=\dfrac{1}{12}=\dfrac{1}{2^2\times 3}$

② $\dfrac{4}{63}=\dfrac{4}{3^2\times 7}$

④ $\dfrac{21}{2^3\times 3^2}=\dfrac{7}{2^3\times 3}$

⑤ $\dfrac{49}{2\times 5^3\times 7}=\dfrac{7}{2\times 5^3}$

따라서 유한소수로 나타낼 수 있는 것은 ⑤이다.

04 $\dfrac{9}{66}=\dfrac{3}{22}=\dfrac{3}{2\times 11}$이므로 $\dfrac{3}{2\times 11}\times a$가 유한소수가 되려면 a는 11의 배수이어야 한다.

따라서 a의 값이 될 수 있는 가장 작은 두 자리의 자연수는 11이다.

05 $\dfrac{a}{560}=\dfrac{a}{2^4\times 5\times 7}$가 유한소수가 되려면 a는 7의 배수이어야 한다. 그런데 $40<a<70$이므로 a가 될 수 있는 수는 42, 49, 56, 63이다.

한편 $\dfrac{a}{560}$를 기약분수로 나타내면 $\dfrac{1}{b}$이므로 이를 만족하는 수는 56이다. 즉 $a=56$

또 $\dfrac{56}{560}=\dfrac{1}{10}$이므로 $b=10$

∴ $a-b=56-10=46$

06 $x=1.\dot{3}\dot{6}=1.363636\cdots$이므로

$100x=136.363636\cdots$

$-)\quad x=\quad 1.363636\cdots$

$99x=135$

∴ $x=\dfrac{135}{99}=\dfrac{15}{11}$

따라서 가장 편리한 식은 ② $100x-x$이다.

07 $x=1.48\dot{5}$를 분수로 나타내면

$\dfrac{1485-14}{990}=\dfrac{1471}{990}$

따라서 잘못 설명한 학생은 지아이다.

08 ① 순환소수는 무한소수이다.

③ 정수가 아닌 유리수는 유한소수 또는 무한소수로 나낼 수 있다.

④ 순환소수는 모두 유리수이다.

⑤ 유한소수로 나타낼 수 있는 기약분수는 분모의 소인수가 2 또는 5뿐이다.

09 ㉠ $a\times a^3=a^4$

㉡ $\left(\dfrac{x^3}{y^2}\right)^3=\dfrac{x^9}{y^6}$

㉢ $2^{10}\div(2^2)^5=2^{10}\div 2^{10}=1$

㉣ $(-2a^2b)^4=16a^8b^4$

㉤ $2^3+2^3+2^3+2^3=4\times 2^3=2^2\times 2^3=2^5$

따라서 옳은 것은 ㉢, ㉤이다.

10 $32^3 \div 2^5 = (2^5)^3 \div 2^5 = 2^{15} \div 2^5 = 2^{10}$ $\therefore x=10$

$125^4 \div 5^{2y} = (5^3)^4 \div 5^{2y} = 5^{12} \div 5^{2y} = 5^{12-2y} = 5^2$이므로

$12-2y=2, \ -2y=-10$ $\therefore y=5$

$\therefore x+y=10+5=15$

32는 2의 거듭제곱으로 나타내고

125는 5의 거듭제곱으로 나타내.

11 $4^2 \times 5^5 = (2^2)^2 \times 5^5 = 2^4 \times 5^5$
$\qquad = 5 \times (2^4 \times 5^4) = 5 \times (2 \times 5)^4$
$\qquad = 5 \times 10^4$

따라서 $4^2 \times 5^5$은 5자리의 자연수이므로 $n=5$

12 $\dfrac{3^6}{2^3+2^3+2^3} \times \dfrac{8^3+8^3}{3^5+3^5+3^5+3^5}$

$= \dfrac{3^6}{3 \times 2^3} \times \dfrac{2 \times 8^3}{4 \times 3^5} = \dfrac{3^5}{2^3} \times \dfrac{2 \times (2^3)^3}{2^2 \times 3^5}$

$= \dfrac{3^5}{2^3} \times \dfrac{2^{10}}{2^2 \times 3^5} = \dfrac{3^5}{2^3} \times \dfrac{2^8}{3^5} = 2^5$

13 $(-ab^2)^3 \times \left(\dfrac{a^3}{b}\right)^4 \div (a^3b)^5 = -a^3b^6 \times \dfrac{a^{12}}{b^4} \div a^{15}b^5$

$\qquad\qquad\qquad\qquad = -a^3b^6 \times \dfrac{a^{12}}{b^4} \times \dfrac{1}{a^{15}b^5}$

$\qquad\qquad\qquad\qquad = -\dfrac{1}{b^3}$

14 ② $(8x^2-6x) \div \dfrac{1}{2}x = (8x^2-6x) \times \dfrac{2}{x}$
$\qquad\qquad\qquad\qquad\quad = 16x-12$

③ $-2x(3x+2y) = -6x^2-4xy$

④ $(14xy^2+21x) \div (-7x)$
$\qquad = (14xy^2+21x) \times \left(-\dfrac{1}{7x}\right)$
$\qquad = -2y^2-3$

15 (내)의 높이를 h라 하면 (개)와 (내)의 넓이가 같으므로
$(4a^3b^2)^2 = \dfrac{1}{2} \times 8ab^2 \times h$

$16a^6b^4 = 4ab^2 \times h$ $\therefore h = \dfrac{16a^6b^4}{4ab^2} = 4a^5b^2$

따라서 (내)의 높이는 $4a^5b^2$이다.

16 $A + (x^2-3x+2) = 5x^2+7x-2$
$\therefore A = (5x^2+7x-2) - (x^2-3x+2)$
$\quad = 5x^2+7x-2-x^2+3x-2$
$\quad = 4x^2+10x-4$

따라서 바르게 계산한 식은
$4x^2+10x-4 - (x^2-3x+2)$
$= 4x^2+10x-4-x^2+3x-2$
$= 3x^2+13x-6$

적중 예상 전략 | 2회 **80쪽~83쪽**

01 $-2x^2-3x+4xy$	**02** ①	**03** ⑤
04 ③	**05** ③	**06** ⑤	**07** 민경
08 ②	**09** -2	**10** ⑤	**11** ④
12 $4<a\leq6$	**13** 30개	**14** 7개	**15** ②
16 4 km			

01 $-2x(x-y) - \dfrac{3x^2y-2x^2y^2}{xy}$

$= -2x^2+2xy - (3x-2xy)$

$= -2x^2+2xy-3x+2xy$

$= -2x^2-3x+4xy$

02 (넓이) $= \dfrac{1}{2} \times \{(3x+2y)+(6x+7y)\} \times 2xy$

$\qquad = \dfrac{1}{2} \times (9x+9y) \times 2xy = 9x^2y+9xy^2$

04 ③ $x=0$을 $5x \geq 3x+4$에 대입하면 $0 \geq 4$ (거짓)
따라서 [ ] 안의 수가 부등식의 해가 아닌 것은 ③이다.

05 ① $a<b$의 양변에 -7을 더하면 $-7+a < -7+b$
② $3a-4 \geq 3b-4$의 양변에 4를 더하고 3으로 나누면
$\quad a \geq b$
③ $a>b$의 양변을 -3으로 나누면 $-\dfrac{a}{3} < -\dfrac{b}{3}$

④ $1+\dfrac{2}{3}a<1+\dfrac{2}{3}b$의 양변에서 1을 빼고 $\dfrac{2}{3}$로 나누면

$a<b$

⑤ $a-3\geq b-3$의 양변에 3을 더하고 -2를 곱하면

$-2a\leq -2b$

따라서 옳은 것은 ③이다.

06 $-2\leq x<1$의 각 변에 -2를 곱하면

$-2<-2x\leq 4$

$-2<-2x\leq 4$의 각 변에 1을 더하면

$-1<1-2x\leq 5$

07 남수 : $x^2-x>2x$에서 $x^2-3x>0$

➡ 일차부등식이 아니다.

민경 : $3x-1>1-3x$에서 $6x-2>0$

➡ 일차부등식이다.

기복 : $x(x+1)\geq x-5$에서 $x^2+5\geq 0$

➡ 일차부등식이 아니다.

수아 : $x+3=7$ ➡ 일차방정식이다.

따라서 일차부등식이 적힌 팻말을 들고 있는 학생은 민경

이다.

08 $3x-2<4x-7$에서

$-x<-5$ $\quad\therefore x>5$

따라서 부등식의 해를 수직선 위에

바르게 나타낸 것은 ②이다.

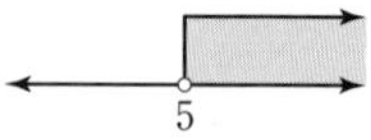

09 $ax+6\geq 0$에서 $ax\geq -6$

이 부등식의 해가 $x\leq 3$이므로 $a<0$이고 $x\leq -\dfrac{6}{a}$이다.

따라서 $-\dfrac{6}{a}=3$이므로

$a=-2$

10 $\dfrac{3x-2}{2}-\dfrac{x}{5}\leq 1.6$의 양변에 10을 곱하면

$5(3x-2)-2x\leq 16$

$15x-10-2x\leq 16$

$13x\leq 26$ $\quad\therefore x\leq 2$

11 $-3(x-2)<2x-4$에서

$-3x+6<2x-4$

$-5x<-10$ $\quad\therefore x>2$

$4(x+a)-1>-9$에서

$4x+4a-1>-9$

$4x>-4a-8$ $\quad\therefore x>-a-2$

따라서 $-a-2=2$이므로

$a=-4$

12 $3x+2a>7x$에서

$-4x>-2a$ $\quad\therefore x<\dfrac{a}{2}$

이 부등식을 만족시키는 자연수 x

가 2개이려면 오른쪽 그림과 같아

야 하므로

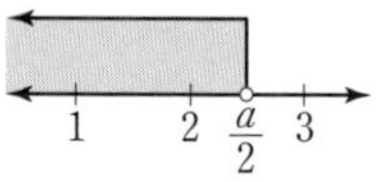

$2<\dfrac{a}{2}\leq 3$

$\therefore 4<a\leq 6$

13 한 번에 x개의 상자를 운반한다고 하면

$50+15x\leq 500$ $\quad\therefore x\leq 30$

따라서 한 번에 최대 30개의 상자를 운반할 수 있다.

14 음료수를 x개 산다고 하면

$1000x>500x+3000$ $\quad\therefore x>6$

따라서 음료수를 7개 이상 살 경우 할인 매장에서 사는 것

이 유리하다.

15 입장하는 학생 수를 x명이라 하면

$5000x>30\times 5000\times\dfrac{75}{100}$ $\quad\therefore x>\dfrac{45}{2}$

따라서 23명 이상이면 30명의 단체 입장권을 사는 것이

유리하다.

16 민아가 걸어간 거리를 x km라 하면 달려간 거리는

$(5-x)$ km이고 1시간 30분은 $1\dfrac{1}{2}=\dfrac{3}{2}$(시간)이므로

$\dfrac{x}{3}+\dfrac{5-x}{6}\leq\dfrac{3}{2}$ $\quad\therefore x\leq 4$

따라서 걸어간 거리는 최대 4 km이다.

정답과 풀이

기말고사 대비

정답과 풀이 BOOK 2

1주 연립방정식

1일 개념 돌파 전략 ❶   9쪽, 11쪽

1-2 ㉢, ㉣

2-2 (1) $(1, 4), (3, 3), (5, 2), (7, 1)$ (2) $(1, 4), (2, 2)$

     (3) $x=1, y=4$

3-2 (1) $x=2, y=2$ (2) $x=7, y=3$ **4-2** $x=4, y=-2$

5-2 (1) 해가 무수히 많다. (2) 해가 없다.

6-2 (1) $\begin{cases} x+y=7 \\ \dfrac{x}{4}+\dfrac{y}{2}=2 \end{cases}$ (2) 6 km, 1 km

---

1-2 ㉠ 미지수가 2개인 일차식

   ㉡ $x^2+y=-2y+x^2+7$에서 $3y-7=0$

   → 미지수가 1개인 일차방정식

   ㉢ $y=3x+4$에서 $-3x+y-4=0$

   → 미지수가 2개인 일차방정식

   ㉣ 미지수가 2개인 일차방정식

   따라서 미지수가 2개인 일차방정식은 ㉢, ㉣이다.

2-2 (3) 연립방정식의 해는 두 일차방정식을 동시에 만족시키는 x, y의 값인 $x=1, y=4$이다.

3-2 (1) $\begin{cases} 2x+y=6 & \cdots\cdots ㉠ \\ x=3y-4 & \cdots\cdots ㉡ \end{cases}$

   ㉡을 ㉠에 대입하면

   $2(3y-4)+y=6$

   $6y-8+y=6$

   $7y=14$ ∴ $y=2$

   $y=2$를 ㉡에 대입하면

   $x=3\times2-4=2$

   (2) $\begin{cases} x-y=4 & \cdots\cdots ㉠ \\ 2x-3y=5 & \cdots\cdots ㉡ \end{cases}$

   y를 없애기 위하여 ㉠$\times3$을 하면

   $3x-3y=12$ $\cdots\cdots ㉢$

   ㉡$-㉢$을 하면

   $-x=-7$ ∴ $x=7$

   $x=7$을 ㉠에 대입하면

   $7-y=4$ ∴ $y=3$

x 대신 3y−4 대입!

4-2 $\begin{cases} 2x+y=6 & \cdots\cdots ㉠ \\ 2(2x+y)+y=10 & \cdots\cdots ㉡ \end{cases}$

㉡을 정리하면

$4x+3y=10$ $\cdots\cdots ㉢$

㉠$\times3-㉢$을 하면

$2x=8$ ∴ $x=4$

$x=4$를 ㉠에 대입하면

$8+y=6$ ∴ $y=-2$

5-2 (1) $\begin{cases} x+3y=5 \\ 2x+6y=10 \end{cases}$ → $\begin{cases} 2x+6y=10 \\ 2x+6y=10 \end{cases}$

   x, y의 계수와 상수항이 각각 같으므로 연립방정식의 해가 무수히 많다.

   (2) $\begin{cases} 2x-y=3 \\ 8x-4y=9 \end{cases}$ → $\begin{cases} 8x-4y=12 \\ 8x-4y=9 \end{cases}$

   x, y의 계수가 각각 같고, 상수항이 다르므로 연립방정식의 해가 없다.

6-2 (2) $\begin{cases} x+y=7 \\ \dfrac{x}{4}+\dfrac{y}{2}=2 \end{cases}$ → $\begin{cases} x+y=7 \\ x+2y=8 \end{cases}$ ∴ $x=6, y=1$

   따라서 시속 4 km로 걸은 거리는 6 km이고, 시속 2 km로 걸은 거리는 1 km이다.

1일 개념 돌파 전략 ❷   12쪽~13쪽

1 ④   **2** ②   **3** $x=5, y=-4$

4 $x=-4, y=4$ **5** ②

6 이모 : 30살, 지우 : 16살

---

1   ④ $x-1000y=2000$

2 $\begin{cases} x+2y=11 & \cdots\cdots ㉠ \\ 2x-y=2 & \cdots\cdots ㉡ \end{cases}$

   y를 없애기 위하여 ㉠$+㉡\times2$를 하면

   $5x=15$

   따라서 y를 없애기 위하여 필요한 식은 ②이다.

3
$$\begin{cases} 0.2x+0.5y=-1 & \cdots\cdots ㉠ \\ 0.4x+0.25y=1 & \cdots\cdots ㉡ \end{cases}$$
㉠×10을 하면
$2x+5y=-10$ $\cdots\cdots$ ㉢
㉡×100을 하면
$40x+25y=100$ $\cdots\cdots$ ㉣
㉢×5-㉣을 하면
$-30x=-150$ ∴ $x=5$
$x=5$를 ㉢에 대입하면
$10+5y=-10,\ 5y=-20$ ∴ $y=-4$

4
$$\begin{cases} \dfrac{3}{10}x+\dfrac{4}{5}y=2 & \cdots\cdots ㉠ \\ \dfrac{1}{4}x-\dfrac{1}{12}y=-\dfrac{4}{3} & \cdots\cdots ㉡ \end{cases}$$
㉠×10을 하면
$3x+8y=20$ $\cdots\cdots$ ㉢
㉡×12를 하면
$3x-y=-16$ $\cdots\cdots$ ㉣
㉢-㉣을 하면
$9y=36$ ∴ $y=4$
$y=4$를 ㉣에 대입하면
$3x-4=-16,\ 3x=-12$ ∴ $x=-4$

5 처음 수의 십의 자리의 숫자를 x, 일의 자리의 숫자를 y라 하면
$$\begin{cases} 10x+y=4(x+y) \\ 10y+x=(10x+y)+27 \end{cases} \rightarrow \begin{cases} y=2x \\ x-y=-3 \end{cases}$$
∴ $x=3,\ y=6$
따라서 처음 수는 36이다.

6 현재 이모의 나이를 x살, 지우의 나이를 y살이라 하면
$$\begin{cases} x=y+14 \\ x-2=2(y-2) \end{cases} \rightarrow \begin{cases} x=y+14 \\ x-2y=-2 \end{cases}$$
∴ $x=30,\ y=16$
따라서 이모의 나이는 30살, 지우의 나이는 16살이다.

2일 필수 체크 전략 ❶ 확인 〔14쪽~17쪽〕

1-1 ④	**1-2** ③	**2-1** ②
2-2 ③	**3-1** $x=4,\ y=6$	**3-2** ④
4-1 0	**4-2** ②, ⑤	

1-1 주어진 순서쌍을 $2x-y=15$에 각각 대입하면
① $2\times6-(-3)=15$
② $2\times7-(-1)=15$
③ $2\times8-1=15$
④ $2\times9-2\neq15$
⑤ $2\times10-5=15$
따라서 일차방정식 $2x-y=15$의 해가 아닌 것은 ④이다.

1-2 $x=4,\ y=k$를 $2x-y=7$에 대입하면
$8-k=7,\ -k=-1$ ∴ $k=1$

2-1 $x=3,\ y=b$를 $x+2y=-3$에 대입하면
$3+2b=-3,\ 2b=-6$ ∴ $b=-3$
$x=3,\ y=-3$을 $ax-y=6$에 대입하면
$3a+3=6,\ 3a=3$ ∴ $a=1$
∴ $ab=1\times(-3)=-3$

2-2
$$\begin{cases} 3x-2y=4 & \cdots\cdots ㉠ \\ 5x+2y=12 & \cdots\cdots ㉡ \end{cases}$$
㉠+㉡을 하면
$8x=16$ ∴ $x=2$
$x=2$를 ㉠에 대입하면
$6-2y=4,\ -2y=-2$ ∴ $y=1$
$x=2,\ y=1$을 $x+3ay=5$에 대입하면
$2+3a=5,\ 3a=3$ ∴ $a=1$

3-1
$$\begin{cases} \dfrac{x}{2}+\dfrac{y}{3}=4 & \cdots\cdots ㉠ \\ 0.5x+0.2y=3.2 & \cdots\cdots ㉡ \end{cases}$$
㉠×6을 하면
$3x+2y=24$ $\cdots\cdots$ ㉢
㉡×10을 하면
$5x+2y=32$ $\cdots\cdots$ ㉣
㉢-㉣을 하면
$-2x=-8$ ∴ $x=4$
$x=4$를 ㉢에 대입하면
$12+2y=24,\ 2y=12$ ∴ $y=6$

3-2 $\begin{cases} 4x-7y-8=7 \\ 5x+3y=7 \end{cases} \rightarrow \begin{cases} 4x-7y=15 & \cdots\cdots \ \bigcirc \\ 5x+3y=7 & \cdots\cdots \ \bigcirc \end{cases}$

$\bigcirc \times 3 + \bigcirc \times 7$을 하면

$47x=94 \qquad \therefore x=2$

$x=2$를 $\bigcirc$에 대입하면

$8-7y=15, \ -7y=7 \qquad \therefore y=-1$

이 문제는 $\begin{cases} A=C \\ B=C \end{cases}$로 풀면 편리하겠네.

4-1 $\begin{cases} x+y=a \\ bx+3y=9 \end{cases} \rightarrow \begin{cases} 3x+3y=3a \\ bx+3y=9 \end{cases}$

이 연립방정식의 해가 무수히 많으므로

$3=b, 3a=9 \qquad \therefore a=3, b=3$

$\therefore a-b=3-3=0$

다른 풀이

해가 무수히 많으려면 $\dfrac{1}{b}=\dfrac{1}{3}=\dfrac{a}{9}$이어야 하므로

$a=3, b=3$

$\therefore a-b=3-3=0$

4-2 ① $\begin{cases} x+4y=2 \\ 2x+8y=4 \end{cases} \rightarrow \begin{cases} 2x+8y=4 \\ 2x+8y=4 \end{cases}$

∴ 해가 무수히 많다.

② $\begin{cases} x-2y=1 \\ 9x-18y=7 \end{cases} \rightarrow \begin{cases} 9x-18y=9 \\ 9x-18y=7 \end{cases}$

∴ 해가 없다.

③ $\begin{cases} 4x+y=-6 \\ 16x+4y=-24 \end{cases} \rightarrow \begin{cases} 16x+4y=-24 \\ 16x+4y=-24 \end{cases}$

∴ 해가 무수히 많다.

④ $\begin{cases} 3x+y=1 \\ -6x-3y=-2 \end{cases}$ 를 풀면 $x=\dfrac{1}{3}, y=0$이므로

해가 1개이다.

⑤ $\begin{cases} 2x+3y=-1 \\ -6x-9y=-3 \end{cases} \rightarrow \begin{cases} -6x-9y=3 \\ -6x-9y=-3 \end{cases}$

∴ 해가 없다.

따라서 해가 없는 것은 ②, ⑤이다.

2일 필수 체크 전략 ❷ 〔18쪽~19쪽〕

1 ②	**2** 9	**3** ④	**4** 13
5 2	**6** ④		

1 $x=-a, y=a+3$을 $3x+2y=10$에 대입하면

$-3a+2(a+3)=10, \ -3a+2a+6=10$

$-a+6=10 \qquad \therefore a=-4$

2 x, y가 자연수이므로

$x+2y=11$의 해는 $(1,5), (3,4), (5,3), (7,2), (9,1)$

의 5개이다. $\qquad \therefore a=5$

또 $x+3y=15$의 해는 $(3,4), (6,3), (9,2), (12,1)$의

4개이다. $\qquad \therefore b=4$

$\therefore a+b=5+4=9$

3 x의 값이 y의 값의 3배이므로 $x=3y$

$x=3y$를 주어진 연립방정식에 대입하면

$\begin{cases} 3y-2y=5-a \\ 9y-5y=2a-4 \end{cases} \rightarrow \begin{cases} y=5-a & \cdots\cdots \ \bigcirc \\ 4y=2a-4 & \cdots\cdots \ \bigcirc \end{cases}$

$\bigcirc$을 $\bigcirc$에 대입하면

$4(5-a)=2a-4, \ 20-4a=2a-4$

$-6a=-24 \qquad \therefore a=4$

4 $\begin{cases} \dfrac{1}{3}x+\dfrac{3}{5}y=5 & \cdots\cdots \ \bigcirc \\ 0.3(x+y)-0.1y=1.1 & \cdots\cdots \ \bigcirc \end{cases}$

$\bigcirc \times 15$를 하면

$5x+9y=75 \qquad \cdots\cdots \ \bigcirc$

$\bigcirc \times 10$을 하면

$3(x+y)-y=11$

$3x+2y=11 \qquad \cdots\cdots \ \boxdot$

$\bigcirc \times 3 - \boxdot \times 5$를 하면

$17y=170 \qquad \therefore y=10$

$y=10$을 $\boxdot$에 대입하면

$3x+20=11, \ 3x=-9 \qquad \therefore x=-3$

따라서 $a=-3, b=10$이므로

$b-a=10-(-3)=13$

5 $\begin{cases} \dfrac{4x+y}{5}=1 \\ \dfrac{5x-2y}{3}=1 \end{cases} \rightarrow \begin{cases} 4x+y=5 & \cdots\cdots \ \bigcirc \\ 5x-2y=3 & \cdots\cdots \ \bigcirc \end{cases}$

$\bigcirc \times 2 + \bigcirc$을 하면

$13x=13 \qquad \therefore x=1$

$x=1$을 ㉠에 대입하면

$4+y=5$ $\quad \therefore y=1$

따라서 $a=1$, $b=1$이므로

$a+b=1+1=2$

6 $\begin{cases}(a+3)x-2y=4\\2x-y=7\end{cases}$ ➡ $\begin{cases}(a+3)x-2y=4\\4x-2y=14\end{cases}$

이 연립방정식의 해가 없으므로

$a+3=4$ $\quad \therefore a=1$

> **다른 풀이**
>
> 해가 없으려면 $\dfrac{a+3}{2}=\dfrac{-2}{-1}\neq\dfrac{4}{7}$이어야 하므로
>
> $\dfrac{a+3}{2}=\dfrac{-2}{-1}$에서 $a+3=4$ $\quad \therefore a=1$

3일 **필수 체크 전략 ❶ 확인** | 20쪽~23쪽

1-1 ③ **1-2** 8마리 **2-1** ④

2-2 40살

3-1 갈 때 거리 : 9 km, 올 때 거리 : 12 km

3-2 달려간 거리 : 6 km, 걸어간 거리 : 4 km

4-1 ② **4-2** 10일

1-1 어른 1명의 입장료를 x원, 청소년 1명의 입장료를 y원이라 하면

$\begin{cases}x+4y=22000\\2x+3y=24000\end{cases}$ $\quad \therefore x=6000, y=4000$

따라서 어른 2명과 청소년 5명의 입장료의 합은

$2\times6000+5\times4000=32000$(원)

1-2 오리의 수를 x마리, 토끼의 수를 y마리라 하면

$\begin{cases}x+y=17\\2x+4y=50\end{cases}$ $\quad \therefore x=9, y=8$

따라서 토끼는 8마리이다.

2-1 태우가 이긴 횟수를 x회, 진 횟수를 y회라 하면

예원이가 이긴 횟수는 y회, 진 횟수는 x회이므로

$\begin{cases}4x-2y=32\\4y-2x=14\end{cases}$ $\quad \therefore x=13, y=10$

따라서 태우가 이긴 횟수는 13회이다.

2-2 현재 아버지의 나이를 x살, 아들의 나이를 y살이라 하면

$\begin{cases}x+y=55\\x+10=2(y+10)\end{cases}$ ➡ $\begin{cases}x+y=55\\x-2y=10\end{cases}$

$\therefore x=40, y=15$

따라서 현재 아버지의 나이는 40살이다.

3-1 갈 때 거리를 x km, 올 때 거리를 y km라 하면

$\begin{cases}x+y=21\\\dfrac{x}{6}+\dfrac{y}{8}=3\end{cases}$ ➡ $\begin{cases}x+y=21\\4x+3y=72\end{cases}$ $\quad \therefore x=9, y=12$

따라서 갈 때 거리는 9 km, 올 때 거리는 12 km이다.

3-2 연우가 달려간 거리를 x km, 걸어간 거리를 y km라 하면

$\begin{cases}x+y=10\\\dfrac{x}{6}+\dfrac{y}{4}=2\end{cases}$ ➡ $\begin{cases}x+y=10\\2x+3y=24\end{cases}$ $\quad \therefore x=6, y=4$

따라서 연우가 달려간 거리는 6 km, 걸어간 거리는 4 km이다.

4-1 작년 남학생 수를 x명, 여학생 수를 y명이라 하면

$\begin{cases}x+y=520-20\\\dfrac{15}{100}x-\dfrac{10}{100}y=20\end{cases}$ ➡ $\begin{cases}x+y=500\\3x-2y=400\end{cases}$

$\therefore x=280, y=220$

따라서 올해 여학생 수는 $220-220\times\dfrac{10}{100}=198$(명)

4-2 전체 일의 양을 1이라 하고, A와 B가 하루에 할 수 있는 일의 양을 각각 x, y라 하면

$\begin{cases}6x+6y=1\\2x+12y=1\end{cases}$ $\quad \therefore x=\dfrac{1}{10}, y=\dfrac{1}{15}$

따라서 A가 혼자서 일을 하면 10일 만에 끝낼 수 있다.

3일 **필수 체크 전략 ❷** | 24쪽~25쪽

1 ⑤ **2** ⑤ **3** ⑤

4 감자 : 330 kg, 고구마 : 170 kg **5** ②

6 6시간

1 선희가 구입한 과자의 개수를 x, 아이스크림의 개수를 y 라 하면

$$\begin{cases} x+y=20 \\ 1200x+1500y=28500 \end{cases} \rightarrow \begin{cases} x+y=20 \\ 4x+5y=95 \end{cases}$$

$\therefore x=5, y=15$

따라서 선희가 구입한 아이스크림의 개수는 15이다.

2 현준이가 성공시킨 2점 슛의 개수를 x, 3점 슛의 개수를 y 라 하면

$$\begin{cases} x+y=13 \\ 2x+3y=28 \end{cases} \qquad \therefore x=11, y=2$$

따라서 현준이가 성공시킨 2점 슛의 개수는 11이다.

3 경수가 이긴 횟수를 x회, 진 횟수를 y회라 하면 민서가 이 긴 횟수는 y회, 진 횟수는 x회이므로

$$\begin{cases} 3x-y=14 \\ 3y-x=30 \end{cases} \qquad \therefore x=9, y=13$$

따라서 민서가 이긴 횟수는 13회이다.

4 작년에 재배한 감자의 수확량을 x kg, 고구마의 수확량 을 y kg이라 하면

$$\begin{cases} x+y=500 \\ \dfrac{10}{100}x - \dfrac{15}{100}y=0 \end{cases} \rightarrow \begin{cases} x+y=500 \\ 2x-3y=0 \end{cases}$$

$\therefore x=300, y=200$

따라서 올해 감자의 수확량은

$$300+300\times\frac{10}{100}=330 \, (\text{kg})$$

고구마의 수확량은

$$200-200\times\frac{15}{100}=170 \, (\text{kg})$$

5 집에서 휴게소까지의 거리를 x km, 휴게소에서 할머니 댁까지의 거리를 y km라 하면

$$\begin{cases} x+y=75 \\ \dfrac{x}{20}+\dfrac{40}{60}+\dfrac{y}{30}=\dfrac{15}{4} \end{cases} \rightarrow \begin{cases} x+y=75 \\ 3x+2y=185 \end{cases}$$

$\therefore x=35, y=40$

따라서 집에서 휴게소까지의 거리는 35 km이다.

6 물탱크에 물을 가득 채웠을 때의 물의 양을 1이라 하고, A, B 두 호스로 1시간 동안 채울 수 있는 물의 양을 각각 x, y라 하면

$$\begin{cases} 5x+2y=1 \\ 3x+6y=1 \end{cases} \qquad \therefore x=\frac{1}{6}, y=\frac{1}{12}$$

따라서 A 호스만으로 물탱크에 물을 가득 채우는 데 걸리 는 시간은 6시간이다.

4일 교과서 대표 전략 ① | 26쪽~29쪽

1 ④	**2** ②	**3** ④	**4** ②
5 2	**6** ⑤	**7** $x=0, y=5$	
8 -8	**9** ③	**10** 25살	
11 노새의 짐 : 7포대, 당나귀의 짐 : 5포대		**12** 126 cm²	
13 1600명	**14** 4 km	**15** ③	**16** 24일

1 $ax-5y=3x-2y+6$에서

$(a-3)x-3y-6=0$

미지수가 2개인 일차방정식이 되려면 $a-3\neq0$이어야 하 므로 $a\neq3$

2 $$\begin{cases} y=2x-10 & \cdots\cdots ㉠ \\ 2x+y=2 & \cdots\cdots ㉡ \end{cases}$$

㉠을 ㉡에 대입하면

$2x+(2x-10)=2, 4x=12 \qquad \therefore x=3$

$x=3$을 ㉠에 대입하면

$y=6-10=-4$

따라서 $a=3, b=-4$이므로

$a+b=3+(-4)=-1$

3 $$\begin{cases} 2x-y=4 & \cdots\cdots ㉠ \\ 4x-3y=-2 & \cdots\cdots ㉡ \end{cases}$$

㉠$\times3-$㉡을 하면

$2x=14 \qquad \therefore x=7$

$x=7$을 ㉠에 대입하면

$14-y=4, -y=-10 \qquad \therefore y=10$

4 $x=-1, y=3$을 $ax+2y=1$에 대입하면

$-a+6=1, -a=-5 \qquad \therefore a=5$

$x=-1, y=3$을 $4x-by=5$에 대입하면

$-4-3b=5, -3b=9 \qquad \therefore b=-3$

$\therefore b-a=-3-5=-8$

5
$\begin{cases} x-3y=-10 & \cdots\cdots \ \text{㉠} \\ 3x-y=-6 & \cdots\cdots \ \text{㉡} \end{cases}$

㉠$\times3-$㉡을 하면

$-8y=-24$ $\quad \therefore y=3$

$y=3$을 ㉠에 대입하면

$x-9=-10$ $\quad \therefore x=-1$

따라서 $x=-1$, $y=3$을 $4x+2y=a$에 대입하면

$-4+6=a$ $\quad \therefore a=2$

6
$\begin{cases} 4(x-y)+5y=2 \\ x+2(x-2y)=11 \end{cases} \rightarrow \begin{cases} 4x+y=2 & \cdots\cdots \ \text{㉠} \\ 3x-4y=11 & \cdots\cdots \ \text{㉡} \end{cases}$

㉠$\times4+$㉡을 하면

$19x=19$ $\quad \therefore x=1$

$x=1$을 ㉠에 대입하면

$4+y=2$ $\quad \therefore y=-2$

7
$\begin{cases} \dfrac{1}{5}x+\dfrac{1}{10}=\dfrac{1}{2} & \cdots\cdots \ \text{㉠} \\ 0.3x+0.2y=1 & \cdots\cdots \ \text{㉡} \end{cases}$

㉠$\times10$을 하면

$2x+y=5$ $\quad \cdots\cdots \ \text{㉢}$

㉡$\times10$을 하면

$3x+2y=10$ $\quad \cdots\cdots \ \text{㉣}$

㉢$\times2-$㉣을 하면 $x=0$

$x=0$을 ㉢에 대입하면 $y=5$

8
$\begin{cases} x+3y=7 \\ ax+by=-14 \end{cases} \rightarrow \begin{cases} -2x-6y=-14 \\ ax+by=-14 \end{cases}$

이 연립방정식의 해가 무수히 많으므로

$a=-2$, $b=-6$

$\therefore a+b=-2+(-6)=-8$

[다른 풀이]

해가 무수히 많으려면 $\dfrac{1}{a}=\dfrac{3}{b}=\dfrac{7}{-14}$이어야 하므로

$\dfrac{1}{a}=\dfrac{7}{-14}$에서 $a=-2$, $\dfrac{3}{b}=\dfrac{7}{-14}$에서 $b=-6$

$\therefore a+b=-2+(-6)=-8$

9 처음 수의 십의 자리의 숫자를 x, 일의 자리의 숫자를 y라 하면

$\begin{cases} x+y=12 \\ 10y+x=2(10x+y)+15 \end{cases} \rightarrow \begin{cases} x+y=12 \\ 19x-8y=-15 \end{cases}$

$\therefore x=3$, $y=9$

따라서 처음 수는 39이다.

10 현재 아버지의 나이를 x살, 딸의 나이를 y살이라 하면

$\begin{cases} x+y=65 \\ x+10=2(y+10)+10 \end{cases} \rightarrow \begin{cases} x+y=65 \\ x-2y=20 \end{cases}$

$\therefore x=50$, $y=15$

따라서 10년 후 딸의 나이는

$15+10=25$(살)

11 노새의 짐을 x포대, 당나귀의 짐을 y포대라 하면

$\begin{cases} x+1=2(y-1) \\ x-1=y+1 \end{cases} \rightarrow \begin{cases} x-2y=-3 \\ x-y=2 \end{cases}$

$\therefore x=7$, $y=5$

따라서 노새의 짐은 7포대, 당나귀의 짐은 5포대이다.

12 가로의 길이를 x cm, 세로의 길이를 y cm라 하면

$\begin{cases} y=x+5 \\ 2(x+y)=46 \end{cases} \rightarrow \begin{cases} y=x+5 \\ x+y=23 \end{cases}$ $\quad \therefore x=9$, $y=14$

따라서 직사각형의 넓이는

$9\times14=126$ (cm^2)

13 지난 달 남자 회원 수를 x명, 여자 회원 수를 y명이라 하면

$\begin{cases} x+y=4500 \\ -\dfrac{20}{100}x+\dfrac{16}{100}y=0 \end{cases} \rightarrow \begin{cases} x+y=4500 \\ -5x+4y=0 \end{cases}$

$\therefore x=2000$, $y=2500$

따라서 이번 달 남자 회원 수는

$2000-2000\times\dfrac{20}{100}=1600$(명)

14 영훈이가 걸어간 거리를 x km, 뛰어간 거리를 y km라 하면

$\begin{cases} x+y=5 \\ \dfrac{x}{4}+\dfrac{y}{16}=\dfrac{1}{2} \end{cases} \rightarrow \begin{cases} x+y=5 \\ 4x+y=8 \end{cases}$ $\quad \therefore x=1$, $y=4$

따라서 영훈이가 뛰어간 거리는 4 km이다.

15 형이 출발한 지 x분, 동생이 출발한 지 y분 후에 두 사람이 만난다고 하면

$\begin{cases} x=y+24 \\ 50x=200y \end{cases} \rightarrow \begin{cases} x=y+24 \\ x=4y \end{cases}$ $\quad \therefore x=32$, $y=8$

따라서 형과 동생이 만나는 것은 형이 출발한 지 32분 후이다.

16 전체 일의 양을 1이라 하고, 시호와 나희가 하루에 할 수 있는 일의 양을 각각 x, y라 하면

$$\begin{cases} 12x+12y=1 \\ 10x+14y=1 \end{cases} \quad \therefore x=\frac{1}{24}, y=\frac{1}{24}$$

따라서 시호가 혼자서 일을 하면 24일 만에 끝낼 수 있다.

4일 교과서 대표 전략 ② 30쪽~31쪽

1 ① **2** ③ **3** 7
4 $a=-1$, $b=-1$ **5** $x=1$, $y=3$ **6** 6자루
7 ① **8** 시속 18 km

---

1 ① $400x=600y+100$

2 ③ $x=-2$, $y=1$을 $\begin{cases} 2x+3y=-1 \\ 3x+2y=-4 \end{cases}$에 대입하면

$$\begin{cases} 2\times(-2)+3\times1=-1 \\ 3\times(-2)+2\times1=-4 \end{cases}$$

3 $\begin{cases} x-4y=-18 & \cdots\cdots ㉠ \\ ax-3y=-1 & \cdots\cdots ㉡ \end{cases}$

x의 값이 y의 값보다 3만큼 작으므로

$x=y-3 \quad \cdots\cdots ㉢$

㉢을 ㉠에 대입하면

$(y-3)-4y=-18$, $-3y=-15 \quad \therefore y=5$

$y=5$를 ㉢에 대입하면 $x=5-3=2$

$x=2$, $y=5$를 ㉡에 대입하면

$2a-15=-1$, $2a=14 \quad \therefore a=7$

4 $\begin{cases} 2x+y=3 & \cdots\cdots ㉠ \\ 3x+y=2 & \cdots\cdots ㉡ \end{cases}$

먼저 a, b가 없는 두 일차방정식을 이용해서 해를 구해봐.

㉠-㉡을 하면

$-x=1 \quad \therefore x=-1$

$x=-1$을 ㉠에 대입하면

$-2+y=3 \quad \therefore y=5$

$x=-1$, $y=5$를 $ax+6y=31$에 대입하면

$-a+30=31$, $-a=1 \quad \therefore a=-1$

$x=-1$, $y=5$를 $-6x+by=1$에 대입하면

$6+5b=1$, $5b=-5 \quad \therefore b=-1$

---

5 $\begin{cases} ax+by=1 \\ bx+ay=-5 \end{cases}$에서 a, b를 바꾸면 $\begin{cases} bx+ay=1 \\ ax+by=-5 \end{cases}$

$x=3$, $y=1$을 바꾼 식에 대입하면

$\begin{cases} a+3b=1 & \cdots\cdots ㉠ \\ 3a+b=-5 & \cdots\cdots ㉡ \end{cases}$

㉠×3-㉡을 하면

$8b=8 \quad \therefore b=1$

$b=1$을 ㉠에 대입하면

$a+3=1 \quad \therefore a=-2$

즉 처음 연립방정식은 $\begin{cases} -2x+y=1 & \cdots\cdots ㉢ \\ x-2y=-5 & \cdots\cdots ㉣ \end{cases}$

㉢+㉣×2를 하면

$-3y=-9 \quad \therefore y=3$

$y=3$을 ㉢에 대입하면

$-2x+3=1$, $-2x=-2 \quad \therefore x=1$

6 민수가 실제로 구매한 볼펜의 수를 x자루, 색연필의 수를 y자루라 하면 계산을 한 후 영수증에 적혀 있는 볼펜의 수는 y자루, 색연필의 수는 x자루이다.

$\begin{cases} 700x+500y=8700 \\ 700y+500x=9300 \end{cases} \rightarrow \begin{cases} 7x+5y=87 \\ 5x+7y=93 \end{cases}$

$\therefore x=6$, $y=9$

따라서 민수가 실제로 구입한 볼펜은 6자루이다.

7 남학생 수를 x명, 여학생 수를 y명이라 하면

$\begin{cases} x+y=36 \\ \dfrac{25}{100}x+\dfrac{70}{100}y=36\times\dfrac{50}{100} \end{cases} \rightarrow \begin{cases} x+y=36 \\ 5x+14y=360 \end{cases}$

$\therefore x=16$, $y=20$

따라서 이 학급의 남학생 수는 16명이다.

8 배의 속력을 시속 x km, 강물의 속력을 시속 y km라 하면

$\begin{cases} 2(x+y)=40 \\ \dfrac{5}{2}(x-y)=40 \end{cases} \rightarrow \begin{cases} x+y=20 \\ x-y=16 \end{cases} \quad \therefore x=18, y=2$

따라서 배의 속력은 시속 18 km이다.

누구나 합격 전략 32쪽~33쪽

01 ③	**02** $x-2y+24=0$	**03** 3개
04 현수, 세민	**05** ⑤	**06** ②
07 $x=-6$, $y=-4$	**08** 6자루	**09** ④
10 ②		

01 ① $x^2-y=6$에서 $x^2-y-6=0$

　　　➡ x^2이 있으므로 일차방정식이 아니다.

② $4x+3=6$에서 $4x-3=0$

　　　➡ 미지수가 1개인 일차방정식

③ 미지수가 2개인 일차방정식

④ 분모에 x가 있으므로 일차방정식이 아니다.

⑤ xy가 있으므로 일차방정식이 아니다.

따라서 미지수가 2개인 일차방정식은 ③이다.

02 갑의 나이를 x살, 을의 나이를 y살이라 할 때, 을의 나이 8살을 갑에게 주면 갑의 나이는 $(x+8)$살, 을의 나이는 $(y-8)$살이 되므로

$x+8=2(y-8)$ 　　　∴ $x-2y+24=0$

03 x, y가 자연수이므로 $x+5y=20$의 해를 순서쌍으로 나타내면 $(5,3)$, $(10,2)$, $(15,1)$의 3개이다.

04 다혜 : ㉡을 $y=2x-1$로 바꾼 후 ㉠에 대입해서 풀 수도 있다.

찬영 : ㉡의 양변에 3을 곱한 식과 ㉠을 변끼리 더하면 y를 없앨 수 있다.

따라서 바르게 설명한 학생은 현수, 세민이다.

05 $\begin{cases} 3x-2y=4 & \cdots\cdots ㉠ \\ ax-y=5 & \cdots\cdots ㉡ \end{cases}$

$x=2$를 ㉠에 대입하면

$6-2y=4$, $-2y=-2$ 　　　∴ $y=1$

$x=2$, $y=1$을 ㉡에 대입하면

$2a-1=5$, $2a=6$ 　　　∴ $a=3$

06 $\begin{cases} ax-by=1 & \cdots\cdots ㉠ \\ 2ax+by=5 & \cdots\cdots ㉡ \end{cases}$ 의 해가 $x=2$, $y=3$이므로

$x=2$, $y=3$을 ㉠에 대입하면

$2a-3b=1$ 　　　$\cdots\cdots ㉢$

$x=2$, $y=3$을 ㉡에 대입하면

$4a+3b=5$ 　　　$\cdots\cdots ㉣$

㉢+㉣을 하면

$6a=6$ 　　　∴ $a=1$

$a=1$을 ㉢에 대입하면

$2-3b=1$, $-3b=-1$ 　　　∴ $b=\dfrac{1}{3}$

∴ $a+3b=1+3\times\dfrac{1}{3}=2$

07 $\begin{cases} 0.4x-0.3y=-1.2 & \cdots\cdots ㉠ \\ \dfrac{1}{6}x-\dfrac{1}{2}y=1 & \cdots\cdots ㉡ \end{cases}$

㉠×10을 하면

$4x-3y=-12$ 　　　$\cdots\cdots ㉢$

㉡×6을 하면

$x-3y=6$ 　　　$\cdots\cdots ㉣$

㉢-㉣을 하면

$3x=-18$ 　　　∴ $x=-6$

$x=-6$을 ㉣에 대입하면

$-6-3y=6$, $-3y=12$ 　　　∴ $y=-4$

08 검은색 펜의 수를 x자루, 빨간색 펜의 수를 y자루라 하면

$\begin{cases} x+y=9 \\ 200x+300y=2100 \end{cases} \Rightarrow \begin{cases} x+y=9 \\ 2x+3y=21 \end{cases}$

∴ $x=6$, $y=3$

따라서 구매한 검은색 펜은 6자루이다.

10 전체 일의 양을 1이라 하고 현우와 은지가 하루에 할 수 있는 일의 양을 각각 x, y라 하면

$\begin{cases} 2x+8y=1 \\ 4x+4y=1 \end{cases}$ 　　　∴ $x=\dfrac{1}{6}$, $y=\dfrac{1}{12}$

따라서 현우가 혼자 페인트를 칠한다면 완성하는데 6일이 걸린다.

창의·융합·코딩 전략 　[34쪽~37쪽]

1 답 (다)

$x=-2$, $y=-1$을 $2x-3y=1$에 대입하면

$2\times(-2)-3\times(-1)\ne1$ ➡ 해가 아니다.

$x=3$, $y=\dfrac{5}{3}$를 $2x-3y=1$에 대입하면

$2\times3-3\times\dfrac{5}{3}=1$ ➡ 해이다.

$x=5$, $y=3$을 $2x-3y=1$에 대입하면

$2\times5-3\times3=1$ ➡ 해이다.

$x=6, y=4$를 $2x-3y=1$에 대입하면

$2\times6-3\times4\neq1$ ➡ 해가 아니다.

$x=-1, y=-1$을 $2x-3y=1$에 대입하면

$2\times(-1)-3\times(-1)=1$ ➡ 해이다.

$x=0, y=\dfrac{1}{3}$을 $2x-3y=1$에 대입하면

$2\times0-3\times\dfrac{1}{3}\neq1$ ➡ 해가 아니다.

$x=-4, y=-3$을 $2x-3y=1$에 대입하면

$2\times(-4)-3\times(-3)=1$ ➡ 해이다.

따라서 출발점에서 일차방정식 $2x-3y=1$의 해가 적혀 있는 방을 따라가면

출발 ➡ $\left(3, \dfrac{5}{3}\right)$ ➡ $(5, 3)$ ➡ $(-1, -1)$ ➡ $(-4, -3)$ ➡ (다)

이므로 서민이는 (다) 출구로 나가게 된다.

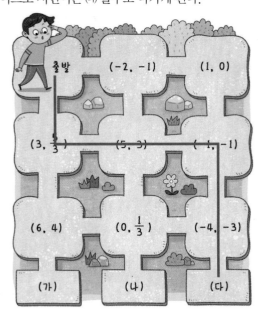

2 답 $a=-3, b=3$

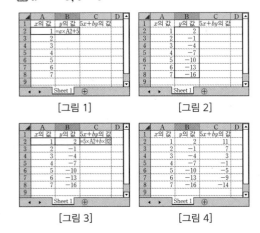

[그림 1] [그림 2]

[그림 3] [그림 4]

예를 들어 B2$=a*$A2$+5$이므로 [그림 2]에서 A2에 있는 x의 값 1, B2에 있는 y의 값 2를 A2, B2에 각각 대입하면

$2=a\times1+5$ ∴ $a=-3$

이때 $5x+by$의 값이 -9인 셀 C를 찾으면 C7이고 C7$=5*$A7$+b*$B7이므로 [그림 4]에서 A7에 있는 x의 값 6, B7에 있는 y의 값 -13을 A7, B7에 각각 대입하면

$5\times6+b\times(-13)=-9$

$30-13b=-9, -13b=-39$ ∴ $b=3$

3 답 (1) $-2y$ (2) $3x-2y=6$ (3) $x=4, y=3$

(3) $\begin{cases} x+y=7 & \cdots\cdots ㉠ \\ 3x-2y=6 & \cdots\cdots ㉡ \end{cases}$

㉠$\times2+$㉡을 하면

$5x=20$ ∴ $x=4$

$x=4$를 ㉠에 대입하면

$4+y=7$ ∴ $y=3$

4 답 (1) $\begin{cases} -3x+7y=9 \\ 2x-3y=4 \end{cases}$ (2) 5 (3) C

(2) $\begin{cases} -3x+7y=9 \\ 2x-3y=4 \end{cases}$ ∴ $x=11, y=6$

즉 $a=11, b=6$이므로 $a-b=11-6=5$

(3) A : $\begin{cases} 2x+3y=5 \\ 4x+6y=-4 \end{cases}$ ➡ $\begin{cases} 4x+6y=10 \\ 4x+6y=-4 \end{cases}$

∴ 해가 없다.

B : $\begin{cases} 3x+4y=7 \\ 6x-8y=9 \end{cases}$ 에서 $x=\dfrac{23}{12}, y=\dfrac{5}{16}$이므로 해가 1개이다.

C : $\begin{cases} 3x-6y=9 \\ x-2y=3 \end{cases}$ ➡ $\begin{cases} 3x-6y=9 \\ 3x-6y=9 \end{cases}$

∴ 해가 무수히 많다.

따라서 해가 무수히 많은 것은 C이다.

5 답 (1) 6, 7000, 12900, 5900

(2) 오이 : 2개, 요구르트 : 4개

(1) • 오이와 요구르트를 합쳐 모두 $8-2=6$(개) 샀다.

• 치즈를 산 총금액은 $3500\times2=7000$(원)이다.

• 장 본 물건들의 총금액은

$15000-2100=12900$(원)이다.

• 오이와 요구르트를 사는 데 모두

$12900-7000=5900$(원)이 들었다.

(2) 오이를 x개, 요구르트를 y개 샀다고 하면

$$\begin{cases} x+y=6 \\ 550x+1200y=5900 \end{cases} \rightarrow \begin{cases} x+y=6 \\ 11x+24y=118 \end{cases}$$

$$\therefore x=2, y=4$$

따라서 오이는 2개, 요구르트는 4개를 샀다.

6 답 $x=4, y=4$

맞힌 화살의 수는 15발이므로

$6+x+y+1=15$ $\therefore x+y=8$

맞힌 화살의 총점은 135점이므로

$6 \times 10 + x \times 9 + y \times 8 + 1 \times 7 = 135$ $\therefore 9x+8y=68$

따라서 연립방정식으로 나타내면 $\begin{cases} x+y=8 \\ 9x+8y=68 \end{cases}$

$$\therefore x=4, y=4$$

7 답 214

백의 자리의 숫자를 x, 일의 자리의 숫자를 y라 하면

$$\begin{cases} x+y=6 \\ 100y+10+x=(100x+10+y)+198 \end{cases}$$

$$\rightarrow \begin{cases} x+y=6 \\ x-y=-2 \end{cases}$$ $\therefore x=2, y=4$

따라서 민지의 사물함 비밀번호는 214이다.

8 답 (1) 480 kcal (2) 걷기 운동 : 120분, 줄넘기 : 30분
　　　 (3) 댄스 : 50분, 배드민턴 : 50분

(1) 유리가 저녁으로 먹은 음식은 밥, 콩나물국, 낙지볶음, 시금치나물이므로 총열량은

　　$280+15+106+79=480$ (kcal)

(2) 유리가 걷기 운동을 x분, 줄넘기를 y분 한다고 하면

$$\begin{cases} x+y=150 \\ 2x+8y=480 \end{cases} \rightarrow \begin{cases} x+y=150 \\ x+4y=240 \end{cases}$$

$$\therefore x=120, y=30$$

따라서 걷기 운동을 120분, 줄넘기를 30분 해야 한다.

(3) 유리 엄마가 댄스를 x분, 배드민턴을 y분 한다고 하면

$$\begin{cases} x+y=100 \\ 3.6x+6y=480 \end{cases} \rightarrow \begin{cases} x+y=100 \\ 3x+5y=400 \end{cases}$$

$$\therefore x=50, y=50$$

따라서 댄스를 50분, 배드민턴을 50분 해야 한다.

2주 일차함수

1일 개념 돌파 전략 ①　41쪽, 43쪽, 45쪽

1-2 ㉡, ㉤

2-2 (1) x절편 : 2, y절편 : -2, 기울기 : 1
　　　 (2) x절편 : -4, y절편 : -12, 기울기 : -3

3-2 ㉠, ㉡　　　　**4-2** (1) ㉠과 ㉣ (2) ㉡과 ㉢

5-2 (1) $y=-\dfrac{1}{3}x+7$ (2) $y=\dfrac{1}{2}x+2$

6-2 (1) $y=420-60x$ (2) 300 km

7-2 (1) $-$㉠, (2) $-$㉢, (3) $-$㉡　　**8-2** ②

9-2 그래프는 그림 참조 (1) 해가 무수히 많다. (2) 해가 없다.

1-2 ㉠ $y=-3$은 일차함수가 아니다.

㉢ $y=\dfrac{1}{x}-\dfrac{1}{2}$은 분모에 x가 있으므로 일차함수가 아니다.

㉣ $xy=5$에서 $y=\dfrac{5}{x}$, 즉 분모에 x가 있으므로 일차함수가 아니다.

㉥ $y=4x(x+1)-4x$에서 $y=4x^2$, 즉 y가 x의 일차식이 아니므로 일차함수가 아니다.

따라서 y가 x의 일차함수인 것은 ㉡, ㉤이다.

2-2 (1) x절편은 $y=0$일 때의 x의 값이므로

　　$0=x-2$ $\therefore x=2$

(2) x절편은 $y=0$일 때의 x의 값이므로

　　$0=-3x-12$, $3x=-12$ $\therefore x=-4$

3-2 ㉠ $y=-2x+2$에 $x=1, y=0$을 대입하면

　　$0=-2\times1+2$

　　따라서 일차함수 $y=-2x+2$의 그래프는 x축 위의 점 $(1, 0)$을 지난다.

㉡ 기울기가 -2로 음수이므로 x의 값이 증가하면 y의 값은 감소한다.

㉢ 일차함수 $y=-2x+2$의 그래프를 그리면 오른쪽 그림과 같으므로 제3 사분면을 지나지 않는다.

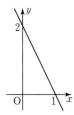

따라서 옳은 것은 ㉠, ㉡이다.

4-2 (1) 기울기는 같고 y절편은 다른 것을 찾으면 ㉠과 ㉣이다.

(2) 기울기와 y절편이 각각 같은 것을 찾으면 ㉡과 ㉢이다.

5-2 (1) $y=-\dfrac{1}{3}x+6$의 그래프와 평행하므로 기울기는 $-\dfrac{1}{3}$이다.

구하는 일차함수의 식을 $y=-\dfrac{1}{3}x+b$라 하면 그래프가 점 $(-6,9)$를 지나므로

$9=-\dfrac{1}{3}\times(-6)+b$ ∴ $b=7$

따라서 구하는 일차함수의 식은 $y=-\dfrac{1}{3}x+7$

(2) $(기울기)=\dfrac{3-0}{2-(-4)}=\dfrac{1}{2}$이므로 구하는 일차함수의 식을 $y=\dfrac{1}{2}x+b$라 하면 그래프가 점 $(-4,0)$을 지나므로

$0=\dfrac{1}{2}\times(-4)+b$ ∴ $b=2$

따라서 구하는 일차함수의 식은 $y=\dfrac{1}{2}x+2$

6-2 (2) $x=2$를 $y=420-60x$에 대입하면

$y=420-60\times2=300$

따라서 자동차가 출발한 지 2시간 후 B 지점까지 남은 거리는 300 km이다.

7-2 (1) $x+y=3$에서 $y=-x+3$

(2) $4x-2y+1=0$에서 $-2y=-4x-1$

∴ $y=2x+\dfrac{1}{2}$

(3) $3x-6y+9=0$에서 $-6y=-3x-9$

∴ $y=\dfrac{1}{2}x+\dfrac{3}{2}$

따라서 (1) – ㉠ (2) – ㉢ (3) – ㉡이다.

8-2 주어진 직선은 x축에 평행하므로 직선의 방정식은 $y=4$이다. 따라서 직선 위의 점은 ② $(2,4)$이다.

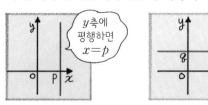

9-2

$$\begin{cases} \text{(그래프: } 2x-6y=-12,\ -x+3y=2,\ y=-x+3,\ x+y=3 \text{)}\end{cases}$$

(1) $\begin{cases} y=-x+3 \\ x+y=3 \end{cases} \Rightarrow \begin{cases} y=-x+3 \\ y=-x+3 \end{cases}$

∴ 해가 무수히 많다.

(2) $\begin{cases} -x+3y=2 \\ 2x-6y=-12 \end{cases} \Rightarrow \begin{cases} y=\dfrac{1}{3}x+\dfrac{2}{3} \\ y=\dfrac{1}{3}x+2 \end{cases}$

∴ 해가 없다.

1일 개념 돌파 전략 ❷   **46쪽~47쪽**

1 ㉡, ㉢, ㉣   **2** ②, ④   **3** -12 **4** -5
5 ①   **6** ㉠, ㉣

1 ㉠ $x=2$일 때, 2의 배수는 2, 4, 6, …이므로 $y=2, 4, 6,$ …이다.

즉 x의 값이 2일 때, y의 값이 하나로 정해지지 않으므로 y는 x의 함수가 아니다.

㉡ $y=\dfrac{120}{x}$, 즉 x의 값이 1, 2, 3, …으로 변함에 따라 y의 값이 120, 60, 40, …으로 하나씩 정해지므로 y는 x의 함수이다.

㉢ $y=500-x$, 즉 x의 값이 1, 2, 3, …으로 변함에 따라 y의 값이 499, 498, 497, …로 하나씩 정해지므로 y는 x의 함수이다.

㉣ $y=1100x$, 즉 x의 값이 1, 2, 3, …으로 변함에 따라 y의 값이 1100, 2200, 3300, …으로 하나씩 정해지므로 y는 x의 함수이다.

따라서 y가 x의 함수인 것은 ㉡, ㉢, ㉣이다.

2 ② 분모에 x가 있으므로 일차함수가 아니다.

④ $x=2(x-y)-x$에서 $y=0$이므로 일차함수가 아니다.

⑤ $y=x(x-1)-x^2$에서 $y=-x$이므로 일차함수이다.

따라서 일차함수가 아닌 것은 ②, ④이다.

3
$$f(-1)=3\times(-1)-5=-8$$
$$f(1)=3\times1-5=-2$$
$$\therefore f(-1)+2f(1)=-8+2\times(-2)=-12$$

4 $y=ax+1$에 $x=2, y=-1$을 대입하면
$$-1=2a+1, -2a=2 \quad \therefore a=-1$$
즉 $y=-x+1$에 $x=5, y=b$를 대입하면
$$b=-5+1=-4$$
$$\therefore a+b=-1+(-4)=-5$$

5 (기울기)$=\dfrac{-4}{2}=-2$인 일차함수의 식은 ①이다.

6 $2y=4$에서 $y=2$이므로 직선 $y=2$의 그래프는 오른쪽 그림과 같다.

ⓛ x축에 평행하다.

ⓒ 제1, 2사분면을 지난다.

ⓜ 직선 $y=2$와 평행하면서 점 $(3, 1)$을 지나는 직선은 $y=1$이다.

따라서 옳은 것은 ⓖ, ⓔ이다.

2일 필수 체크 전략 ❶ 확인   48쪽~51쪽

1-1 -14	**1-2** -2	**2-1** -6
2-2 $\dfrac{4}{3}$	**3-1** ④	**3-2** ②
4-1 -1	**4-2** $a=-6, b=3$	

1-1 $f(2)=3\times2-7=-1$
$$f(4)=3\times4-7=5$$
$$\therefore 4f(2)-2f(4)=4\times(-1)-2\times5=-14$$

1-2 $f(2)=2a-5=3$에서
$$2a=8 \quad \therefore a=4$$
즉 $f(x)=4x-5$이므로
$$f(-1)=4\times(-1)-5=-9$$
$$f(3)=4\times3-5=7$$
$$\therefore f(-1)+f(3)=-9+7=-2$$

2-1 $y=-\dfrac{3}{2}x+b$의 그래프의 x절편이 -4이므로

$y=-\dfrac{3}{2}x+b$에 $x=-4, y=0$을 대입하면

$$0=-\dfrac{3}{2}\times(-4)+b \quad \therefore b=-6$$

즉 $y=-\dfrac{3}{2}x-6$에 $x=0$을 대입하면 $y=-6$

따라서 y절편은 -6이다.

2-2 그래프가 두 점 $(-2, -1), (1, 3)$을 지나므로

(기울기)$=\dfrac{3-(-1)}{1-(-2)}=\dfrac{4}{3}$

3-1 그래프가 오른쪽 위로 향하므로 기울기는 양수이다.

$$\therefore a>0$$

또 그래프가 y축과 음의 부분에서 만나므로 y절편은 음수이다. 즉 $-b<0$이므로 $b>0$

3-2 일차함수 $y=ax+b$의 그래프가 오른쪽 아래로 향하는 직선이므로 기울기는 음수이다. $\quad\therefore a<0$

또 그래프가 y축과 음의 부분에서 만나므로 y절편은 음수이다. $\quad\therefore b<0$

따라서 $-a>0, b<0$이므로 일차함수 $y=-ax+b$의 그래프는 오른쪽 그림과 같이 제2사분면을 지나지 않는다.

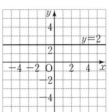

4-1 서로 평행한 두 일차함수의 그래프는 기울기가 같으므로
$$a=2$$
$y=2x+b$의 그래프가 y축과 점 $(0, 3)$에서 만나므로
$$b=3$$
$$\therefore a-b=2-3=-1$$

4-2 주어진 일차함수의 그래프가 두 점 $(-2, 0), (0, 3)$을 지나므로 기울기는 $\dfrac{3-0}{0-(-2)}=\dfrac{3}{2}$이고 y절편이 3이다.

일치하는 두 일차함수의 그래프는 기울기와 y절편이 각각 같으므로

$-\dfrac{a}{4}=\dfrac{3}{2}$에서 $a=-6, b=3$

1 ①	**2** 3	**3** $\frac{2}{3}$	**4** ⑤
5 연우	**6** 1		

1 $f(-5)=-\dfrac{2}{5}\times(-5)-k=1$에서

$2-k=1$　∴ $k=1$

즉 $f(x)=-\dfrac{2}{5}x-1$이므로

$f(2)=-\dfrac{2}{5}\times 2-1=-\dfrac{9}{5}$

∴ $5f(2)=5\times\left(-\dfrac{9}{5}\right)=-9$

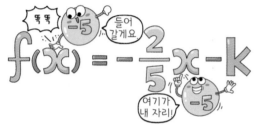

2 (직선 AB의 기울기)=(직선 BC의 기울기)이므로

$\dfrac{-1-1}{1-(-3)}=\dfrac{-2-(-1)}{a-1}$

$-\dfrac{1}{2}=-\dfrac{1}{a-1}$

$a-1=2$　∴ $a=3$

3 색칠한 부분의 넓이가 6이므로

$\dfrac{1}{2}\times 6\times b=6$에서 $3b=6$　∴ $b=2$

즉 $y=-ax+2$에 $x=6$, $y=0$을 대입하면

$0=-6a+2$, $6a=2$　∴ $a=\dfrac{1}{3}$

∴ $ab=\dfrac{1}{3}\times 2=\dfrac{2}{3}$

4 $y=ax+b$에 $x=0$, $y=1$을 대입하면 $b=1$

즉 $y=ax+1$에 $x=1$, $y=-1$을 대입하면

$-1=a+1$　∴ $a=-2$

따라서 일차함수의 식은

$y=-2x+1$이고 그래프는 오른

쪽 그림과 같다.

② $y=-2x+1$에 $x=-3$,

$y=7$을 대입하면

$7=-2\times(-3)+1$이므로 이 일차함수의 그래프는

점 $(-3, 7)$을 지난다.

④ 기울기가 -2이므로 x의 값의 증가량이 2일 때, y의

값의 증가량은 -4이다.

⑤ 기울기가 다르므로 일차함수 $y=2x+1$의 그래프와

평행하지 않다.

따라서 옳지 않은 것은 ⑤이다.

5 $y=ax+b$의 그래프가 오른쪽 위로 향하는 직선이므로

기울기는 양수이다.　∴ $a>0$

또 그래프가 y축과 음의 부분에서 만나므로 y절편은 음수

이다.　∴ $b<0$

즉 $b<0$, $-ab>0$이므로 일차함수 $y=bx-ab$의 그래

프는 오른쪽 아래로 향하고, y절편은 양수인 직선이다.

따라서 그래프를 바르게 그린 학생은 연우이다.

6 $y=2x-b$의 그래프를 y축의 방향으로 -2만큼 평행이

동한 그래프의 식은 $y=2x-b-2$이므로

$a=2$, $-b-2=-1$에서 $-b=1$　∴ $b=-1$

∴ $a+b=2+(-1)=1$

1-1 ②	**1-2** $y=2x+6$	**2-1** $a=3, b=10$
2-2 12 cm	**3-1** ④	**3-2** ①
4-1 20	**4-2** 6	

1-1 x의 값이 2만큼 증가할 때 y의 값은 6만큼 감소하므로

기울기는 $\dfrac{-6}{2}=-3$이고, y축과 만나는 점의 좌표가

$(0, -2)$이므로 y절편은 -2이다.

따라서 구하는 일차함수의 식은 $y=-3x-2$이다.

1-2 두 점 $(-3, 0)$, $(0, 6)$을 지나므로

$(기울기)=\dfrac{6-0}{0-(-3)}=2$

이때 y절편이 6이므로 구하는 일차함수의 식은

$y=2x+6$

2-1 물의 온도가 2분마다 6 °C씩 오르므로 1분마다 3 °C씩 오

른다. 즉 x분 후에는 물의 온도가 $3x$ °C만큼 오르고 처음

온도가 10 °C이었으므로

$y=3x+10$　∴ $a=3$, $b=10$

2-2 100분 동안 길이가 30 cm인 양초가 모두 타므로 1분마다 $\frac{3}{10}$ cm씩 양초의 길이가 짧아진다. 즉 x분 후에는 양초가 $\frac{3}{10}x$ cm만큼 짧아지고 처음 양초의 길이가 30 cm이었으므로 $y=30-\frac{3}{10}x$

이 식에 $x=60$을 대입하면 $y=30-\frac{3}{10}\times60=12$

따라서 불을 붙인 후 1시간이 지났을 때의 양초의 길이는 12 cm이다.

3-1 $3x+ay=-3$에 $x=1, y=2$를 대입하면

$3+2a=-3, 2a=-6$ $\therefore a=-3$

$x+by=-5$에 $x=1, y=2$를 대입하면

$1+2b=-5, 2b=-6$ $\therefore b=-3$

$\therefore a-b=-3-(-3)=0$

3-2 $2x+ay=3$에서 $y=-\frac{2}{a}x+\frac{3}{a}$

$4x-2y=b$에서 $y=2x-\frac{b}{2}$

두 직선이 만나지 않으려면 두 직선은 평행해야 하므로

$-\frac{2}{a}=2$에서 $a=-1$

$\frac{3}{a}\neq-\frac{b}{2}$에서 $-3\neq-\frac{b}{2}$ $\therefore b\neq6$

4-1 연립방정식 $\begin{cases} x-2y+6=0 \\ 2x+y-8=0 \end{cases}$의

해는 $x=2, y=4$이므로 두 직선의 교점의 좌표는 $(2, 4)$이다.

또 두 직선의 x절편은 각각 $-6, 4$이므로 구하는 도형의 넓이는

$\frac{1}{2}\times\{4-(-6)\}\times4=20$

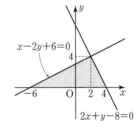

4-2 연립방정식 $\begin{cases} x=1 \\ 3x+y-9=0 \end{cases}$의 해는

$x=1, y=6$이므로 두 직선의 교점의 좌표는 $(1, 6)$이다.

또 $3x+y-9=0$의 x절편은 3이고 $y=0$은 x축이므로 세 직선의 그래프는 오른쪽 그림과 같다.

따라서 구하는 도형의 넓이는

$\frac{1}{2}\times(3-1)\times6=6$

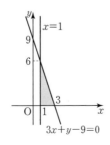

1 주어진 일차함수는 두 점 $(0, 3), (3, -1)$을 지나므로

$(기울기)=\frac{-1-3}{3-0}=-\frac{4}{3}$

구하는 일차함수는 이 그래프와 평행하고 y절편이 -2이므로

$y=-\frac{4}{3}x-2$

2 $y=3x+2$의 그래프와 평행하므로 기울기는 3이다.

구하는 일차함수의 식을 $y=3x+b$라 하면 이 그래프가 점 $(2, 4)$를 지나므로

$4=6+b$ $\therefore b=-2$

즉 $y=3x-2$에 $y=0$을 대입하면

$0=3x-2, -3x=-2$ $\therefore x=\frac{2}{3}$

따라서 x절편은 $\frac{2}{3}$이다.

3 두 점 $(300, 17), (1500, 5)$를 지나므로

$(기울기)=\frac{5-17}{1500-300}=-\frac{1}{100}$

구하는 일차함수의 식을 $y=-\frac{1}{100}x+b$라 하면 그래프가 점 $(300, 17)$을 지나므로

$17=-\frac{1}{100}\times300+b$ $\therefore b=20$

즉 $y=-\frac{1}{100}x+20$에 $y=10$을 대입하면

$10=-\frac{1}{100}x+20, \frac{1}{100}x=10$ $\therefore x=1000$

따라서 측정한 기온이 10 ℃인 지점은 지상으로부터 1000 m 상승한 곳이다.

4 15 km를 달리는 데 1 L의 휘발유가 필요하므로 1 km를 달리는 데 $\frac{1}{15}$ L의 휘발유가 필요하다.

즉 x km를 달리는 데 $\frac{x}{15}$ L의 휘발유가 필요하므로

$y=30-\frac{x}{15}$

5 주어진 그래프는 점 $(6, 0)$을 지나고 y축에 평행한 직선
이므로 그래프의 식은 $x=6$

$x=6$에서 $2x=12$ $\therefore 2x-12=0$

$2x-12=0$이 $ax+by-12=0$과 같으므로

$a=2, b=0$

$\therefore -a+b=-2+0=-2$

6 연립방정식 $\begin{cases} 3x-y-2=0 \\ x+y-6=0 \end{cases}$을 풀면 $x=2, y=4$

교점의 좌표는 $(2, 4)$이고, 이 점이 일차함수 $y=ax-4$
의 그래프 위에 있으므로

$4=2a-4, -2a=-8$ $\therefore a=4$

7 연립방정식 $\begin{cases} x-y+4=0 \\ 2x+y-8=0 \end{cases}$의

해는 $x=\dfrac{4}{3}, y=\dfrac{16}{3}$이므로

$A\left(\dfrac{4}{3}, \dfrac{16}{3}\right)$

두 직선 $x-y+4=0$,

$2x+y-8=0$의 x절편이 각각

$-4, 4$이므로 $B(-4, 0), C(4, 0)$

$\therefore \triangle ABC=\dfrac{1}{2}\times\{4-(-4)\}\times\dfrac{16}{3}=\dfrac{64}{3}$

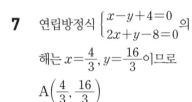

4일 **교과서 대표 전략 ❶** | 60쪽～63쪽 |

1 3	2 ②	3 8	4 ⑤
5 24	6 ④	7 ②	
8 $y=-\dfrac{1}{2}x+5$		9 3	10 18 cm
11 ④	12 ③	13 ③	14 ②
15 $a=16, b=4$		16 $-\dfrac{2}{3}$	

1 $f(0)=3\times 0+a=a$

$f(8)=3\times 8+a=24+a$

$\therefore f(0)+f(8)=a+(24+a)=24+2a$

즉 $24+2a=30$이므로

$2a=6$ $\therefore a=3$

---

2 $y=-x+5$의 그래프를 y축의 방향으로 -3만큼 평행이
동하면

$y=-x+5-3$ $\therefore y=-x+2$

② $x=-1, y=1$을 $y=-x+2$에 대입하면

$1\neq -(-1)+2$이므로 점 $(-1, 1)$은 일차함수
$y=-x+2$의 그래프 위의 점이 아니다.

3 $(기울기)=\dfrac{(y의\ 값의\ 증가량)}{(x의\ 값의\ 증가량)}$이므로

$-2=\dfrac{(y의\ 값의\ 증가량)}{-4}$

$\therefore (y의\ 값의\ 증가량)=8$

4 ⑤ $y=\dfrac{1}{4}x+2$의 그래프는 오른
쪽 그림과 같으므로 제4사분
면을 지나지 않는다.

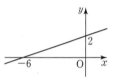

5 x절편은 6, y절편은 -8이므로
주어진 일차함수의 그래프는 오
른쪽 그림과 같다.

$\therefore (넓이)=\dfrac{1}{2}\times 6\times 8=24$

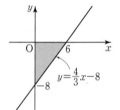

6 ④ $y=-\dfrac{1}{2}x-5$에 $x=6, y=-2$를 대입하면

$-2\neq -\dfrac{1}{2}\times 6-5$

⑤ 일차함수

$y=-\dfrac{1}{2}x-5$의 그래

프는 오른쪽 그림과 같

으므로 제2, 3, 4사분

면을 지난다.

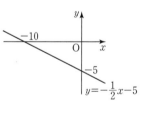

따라서 옳지 않은 것은 ④이다.

8 두 점 $(0, 2), (4, 0)$을 지나는 일차함수의 그래프와 평행
하므로

$(기울기)=\dfrac{0-2}{4-0}=-\dfrac{1}{2}$

구하는 일차함수의 식을 $y=-\dfrac{1}{2}x+b$라 하면 이 그래프
가 점 $(2, 4)$를 지나므로

$4=-\dfrac{1}{2}\times 2+b$ $\therefore b=5$

따라서 구하는 일차함수의 식은 $y=-\dfrac{1}{2}x+5$

9 두 점 $(3, 0)$, $(0, 4)$를 지나므로

$(기울기) = \dfrac{4-0}{0-3} = -\dfrac{4}{3}$

이때 y절편이 4이므로 일차함수의 식을 $y = -\dfrac{4}{3}x + 4$라

하면 이 그래프가 점 $\left(\dfrac{3}{4}, k\right)$를 지나므로

$k = -\dfrac{4}{3} \times \dfrac{3}{4} + 4 = 3$

10 무게가 $150\,\text{g}$짜리인 추를 달았을 때 용수철의 길이가

$14 - 8 = 6\,(\text{cm})$ 늘어났으므로 추의 무게가 $1\,\text{g}$ 늘어날

때마다 용수철의 길이는 $\dfrac{6}{150} = 0.04\,(\text{cm})$씩 늘어난다.

즉 무게가 $x\,\text{g}$인 추를 달았을 때 용수철의 길이를 $y\,\text{cm}$

라 하면 $y = 0.04x + 8$

이 식에 $x = 250$을 대입하면

$y = 0.04 \times 250 + 8 = 18$

따라서 용수철에 무게가 $250\,\text{g}$짜리인 추를 달았을 때 용

수철의 길이는 $18\,\text{cm}$이다.

11 x초 동안 점 P가 움직인 거리는 $2x\,\text{cm}$이므로

$\overline{\text{PC}} = (10 - 2x)\,\text{cm}$

$y = \dfrac{1}{2} \times \{10 + (10 - 2x)\} \times 5$

$\therefore y = -5x + 50$

12 $2x + 3y - 9 = 0$에서

$3y = -2x + 9 \qquad \therefore y = -\dfrac{2}{3}x + 3$

$\therefore a = -\dfrac{2}{3}, \ b = 3$

13 직선 $x = -1$에 수직이면 x축에 평행한 직선이고,

점 $(-3, 5)$를 지나므로

$y = 5$

14 $y = \dfrac{1}{a}x - \dfrac{b}{a}$의 그래프는 오른쪽 위로 향하는 직선이

므로 기울기는 양수이다. 즉 $\dfrac{1}{a} > 0$이므로 $a > 0$

또 그래프가 y축과 양의 부분에서 만나므로 y절편은 양수

이다. 즉 $-\dfrac{b}{a} > 0$이므로 $b < 0$

15 연립방정식 $\begin{cases} 4x - 5y = -8 \\ 4x + y = a \end{cases}$의 해가 $x = 3$, $y = b$이므로

$4x - 5y = -8$에 $x = 3$, $y = b$를 대입하면

$12 - 5b = -8$, $-5b = -20$ $\qquad \therefore b = 4$

$4x + y = a$에 $x = 3$, $y = 4$를 대입하면

$a = 12 + 4 = 16$

16 $ax + y = 3$에서 $y = -ax + 3$

$2x - 3y = 1$에서

$-3y = -2x + 1 \qquad \therefore y = \dfrac{2}{3}x - \dfrac{1}{3}$

두 직선의 교점이 존재하지 않으려면 두 직선이 평행해야

하므로 기울기는 같고 y절편은 다르다.

즉 $-a = \dfrac{2}{3}$이므로 $a = -\dfrac{2}{3}$

4일 **교과서 대표 전략 ②** 64쪽~65쪽

1 -1	**2** $\dfrac{1}{3}$	**3** 제1사분면	**4** $y = 2x - 4$
5 ③	**6** 6초	**7** 수호, 연정	**8** ①

1 $y = -x + 4$의 그래프를 y축의 방향으로 k만큼 평행이동

한 그래프의 식은 $y = -x + 4 + k$

이 그래프가 점 $(2, -k)$를 지나므로

$-k = -2 + 4 + k$, $-2k = 2$ $\qquad \therefore k = -1$

2 (두 점 A, B를 지나는 직선의 기울기)=(두 점 B, C를 지

나는 직선의 기울기)이므로

$\dfrac{2 - (-1)}{3 - 1} = \dfrac{-2 - 2}{k - 3}$

$\dfrac{3}{2} = \dfrac{-4}{k - 3}$, $3(k - 3) = -8$

$3k - 9 = -8$, $3k = 1$ $\qquad \therefore k = \dfrac{1}{3}$

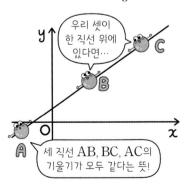

우리 셋이 한 직선 위에 있다면…

세 직선 AB, BC, AC의 기울기가 모두 같다는 뜻!

3 $y=ax-b$의 그래프는 오른쪽 아래로 향하는 직선이므로 기울기는 음수이다. ∴ $a<0$
또 그래프가 y축과 음의 부분에서 만나므로 y절편은 음수이다. 즉 $-b<0$이므로 $b>0$

따라서 $\dfrac{1}{a}<0$, $\dfrac{b}{a}<0$이므로 일차
함수 $y=\dfrac{1}{a}x+\dfrac{b}{a}$의 그래프는 오른쪽 그림과 같이 제1사분면을 지나지 않는다.

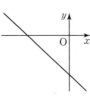

4 $y=-\dfrac{1}{2}x+1$의 그래프와 x축에서 만나므로 x절편이 같다. 즉 $y=0$을 $y=-\dfrac{1}{2}x+1$에 대입하면

$0=-\dfrac{1}{2}x+1$, $\dfrac{1}{2}x=1$ ∴ $x=2$, 즉 $(x$절편$)=2$

또 $y=\dfrac{2}{3}x-4$의 그래프와 y축에서 만나므로 y절편이 같다. 즉 $y=\dfrac{2}{3}x-4$의 y절편은 -4이므로 구하는 일차함수의 그래프는 두 점 $(2, 0)$, $(0, -4)$를 지난다.

따라서 $($기울기$)=\dfrac{-4-0}{0-2}=2$이므로 구하는 일차함수의 식은 $y=2x-4$

5 두 점 $(5, 0)$, $(0, 30)$을 지나므로

$($기울기$)=\dfrac{30-0}{0-5}=-6$이고 y절편은 30이다.

∴ $y=-6x+30$

$y=-6x+30$에 $y=8$을 대입하면

$8=-6x+30$, $6x=22$ ∴ $x=\dfrac{11}{3}$

따라서 남은 양초의 길이가 8 cm일 때는 양초에 불을 붙인 지 $\dfrac{11}{3}=3\dfrac{2}{3}$, 즉 3시간 40분 후이다.

6 점 P가 점 B를 출발한 지 x초 후의 $\triangle ABP$와 $\triangle DPC$의 넓이의 합을 y cm^{2}라 하면 x초 후에 $\overline{BP}=2x$ cm, $\overline{PC}=(20-2x)$ cm이므로

$y=\dfrac{1}{2}\times 2x\times 8+\dfrac{1}{2}\times(20-2x)\times 12=8x+120-12x$

∴ $y=120-4x$

$y=96$을 $y=120-4x$에 대입하면

$96=120-4x$, $4x=24$ ∴ $x=6$

따라서 넓이의 합이 96 cm^{2}가 되는 것은 점 P가 점 B를 출발한 지 6초 후이다.

7 $-3x+y-2=0$에서 $y=3x+2$
$y=3x+2$의 그래프의 x절편은
$-\dfrac{2}{3}$, y절편은 2이므로 그 그래프는 오른쪽 그림과 같다.

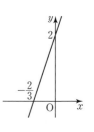

지예 : 제1, 2, 3사분면을 지난다.
대훈 : 일차함수 $y=3x$의 그래프를 y축의 방향으로 2만큼 평행이동한 것이다.
따라서 바르게 설명한 학생은 수호, 연정이다.

8 $(a-1)x-2y=4$에서

$-2y=-(a-1)x+4$ ∴ $y=\dfrac{a-1}{2}x-2$

$3x+2y=b$에서

$2y=-3x+b$ ∴ $y=-\dfrac{3}{2}x+\dfrac{b}{2}$

해가 무수히 많으려면 두 직선이 일치해야 하므로 기울기와 y절편이 각각 같다. 즉

$\dfrac{a-1}{2}=-\dfrac{3}{2}$, $-2=\dfrac{b}{2}$ ∴ $a=-2$, $b=-4$

누구나 합격 전략 66쪽~67쪽

01 ①	**02** ④	**03** ②	**04** ④
05 ②	**06** ②	**07** ⑤	**08** ②
09 100분	**10** 점 B		

01 ① $x=2$일 때, 절댓값이 2인 수는 -2, 2이므로 $y=-2$, 2이다. 즉 x의 값이 정해짐에 따라 y의 값이 하나로 정해지지 않으므로 함수가 아니다.
② x의 값이 정해짐에 따라 y의 값이 하나로 정해지므로 함수이다.
③ $y=x+15$, 즉 x의 값이 1, 2, 3, …으로 정해짐에 따라 y의 값이 16, 17, 18, …로 하나씩 정해지므로 함수이다.
④ $y=x^2$, 즉 x의 값이 1, 2, 3, …으로 정해짐에 따라 y의 값이 1, 4, 9, …로 하나씩 정해지므로 함수이다.
⑤ $y=700x$, 즉 x의 값이 1, 2, 3, …으로 정해짐에 따라 y의 값이 700, 1400, 2100, …으로 하나씩 정해지므로 함수이다.
따라서 y가 x의 함수가 아닌 것은 ①이다.

02 ① $y=24-x$ ② $y=2\pi x$ ③ $y=3x+200$
④ $y=\dfrac{320}{x}$ ⑤ $y=4x+20$
따라서 y가 x의 일차함수가 아닌 것은 ④이다.

03 $f(4)=\dfrac{2}{4}-1=\dfrac{1}{2}-1=-\dfrac{1}{2}$

04 $y=-2x$의 그래프를 y축의 방향으로 -3만큼 평행이동
하면 $y=-2x-3$
따라서 $a=-2$, $b=-3$이므로
$a-b=-2-(-3)=1$

05 $y=\dfrac{2}{3}x+b$의 그래프의 y절편이 6이므로
$b=6$
즉 $y=\dfrac{2}{3}x+6$의 그래프의 x절편이 a이므로 $y=\dfrac{2}{3}x+6$
에 $x=a$, $y=0$을 대입하면
$0=\dfrac{2}{3}a+6$, $-\dfrac{2}{3}a=6$ ∴ $a=-9$
∴ $a+b=-9+6=-3$

06 $y=\dfrac{1}{3}x-2$의 그래프의 x절편은 6,
y절편은 -2이므로 그 그래프는 오
른쪽 그림과 같다.

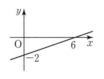

07 ① $y=\dfrac{4}{5}x+4$의 그래프는 $y=\dfrac{4}{5}(x+7)$의 그래프와 기
울기가 같으므로 평행하다.
③ $y=\dfrac{4}{5}x+4$에 $x=5$, $y=8$을 대입하면 $8=\dfrac{4}{5}\times5+4$
$y=\dfrac{4}{5}x+4$에 $x=-3$, $y=\dfrac{8}{5}$을 대입하면
$\dfrac{8}{5}=\dfrac{4}{5}\times(-3)+4$
즉 $y=\dfrac{4}{5}x+4$의 그래프는 두 점 $(5,8)$, $\left(-3,\dfrac{8}{5}\right)$을
지난다.
④, ⑤ x절편은 -5, y절편은 4
이므로 $y=\dfrac{4}{5}x+4$의 그래프
는 오른쪽 그림과 같고 제1,
2, 3사분면을 지난다.
따라서 옳지 않은 것은 ⑤이다.

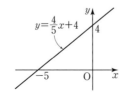

08 ② 두 점 $(2,0)$, $(0,-4)$를 지나므로
$(기울기)=\dfrac{-4-0}{0-2}=2$
④ 두 점 $(-1,2)$, $(3,-6)$을 지나므로
$(기울기)=\dfrac{-6-2}{3-(-1)}=-2$
⑤ y절편이 -2이므로 일차함수의 식을 $y=ax-2$라 하
면 그래프가 점 $(-1,0)$을 지나므로
$0=-a-2$ ∴ $a=-2$, 즉 $(기울기)=-2$
따라서 나머지 넷과 평행하지 않은 직선은 기울기가 다른
②이다.

09 주사약이 1분에 $5\,\text{mL}$씩 들어가므로 x분 후에는 $5x\,\text{mL}$
만큼 들어간다. 처음 주사약의 양이 $900\,\text{mL}$이었으므로
$y=900-5x$
이 식에 $y=400$을 대입하면
$400=900-5x$, $5x=500$ ∴ $x=100$
따라서 100분 동안 링거 주사를 맞았다.

10 연립방정식 $\begin{cases} x-2y+1=0 \\ 2x+y+2=0 \end{cases}$의 해는 $x=-1$, $y=0$
따라서 두 일차방정식의 그래프의 교점의 좌표는
$(-1,0)$이므로 점 B이다.

창의·융합·코딩 **전략** 68쪽~71쪽

1 **답** $y=3x+5$, 일차함수이다.
피노키오의 처음 코의 길이는 $5\,\text{cm}$이고 피노키오가 거짓
말을 할 때마다 코가 $3\,\text{cm}$씩 길어지므로
$y=3x+5$
따라서 y는 x의 일차함수이다.

2 **답** $\dfrac{7}{2}$
10층까지의 높이는 $2.8\times10=28\,(\text{m})$이므로
$(경사도)=\dfrac{(수직\ 거리)}{(수평\ 거리)}=\dfrac{28}{8}=\dfrac{7}{2}$

3 답 (1) $-\dfrac{1}{4}$ (2) 2 (3) $(5,\,1)$

(1) 두 점 $A(6,\,3)$, $B(2,\,4)$를 지나는 직선 AB의
$(기울기)=\dfrac{4-3}{2-6}=-\dfrac{1}{4}$

(2) 두 점 $B(2,\,4)$, $C(1,\,2)$를 지나는 직선 BC의
$(기울기)=\dfrac{2-4}{1-2}=2$

(3) 점 P의 좌표를 $(p,\,q)$라 하면
$(직선\ CP의\ 기울기)=(직선\ AB의\ 기울기)$이므로
$\dfrac{q-2}{p-1}=-\dfrac{1}{4}$
$-4(q-2)=p-1$ $\quad\therefore\ p+4q=9$ $\quad\cdots\cdots$ ㉠
$(직선\ AP의\ 기울기)=(직선\ BC의\ 기울기)$이므로
$\dfrac{q-3}{p-6}=2$
$q-3=2(p-6)$ $\quad\therefore\ 2p-q=9$ $\quad\cdots\cdots$ ㉡
㉠, ㉡을 연립하여 풀면 $p=5$, $q=1$
따라서 점 P의 좌표는 $(5,\,1)$이다.

4 답 B

5 답 (1) ① (2) ③ (3) ㉠, ㉣

(1) $a<0$, $b<0$인 일차함수 $y=ax+b$의 그래프는 기울기가 음수이고, y절편이 음수이므로 ①이다.

(2) $a>0$, $b=0$인 일차함수 $y=ax+b$의 그래프는 기울기가 양수이고, y절편이 0이므로 ③이다.

(3) 그래프 ④의 기울기가 양수이고, y절편이 양수이므로 ㉠, ㉣ 카드를 뽑으면 된다.

6 답 (1) $y=-2x+100$ (2) 10분

(1) 2분에 $4\ ^{\circ}\text{C}$씩 내려가므로 1분에 $2\ ^{\circ}\text{C}$씩 내려간다.
즉 x분 후에는 물의 온도가 $2x\ ^{\circ}\text{C}$만큼 내려가고 처음 온도가 $100\ ^{\circ}\text{C}$이었으므로
$y=-2x+100$

(2) $y=-2x+100$에 $y=80$을 대입하면
$80=-2x+100$, $2x=20$ $\quad\therefore\ x=10$
따라서 철이가 주전자를 냇물에 담근 지 10분 뒤에 스승님께 가져가야 한다.

7 답 (1) $2,\ y=-2$ (2) $1,\ x=1$ (3) $y=2x+2$

(1) x축에 평행한 직선 위의 점들의 y좌표는 모두 같으므로 $-a=-3a+4$, $2a=4$ $\quad\therefore\ a=2$
따라서 직선 l의 방정식은 $y=-2$

(2) 직선 m은 직선 l과 수직, 즉 y축에 평행하므로 직선 위의 점들의 x좌표는 모두 같다.
$-2b+3=b$, $-3b=-3$ $\quad\therefore\ b=1$
따라서 직선 m의 방정식은 $x=1$

(3) y절편이 2이므로 직선의 방정식을 $y=kx+2$라 하자.
그래프가 점 $(2,\,6)$을 지나므로
$6=2k+2$ $\quad\therefore\ k=2$
따라서 직선 n의 방정식은 $y=2x+2$

8 답 $(3,\,4)$

두 마리의 꿀벌이 만나는 지점은 두 직선 $4x=3y$, $2x+y=10$의 교점이다.

연립방정식 $\begin{cases}4x=3y\\2x+y=10\end{cases}$ 의 해는 $x=3$, $y=4$이므로 두 직선의 교점의 좌표는 $(3,\,4)$이다.

따라서 두 마리의 꿀벌이 만나는 지점의 좌표는 $(3,\,4)$이다.

기말고사 마무리

신유형·신경향·서술형 전략 74쪽~77쪽

1 답 (1) $\begin{cases}3x+2y=12\\-2x+y=13\end{cases}$ (2) $x=-2$, $y=9$

(2) $\begin{cases} 3x+2y=12 & \cdots\cdots \text{㉠} \\ -2x+y=13 & \cdots\cdots \text{㉡} \end{cases}$ 이라 하고

㉠$-$㉡$\times 2$를 하면

$7x=-14$ ∴ $x=-2$

$x=-2$를 ㉡에 대입하면

$4+y=13$ ∴ $y=9$

2 冒 (1) $m=206$, $n=-18$ (2) $x=94$, $y=112$

(1) 표의 수는 오른쪽으로 이동할 때마다 10씩 증가한다.

이때 네 수 a, b, c, d 중 가장 작은 수는 a, 가장 큰 수

는 d이므로 $a=x$, $d=y$이고 $b=x+10$, $c=y-10$

이 된다.

그런데 네 수의 합은 412이므로

$x+(x+10)+(y-10)+y=412$

$2x+2y=412$, 즉 $x+y=206$이므로 $m=206$

또 표의 수는 아래로 이동할 때마다 2씩 증가하므로

$b=c+2$가 된다.

따라서 $x+10=y-10+2$에서

$x-y=-18$이므로 $n=-18$

(2) $\begin{cases} x+y=206 & \cdots\cdots \text{㉠} \\ x-y=-18 & \cdots\cdots \text{㉡} \end{cases}$

㉠$+$㉡을 하면

$2x=188$ ∴ $x=94$

$x=94$를 ㉡에 대입하면

$94-y=-18$ ∴ $y=112$

3 冒 8 cm

직사각형의 긴 변의 길이를 x cm, 짧은 변의 길이를

y cm라 하면

[그림 1] : $2y+12=2x+y$에서 $2x-y=12$

[그림 2] : $y+20=2x+2y$에서 $2x+y=20$

연립방정식 $\begin{cases} 2x-y=12 \\ 2x+y=20 \end{cases}$을 풀면 $x=8$, $y=4$

따라서 직사각형의 긴 변의 길이는 8 cm이다.

4 冒 ②

정사각형 모양의 빨간 색종이의 넓이를 x cm^2, 정사각형

모양의 파란 색종이의 넓이를 y cm^{2}라 하면

$\begin{cases} x=5(y-4) \\ x-4=4y \end{cases} \rightarrow \begin{cases} x-5y=-20 \\ x-4y=4 \end{cases}$ ∴ $x=100$, $y=24$

따라서 빨간 색종이의 넓이는 100 cm^{2}이다.

5 冒 초속 343 m

기온이 1 °C 오를 때마다 소리의 속력은 초속 0.6 m씩 빨

라지므로 기온이 x °C만큼 오르면 소리의 속력은 초속

$0.6x$ m만큼 빨라진다. 즉 기온이 x °C일 때의 소리의 속

력을 초속 y m라 하면 $y=0.6x+331$

이 식에 $x=20$을 대입하면

$y=0.6\times 20+331=343$

따라서 기온이 20 °C일 때 소리의 속력은 초속 343 m이다.

6 冒 유이, 세호

(속력)$=\dfrac{(거리)}{(시간)}=$(그래프의 기울기)이므로 각 열차의

그래프에서 기울기를 구하면

A 열차의 그래프에서

(기울기)$=\dfrac{1500-500}{4}=250$

B 열차의 그래프에서

(기울기)$=\dfrac{900-300}{4}=150$

C 열차의 그래프에서

(기울기)$=\dfrac{800-400}{3}=\dfrac{400}{3}$

D 열차의 그래프에서

(기울기)$=\dfrac{800-200}{3}=200$

현진 : B 열차는 D 열차보다 느리다.

지섭 : A 열차와 B 열차의 속력은 다르다.

따라서 바르게 설명한 학생은 유이, 세호이다.

7 冒 (1) ㉠ $y=6$, ㉡ $x=4$ (2) -2 (3) $y=-2x+3$

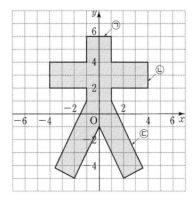

(2) 두 점 $(1, 1)$, $(3, -3)$을 지나므로

(기울기)$=\dfrac{-3-1}{3-1}=\dfrac{-4}{2}=-2$

(3) 선분 ㉢을 연장한 직선을 그래프로 하는 일차함수의
기울기는 -2이므로 구하는 일차함수의 식을
$y=-2x+b$라 하면 그래프가 점 $(1, 1)$을 지나므로
$1=-2\times1+b$ ∴ $b=3$
따라서 구하는 일차함수의 식은 $y=-2x+3$

8 답 $(1, 1)$

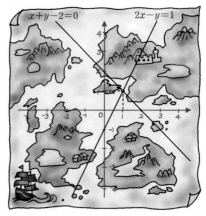

두 일차방정식의 그래프의 교점의 좌표는 연립방정식
$\begin{cases} x+y-2=0 \\ 2x-y=1 \end{cases}$의 해와 같다.
이때 연립방정식을 풀면 $x=1, y=1$이므로 보물의 위치
는 $(1, 1)$이다.

적중 예상 **전략** | 1회			78쪽~81쪽
01 수아	**02** ②	**03** ①	**04** ②
05 (1) $x=4, y=-1$ (2) -2		**06** 2	**07** ⑤
08 ⑤	**09** ①	**10** $x=2, y=-2$	**11** ⑤
12 ⑤	**13** 30개	**14** 9회	**15** ③	**16** 7 km

01 서준 : xy항이 있으므로 일차방정식이 아니다.
수아 : $4x-3=2y+4$에서 $4x-2y-7=0$
  ➡ 미지수가 2개인 일차방정식
준혁 : $2x-7=x$에서 $x-7=0$
  ➡ 미지수가 1개인 일차방정식
연주 : $2x-2(y^2-1)=-y^2$에서 $2x-2y^2+2=-y^2$
  $2x-y^2+2=0$
  ➡ y^2이 있으므로 일차방정식이 아니다.
따라서 미지수가 2개인 일차방정식이 적혀 있는 팻말을
들고 있는 학생은 수아이다.

02 $5x-2(ay-1)=3$에서 $5x-2ay=1$
$x=3, y=-1$을 대입하면
$15+2a=1, 2a=-14$ ∴ $a=-7$

03 $\begin{cases} 2x-y=-5 & \cdots\cdots ㉠ \\ 3x+2y=-4 & \cdots\cdots ㉡ \end{cases}$
㉠을 정리하면 $y=2x+5$ $\cdots\cdots ㉢$
㉢을 ㉡에 대입하면
$3x+2(2x+5)=-4, 3x+4x+10=-4$
$7x=-14$
따라서 a의 값은 7이다.

04 $x=2, y=-2$를 $3x+ay=10$에 대입하면
$6-2a=10, -2a=4$ ∴ $a=-2$
$x=2, y=-2$를 $bx+3y=2$에 대입하면
$2b-6=2, 2b=8$ ∴ $b=4$
∴ $a+b=-2+4=2$

05 (1) $\begin{cases} 3x+y=11 & \cdots\cdots ㉠ \\ y=x-5 & \cdots\cdots ㉡ \end{cases}$
㉡을 ㉠에 대입하면
$3x+(x-5)=11, 4x=16$ ∴ $x=4$
$x=4$를 ㉡에 대입하면
$y=4-5=-1$
(2) $x=4, y=-1$을 $\frac{1}{4}ax+y=-3$에 대입하면
$a-1=-3$ ∴ $a=-2$

06 y의 값이 x의 값보다 3만큼 크므로 $y=x+3$
$\begin{cases} 2x-y=-4 & \cdots\cdots ㉠ \\ y=x+3 & \cdots\cdots ㉡ \end{cases}$
㉡을 ㉠에 대입하면
$2x-(x+3)=-4$ ∴ $x=-1$
$x=-1$을 ㉡에 대입하면 $y=-1+3=2$
$x=-1, y=2$를 $x+2y=a+1$에 대입하면
$-1+4=a+1$ ∴ $a=2$

07 $\begin{cases} -3x+2y=1 & \cdots\cdots ㉠ \\ 3x+4y=11 & \cdots\cdots ㉡ \end{cases}$
㉠+㉡을 하면
$6y=12$ ∴ $y=2$
$y=2$를 ㉠에 대입하면
$-3x+4=1, -3x=-3$ ∴ $x=1$
$x=1, y=2$를 $5x+ay=9$에 대입하면
$5+2a=9, 2a=4$ ∴ $a=2$

$x=1$, $y=2$를 $bx-4y=-3$에 대입하면

$b-8=-3$ $\therefore b=5$

$\therefore a+b=2+5=7$

08 ㉡에서 상수항 -5를 잘못 본 수를 a라 하면

$4x+3y=a$ ······ ㉢

㉠에 $x=-2$를 대입하면

$-4+3y=5$, $3y=9$ $\therefore y=3$

즉 ㉢에 $x=-2$, $y=3$을 대입하면

$-8+9=a$ $\therefore a=1$

따라서 상수항 -5를 1로 잘못 보았다.

09 $\begin{cases} 5x-(x-3y)=4 \\ 2x+3(x+y)=4x+10 \end{cases} \rightarrow \begin{cases} 4x+3y=4 & ······ ㉠ \\ x+3y=10 & ······ ㉡ \end{cases}$

㉠$-$㉡을 하면

$3x=-6$ $\therefore x=-2$, 즉 $a=-2$

$x=-2$를 ㉠에 대입하면

$-8+3y=4$, $3y=12$ $\therefore y=4$, 즉 $b=4$

$\therefore a+4b=-2+4\times4=14$

10 $\begin{cases} \dfrac{y-x}{5}+0.3x=-\dfrac{1}{5} & ······ ㉠ \\ \dfrac{x+2y}{10}-\dfrac{6}{5}y=2.2 & ······ ㉡ \end{cases}$

㉠$\times10$, ㉡$\times10$을 하면

$\begin{cases} x+2y=-2 & ······ ㉢ \\ x-10y=22 & ······ ㉣ \end{cases}$

㉢$-$㉣을 하면

$12y=-24$ $\therefore y=-2$

$y=-2$를 ㉢에 대입하면 $x-4=-2$ $\therefore x=2$

11 $\begin{cases} 8x+4y-5=7x-4y \\ 7x-4y=2x+3 \end{cases} \rightarrow \begin{cases} x+8y=5 & ······ ㉠ \\ 5x-4y=3 & ······ ㉡ \end{cases}$

㉠$+2\times$㉡을 하면

$11x=11$ $\therefore x=1$, 즉 $m=1$

$x=1$을 ㉠에 대입하면

$1+8y=5$, $8y=4$ $\therefore y=\dfrac{1}{2}$, 즉 $n=\dfrac{1}{2}$

$\therefore mn=1\times\dfrac{1}{2}=\dfrac{1}{2}$

12 ① $\begin{cases} x=1-y \\ 3x+3y=5 \end{cases} \rightarrow \begin{cases} 3x+3y=3 \\ 3x+3y=5 \end{cases}$ 이므로 해가 없다.

② $\begin{cases} x-y=3 \\ -x+y=3 \end{cases} \rightarrow \begin{cases} x-y=3 \\ x-y=-3 \end{cases}$ 이므로 해가 없다.

③ $\begin{cases} x-3y=-6 \\ x=2y-5 \end{cases}$ 의 해는 $x=-3$, $y=1$이므로 해가 1개이다.

④ $\begin{cases} 2x+y=4 \\ x-3y=9 \end{cases}$ 의 해는 $x=3$, $y=-2$이므로 해가 1개이다.

⑤ $\begin{cases} \dfrac{1}{2}x+y=2 \\ x=4-2y \end{cases} \rightarrow \begin{cases} x+2y=4 \\ x+2y=4 \end{cases}$ 이므로 해가 무수히 많다.

따라서 해가 무수히 많은 것은 ⑤이다.

13

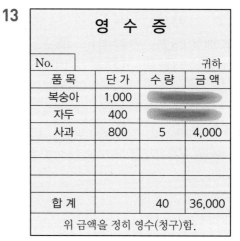

품 목	단 가	수 량	금 액
복숭아	1,000		
자두	400		
사과	800	5	4,000
합 계		40	36,000

복숭아의 개수를 x, 자두의 개수를 y라 하면

$\begin{cases} x+y+5=40 \\ 1000x+400y+4000=36000 \end{cases}$

$\rightarrow \begin{cases} x+y=35 \\ 5x+2y=160 \end{cases}$ $\therefore x=30$, $y=5$

따라서 구입한 복숭아는 30개이다.

14 아름이가 이긴 횟수를 x회, 진 횟수를 y회라 하면

지훈이가 이긴 횟수는 y회, 진 횟수는 x회이므로

$\begin{cases} 2x-y=12 \\ 2y-x=-3 \end{cases}$ $\therefore x=7$, $y=2$

따라서 가위바위보를 한 횟수는

$x+y=7+2=9$(회)

15 어제 남자 관객 수를 x명, 여자 관객 수를 y명이라 하면

$\begin{cases} x+y=1200 \\ \dfrac{3}{100}x-\dfrac{6}{100}y=-36 \end{cases} \rightarrow \begin{cases} x+y=1200 \\ x-2y=-1200 \end{cases}$

$\therefore x=400$, $y=800$

따라서 어제 남자 관객 수는 400명이므로 오늘 남자 관객 수는 $400+400\times\dfrac{3}{100}=412$(명)

16 올라간 거리를 x km, 내려온 거리를 y km라 하면

$$\begin{cases} x+y=15 \\ \dfrac{x}{3}+\dfrac{1}{3}+\dfrac{y}{4}=\dfrac{14}{3} \end{cases} \rightarrow \begin{cases} x+y=15 \\ 4x+3y=52 \end{cases}$$

$\therefore x=7, y=8$

따라서 올라간 거리는 7 km이다.

적중 예상 전략 | 2회   82쪽~85쪽

01 ①	02 ②	03 ④	04 ①
05 (1) 풀이 참조 (2) 3		06 ⑤	07 혁수	08 ④
09 ①	10 주호	11 ②	12 5초	13 ①
14 ③	15 ④	16 ④	

01 ① 자연수 4의 약수는 1, 2, 4이다. 즉 x의 값이 4일 때 y의 값이 하나로 정해지지 않으므로 y는 x의 함수가 아니다.

② $y=24-x$

③ $y=3x$

④ $y=12x$

⑤ $y=160-10x$

따라서 y가 x의 일차함수가 아닌 것은 ①이다.

02 $f(-3)=2$이므로

$2=3-a$ $\quad \therefore a=1$

즉 $f(x)=-x-1$이므로

$f(2)=-2-1=-3$ $\quad \therefore b=-3$

$\therefore \dfrac{b}{a}=\dfrac{-3}{1}=-3$

03 $y=-2x$의 그래프를 y축의 방향으로 -3만큼 평행이동한 그래프의 식은 $y=-2x-3$

$y=-2x-3$에 $x=a, y=-2$를 대입하면

$-2=-2a-3, 2a=-1$ $\quad \therefore a=-\dfrac{1}{2}$

또 $y=-2x-3$에 $x=1, y=b$를 대입하면

$b=-2\times 1-3=-5$

$\therefore ab=-\dfrac{1}{2}\times(-5)=\dfrac{5}{2}$

04 $(\text{기울기})=\dfrac{-6-3}{4-1}=-3$

05 (1) $y=\dfrac{2}{3}x+5$의 그래프를 y축의 방향으로 -3만큼 평행이동한 그래프의 식은

$y=\dfrac{2}{3}x+5-3$ $\quad \therefore y=\dfrac{2}{3}x+2$

$y=\dfrac{2}{3}x+2$에 $y=0$을 대입하면

$0=\dfrac{2}{3}x+2$ $\quad \therefore x=-3$, 즉 $(x\text{절편})=-3$

$y=\dfrac{2}{3}x+2$에 $x=0$을 대입하면

$y=2$, 즉 $(y\text{절편})=2$

따라서 $y=\dfrac{2}{3}x+2$의 그래프를 그리면 오른쪽 그림과 같다.

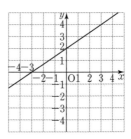

(2) $(\text{넓이})=\dfrac{1}{2}\times 3\times 2=3$

06 ① 점 $(-1, -a+b)$를 지난다.

② x절편은 $-\dfrac{b}{a}$이고, y절편은 b이다.

③ $a<0, b<0$이면 일차함수 $y=ax+b$의 그래프는 오른쪽 그림과 같으므로 제1사분면을 지나지 않는다.

④ a는 x의 값의 증가량에 대한 y의 값의 증가량의 비율이다.

따라서 옳은 것은 ⑤이다.

07 경호 : ㉡의 절편은 $\dfrac{4}{5}$, ㉤의 절편은 $-\dfrac{4}{5}$이다.

유이 : ㉠과 ㉧은 기울기가 서로 다르므로 한 점에서 만난다.

연아 : x의 값이 증가할 때, y의 값이 감소하는 것은 ㉡, ㉢, ㉣, ㉧이다.

혁수 : $(y\text{절편})>0$인 직선은 ㉡, ㉤의 2개이다.

따라서 바르게 설명한 학생은 혁수이다.

08 일차함수 $y=\dfrac{b}{a}x+b$의 그래프가 y축과 음의 부분에서 만나므로 $b<0$

또 그래프가 오른쪽 위로 향하는 직선이므로

$\dfrac{b}{a}>0$ $\quad \therefore a<0$

09 두 점 $(2, 1)$, $(4, 0)$을 지나는 직선과 평행하므로

$(기울기) = \dfrac{0-1}{4-2} = -\dfrac{1}{2}$

구하는 일차함수의 식을 $y = -\dfrac{1}{2}x + b$라 하면 그래프가

점 $(-2, 0)$을 지나므로

$0 = 1 + b$ ∴ $b = -1$

따라서 구하는 일차함수의 식은 $y = -\dfrac{1}{2}x - 1$

10 주호 : $y = 2x + 1$

별하 : $y = 2x + b$라 하면 그래프가 점 $(1, 0)$을 지나므로

$0 = 2 + b$ ∴ $b = -2$, 즉 $y = 2x - 2$

하균 : $(기울기) = \dfrac{4 - (-4)}{3 - (-1)} = \dfrac{8}{4} = 2$이므로

$y = 2x + b$라 하면 그래프가 점 $(3, 4)$를 지나므로

$4 = 6 + b$ ∴ $b = -2$, 즉 $y = 2x - 2$

서현 : x의 값이 1만큼 증가할 때, y의 값은 2만큼 증가하

므로 기울기는 2이다.

$y = 2x + b$라 하면 그래프가 점 $(2, 2)$를 지나므로

$2 = 4 + b$ ∴ $b = -2$, 즉 $y = 2x - 2$

따라서 나머지 셋과 다른 일차함수의 식을 말한 학생은 주

호이다.

11 냉장고에서 바로 꺼낸 물의 온도가 $4\ ℃$이고 온도가 4분

에 $1.2\ ℃$씩, 즉 1분에 $0.3\ ℃$씩 일정하게 올라가므로

$y = 0.3x + 4$

$y = 0.3x + 4$에 $y = 13$을 대입하면

$13 = 0.3x + 4$ ∴ $x = 30$

따라서 물의 온도가 $13\ ℃$가 되는 것은 물을 냉장고에서

꺼낸 지 30분 후이다.

12 점 P가 점 B를 출발한 지 x초 후의 $\triangle ABP$의 넓이를

$y\ cm^2$라 하면 x초 동안 점 P가 움직인 거리는 $x\ cm$이므

로 $\overline{BP} = x\ cm$

$y = \dfrac{1}{2} \times x \times 4$ ∴ $y = 2x$

$y = 2x$에 $y = 10$을 대입하면 $10 = 2x$ ∴ $x = 5$

따라서 $\triangle ABP$의 넓이가 $10\ cm^2$가 되는 것은 5초 후이다.

13 $2x + y = 3$, $7x + y = -2$를 연립하여 풀면

$x = -1$, $y = 5$이므로 두 일차방정식의 교점의 좌표는

$(-1, 5)$이다.

따라서 점 $(-1, 5)$를 지나고 x축에 평행한 직선의 방정

식은 $y = 5$

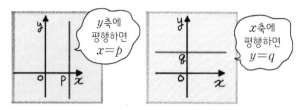

14 두 그래프의 교점의 좌표가 -2이므로

$x - 2y = 6$에 $y = -2$를 대입하면

$x + 4 = 6$ ∴ $x = 2$

즉 두 그래프의 교점의 좌표가 $(2, -2)$이므로

$ax + y = 6$에 $x = 2$, $y = -2$를 대입하면

$2a - 2 = 6$, $2a = 8$ ∴ $a = 4$

15 $\begin{cases} ax - 10y = -2 \\ -2x + by = 1 \end{cases} \rightarrow \begin{cases} ax - 10y = -2 \\ 4x - 2by = -2 \end{cases}$

해가 무수히 많으므로

$a = 4$, $-10 = -2b$에서 $b = 5$

따라서 $y = 4x + 5$의 그래프가 오

른쪽 그림과 같으므로 지나지 않는

사분면은 제4사분면이다.

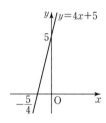

16 직선 $x - y + 2 = 0$의 x절편은 -2, 직선 $x + 2y - 1 = 0$

의 x절편은 1이고, 두 직선 $x - y + 2 = 0$, $x + 2y - 1 = 0$

의 교점의 좌표는 $(-1, 1)$이므로 세 직선으로 둘러싸인

도형은 다음 그림과 같다.

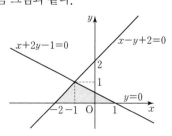

따라서 구하는 도형의 넓이는

$\dfrac{1}{2} \times \{1 - (-2)\} \times 1 = \dfrac{3}{2}$

정답은
이안에
있어!